# Signos e estilos da modernidade

*Franco Moretti*

# Signos e estilos da modernidade

## Ensaios sobre a sociologia das formas literárias

TRADUÇÃO DE
*Maria Beatriz de Medina*

REVISÃO TÉCNICA DE
*Luiz Manoel da Silva Oliveira*

CIVILIZAÇÃO BRASILEIRA

Rio de Janeiro
2007

Publicado originalmente por Verso em 1988.

TÍTULO ORIGINAL
*Signs Taken for Wonders – Essays in the Sociology of Literary Forms*

CAPA
*Evelyn Grumach sobre manuscrito de Georges Bataille*

PROJETO GRÁFICO
*Evelyn Grumach e João de Souza Leite*

CIP-BRASIL. CATALOGAÇÃO-NA-FONTE
SINDICATO NACIONAL DOS EDITORES DE LIVROS, RJ.

Moretti, Franco, 1950-
M843s Signos e estilos da modernidade: ensaios sobre a sociologia das formas literárias / Franco Moretti; tradução de Maria Beatriz de Medina; revisão técnica de Luiz Manoel da Silva Oliveira. – Rio de Janeiro: Civilização Brasileira, 2007.

Tradução de: *Signs taken for wonders: essays in the sociology of literary forms*
ISBN 978-85-200-0653-5

1. Literatura e sociedade. 2. Literatura inglesa – História e crítica. I. Título.

06-4406 CDD – 801.3
CDU – 82.000.141



Direitos desta tradução adquiridos pela
EDITORA CIVILIZAÇÃO BRASILEIRA
Um selo da
EDITORA RECORD LTDA.
Rua Argentina 171 – 20921-380 – Rio de Janeiro, RJ – Tel.: 2585-2000

PEDIDOS PELO REEMBOLSO POSTAL
Caixa Postal 23.052 – Rio de Janeiro, RJ – 20922-970

Impresso no Brasil
2007

## NOTA EXPLICATIVA SOBRE O TÍTULO

Tendo em vista que o presente livro foi originalmente escrito em italiano e que a edição em português foi traduzida de uma versão em língua inglesa, o título da obra passou, por assim dizer, por um périplo "transidiomático". Dessa forma, concluímos que uma breve nota explicativa acerca desse processo se faz necessária para justificar a escolha do título em português. A forma em italiano — *Segni e stili del moderno* —, ganhou a versão *Signs Taken for Wonders*, em inglês. Dentre as várias traduções que essa expressão tem recebido em português, destacamos "sinais tidos como milagres" e "sinais tidos como maravilhas". Segundo uma nota dos tradutores na edição em inglês, o termo "wonders" ("maravilhas", "encantamento"), para Franco Moretti, refere-se às próprias obras literárias ocidentais que podem ser encampadas sob a rubrica "literatura moderna", ou seja, segundo se observa nas abordagens do autor pelo livro afora, esse rótulo compreende todo o conjunto de obras, mormente européias, produzidas da Renascença até a contemporaneidade. Nessa medida, as tragédias de Shakespeare, *Drácula*, de Bram Stoker, *Frankenstein,* de Mary Shelley, *Ulisses*, de James Joyce, e *A terra desolada*, de T. S. Eliot, são algumas das obras que formam a plêiade enfocada por Moretti nas suas admiráveis reflexões críticas, habilmente fulcradas nas teorias estruturalistas, sociológicas e psicanalíticas.

Para Moretti, essas "maravilhas" são signos representativos de significados mais amplos e desveladores de aspectos profundos da realidade cultural e política, para os quais ele formula teorias e explicações inusitadas e interessantes, que projetam uma luz nova e intrigante nas relações entre a cultura erudita e a cultura de massa no século XX. Todavia, ainda assim, um título que incluísse "signos tidos como maravilhas/milagres" não surtiria o mesmo efeito em português, uma vez que a expressão "signs taken for wonders" é relativamente recorrente em inglês, em vários ramos de atividade, e bastante conhecida da crítica literária contemporânea, graças ao emblemático artigo de Homi K. Bhabha que leva essa expressão como título. Na versão do grupo da Editora UFMG que traduziu o livro de Bhabha (*O local da cultura*, 2003) em que consta esse artigo, a forma portuguesa foi publicada como "Signos tidos como milagres".

Na verdade, esse artigo de Bhabha discorre sobre os efeitos ambivalentes e relativos à autoridade que o livro inglês produziu nas populações dos rincões longínquos e selvagens das colônias inglesas, mais precisamente desde o início do século XIX. Especificamente, esse deslumbramento inicial tem a ver, num primeiro momento, com a descoberta "súbita e fortuita" da Bíblia, com a sua mensagem messiânica de sinais de "encantamentos", "milagres" e "maravilhas", que teriam quase que completamente mesmerizado os colonizados, fazendo-os se curvar mais docilmente à dominação colonial, com o conseqüente apagamento da sua cultura e religião, pela sanção da religiosidade e da cultura européias como superiores às autóctones. Num segundo momento, porém, Bhabha reconhece também a ambivalência desse processo quando relata a experiência de um catequista em 1817, nas proximidades de Déli, que se depara com um grupo de nativos "maravilhados" com a leitura da Bíblia, porém não totalmente partidários irrestritos de todos os valores ingleses, uma vez que demonstravam saber tanto filtrar exatamente o que lhes parecia proveitoso da mensagem bíblica, quanto descartar o que não se coadunava com alguns pilares da sua própria cultura e crença. Ressalte-se, também, que, depois da Bíblia, todos os livros da literatura inglesa também exerceriam essa influência ambivalente sobre os colonizados, estabelecendo um padrão de repetição regular que teria suscitado a inspiração de Bhabha para a escritura do artigo.

Como essas associações são relativamente familiares aos leitores de crítica ou teoria literária contemporânea de/sobre os países de língua inglesa, "Signs Taken for Wonders" pode ser efetivo para eles, porém "Sinais tidos como milagres/maravilhas" careceria de plausibilidade em português, por não conduzir automaticamente àqueles mesmos significados que o título em inglês implica. Em função deste fato, optamos por manter um título mais próximo de *Segni e stili del moderno*, ou seja, *Signos e estilos da modernidade*, que não deixaria, por seu turno, de causar o mesmo efeito que o título em inglês, pois os "signos" (as obras estudadas por Moretti) continuariam a produzir as "maravilhas" do descobrimento de novos sentidos, estilos e gêneros, através do seu enredamento nos elementos da cultura de elite e de massa da modernidade — num sentido bem amplo — e, por que não dizer, também da contemporaneidade? A simples leitura do último parágrafo do primeiro capítulo deste livro, "A alma e a harpia", já seria suficiente para atestar o que Franco Moretti quer dizer com a noção de que a literatura é um repositório de fascinantes e desafiadores signos de encantamento e perplexidade.

Luiz Manoel da Silva Oliveira

# Sumário

# Agradecimentos

"A alma e a harpia" foi escrito especificamente para este livro; uma versão um pouco mais curta foi publicada em *Quaderni Piacentini*, nº 5, 1982. "O longo adeus" saiu em *Studi Inglesi*, nº 3-4, 1976-77; "A dialética do medo", em *calibano*, nº 2, 1978; "Pistas", como introdução do livro *Polizieschi Classici*, Roma, 1978; "O grande eclipse", em *calibano*, nº 4, 1979 (e, numa tradução parcial, em *Genre*, outono de 1982); "De *A terra desolada* ao paraíso artificial", em *calibano*, nº 5, 1980; "Jardim de Infância", em *calibano*, nº 6, 1981; "*Homo palpitans*", em *Quaderni Piacentini*, nº 3, 1981. Gostaria de agradecer a Agostino Lombardo, editor de *Studi Inglesi*, às comissões editoriais de *calibano*, *Quaderni Piacentini* e *Genre* e a Savelli Editore por sua permissão de reproduzir aqui estes ensaios. "Da evolução literária" foi lido na conferência *Convergence in Crisis* [A convergência em crise], organizada pelo Centro de Teoria Crítica da Duke University, no outono de 1987. É reproduzido aqui com a gentil permissão de Fredric Jameson.

Com o passar do tempo, muitos amigos deram sugestões e fizeram objeções, e alguns tiveram a paciência de discutir comigo praticamente todo o meu trabalho: são Perry Anderson, Pierluigi Battista, Paola Colaiacomo, David A. Miller, Francis Mulhern, Fernando Vianello e Niccolò Zapponi. Devo-lhes muito, ainda mais porque minha teimosia em rejeitar bons conselhos deve ter sido muito irritante.

Finalmente, um agradecimento especial a David Forgacs, Susan A. Fischer e David A. Miller, *que traduziram meu livro para o inglês*. Meu italiano é muito idiomático e coloquial; gosto dele assim, mas percebi como este fato complica as coisas na tradução. Mas o texto inglês ficou excelente; embora o tom geral seja levemente mais "refinado" que o do italiano, mais de uma vez as opções de Forgacs, Fischer e Miller me ajudaram a esclarecer e, espero, melhorar pontos específicos do esboço original.

# A alma e a harpia

## REFLEXÕES SOBRE AS METAS E OS MÉTODOS DA HISTORIOGRAFIA LITERÁRIA

Forma é poder.
(Hobbes, *Leviatã*)

As introduções sempre são escritas por último, talvez anos depois de algumas obras que supostamente "introduzem". Quem relê o próprio trabalho nota imediatamente erros e lacunas, as idéias que agora parecem tão óbvias mas que na época, sabe Deus por quê, pareciam impossíveis de compreender. Dá vontade de jogar tudo fora e começar de novo — ou, pelo menos, de olhar para a frente — não para trás —, e buscar o que ainda não foi feito, sem se esforçar para tornar apresentável o que há muito tempo ficou para trás.

Em resumo, assim que se começa a escrever uma introdução, quer-se escrever o extremo oposto de uma introdução. Tentei resistir a este impulso, depois dominá-lo, depois disfarçá-lo. Mas posso também admitir que sinto que esta introdução conseguiu fugir de mim. Nem mesmo sei se é uma boa idéia lê-la antes dos outros ensaios. Não que não tenha nada a ver com eles; pelo contrário, aborda exatamente os problemas teóricos que voltam o tempo todo neste livro. Mas há duas diferenças um tanto importantes na maneira como trata deles.

Em primeiro lugar, esta é a minha primeira tentativa de fazer uma discussão sistemática e abstrata de questões que sempre abordei de maneira ocasional, intuitiva e concreta em relação a um texto ou gênero literário específico. E embora esteja convencido de que a pesquisa empírica é impossível sem que haja um arcabouço teórico para guiá-la, não tenho certeza nenhuma de ser pessoalmente capaz desse tipo de trabalho. Sinto-me mais à vontade quando estou examinando, corrigindo e refutando teorias já existentes à luz de exemplos concretos do que quando preciso apresentar uma teoria alternativa. Em termos ideais, é claro que as duas operações deviam coincidir; mas, na verdade, acabamos nos "especializando" em uma ou em outra, e devo dizer que a operação com a qual mais me identifico é a que se encontra nos ensaios a seguir, e não a que tentei nesta introdução. Por outro lado, no frenético mundo da crítica literária a especulação teórica tem o mesmo *status* simbólico que a cocaína: a gente *tem* de experimentar. Os leitores julgarão por si mesmos se, no meu caso, valeu a pena ou se simplesmente foram iludidos com falsas promessas.

A segunda diferença é muito mais simples e muito mais importante. Nos últimos anos, mudei de opinião sobre várias questões. Em alguns casos, que mencionarei explicitamente, acho hoje que estava errado. Entretanto, de maneira geral eu diria que radicalizei e generalizei várias intuições espalhadas aqui e ali em minha obra anterior. Pode ser que elas tenham, deste modo, ganhado clareza e poder explicativo, ou pode ser ainda que tenham perdido o que era bom em sua formulação original. Inclino-me (previsivelmente) para a primeira opinião, mas, como sempre, a avaliação dos outros é o que conta. Só queria afirmar, a princípio, que as discrepâncias entre um ensaio e o seguinte e entre os ensaios e a introdução nascem, pelo menos em parte, do fato de que não consigo considerar meu trabalho algo completo; que nenhum arcabouço metodológico ou historiográfico me convence inteiramente; e que todas as mudanças que fiz foram provocadas pela convicção banal e fora de moda de que a principal tarefa da crítica é fornecer a melhor explicação possível dos fenômenos que discute. É tudo; agora podemos partir para os problemas reais.

### *Retórica e história*

"A retórica é como um ramo [...] da ciência que trata do comportamento que seria correto chamar de político." As palavras de Aristóteles (*Retórica*, 1356a) prenunciam as pesquisas das últimas décadas que visaram a demonstrar que as convenções retóricas existem para satisfazer necessidades especificamente sociais. Daí vem Kenneth Burke em 1950:

> A *Retórica* deve nos levar através do escambo, da luta do mercado, da azáfama e das chamas do terreiro humano, do dar e tomar, da linha ondulante de pressão e contrapressão, da logomaquia, do ônus da posse, das guerras de nervos, da Guerra. [...] Suas culminâncias ideais são atingidas com mais freqüência pela luta como condição de sua expressão organizada ou personificação material. Sua própria universalidade transforma-se em uma arma guerrilheira. Afinal, não é preciso investigar com muita agudeza o conceito de "identificação" para ver nele, implícita a cada vez, sua contrapartida irônica: a divisão. A retórica ocupa-se do estado de Babel depois da Queda. Sua contribuição para uma "sociologia do conhecimento" nos leva quase sempre para longe nas regiões lúgubres da malícia e da mentira.[1]

Assim também, para citar alguém que, em termos intelectuais, está no pólo oposto de Burke, temos Giulio Preti em 1968:

> O discurso retórico é um discurso dirigido a um público *particular* (prefiro chamá-lo de "determinado"). [...] Em outras palavras, o argumento retórico parte tanto de pressupostos quanto de sentimentos, emoções, avaliações — numa palavra, "opiniões" (*doxai*), que supõe estar presentes e em funcionamento em seu público.

E, mais adiante, comentando alguns trechos da *Logique du Port-Royal*:

> Duas coisas específicas aqui se destacam: a primeira é o caráter *emocional* que está por trás destes tipos de persuasão não racional, um caráter emocional indicado, de modo meio cru, por expressões como "amor-próprio", "interesse", "utilidade", "paixão", mas que, ainda assim, é bastante definido. [...] A segunda é o caráter tipicamente social dessas formas de sofisma: elas estão ligadas às relações do homem com outros homens dentro da nação, do grupo social ou da instituição. Esse caráter social contrasta com a universalidade da convicção racional.[2]

A retórica tem um caráter social, emotivo, partidário; em suma, um caráter *avaliador*. Persuadir é o contrário de convencer. A meta não é determinar uma verdade intersubjetiva, mas obter apoio para um sistema *específico* de valores. No século XVII, que testemunhou o primeiro grande florescimento da ciência empírica e, *ao mesmo tempo*, o colapso de toda "organicidade" social na luta mortal entre fés e interesses opostos, a percepção deste contraste era agudíssima. Segundo *La Logique du Port-Royal*:

> *Si l'on examine avec soin ce qui attache ordinairement les hommes plûtot à une opinion qu'à une autre, on trouvera que ce n'est pas la pénétration de la vérité et la force des raisons; mais quelque lien d'amour propre, d'interêt, ou de passion. C'est le poids qui emporte la balance, et qui nous détermine dans la plupart de nos doutes; c'est ce qui donne le plus grand branle à nos jugements, et qui nous y arrête le plus fortement. Nous jugeons des choses, non par ce qu'elles sont en elles-mêmes; mais par ce qu'elles sont à notre égard: et la vérité et l'utilité ne sont pour nous qu'une même chose.*[3]*

Até agora, discutimos o caráter social das convenções retóricas. Mas a discussão também se aplica às convenções literárias. A retórica diz respeito a tantas e tão diversas atividades (direito, política, ética, publicidade...) que seria errado restringi-la apenas à literatura, mas ainda assim o discurso literário está inteiramente contido no domínio retórico. Como explica Preti, num trecho impecável:

*"Quando se examina com cuidado o que é que, de ordinário, prende os homens mais a uma opinião que a outra, descobre-se que não é a penetração da verdade e a força do raciocínio, mas algum laço de amor-próprio, de interesse ou de paixão. Este é o peso que move a balança e que nos determina na maior parte de nossas dúvidas; é o que dá o impulso maior aos nossos juízos e que nos prende a eles com mais força. Julgamos as coisas não pelo que são em si mesmas, mas pelo que são em relação a nós; e a verdade e a utilidade, para nós, não passam da mesma coisa." (*N. T.*)

> O discurso epidíctico, que era o menos valorizado na Antigüidade (exatamente por ser o mais [...] "retórico", no mau sentido), é, hoje em dia, contudo, aquele que assume a maior importância. Pode-se dizer até que na filosofia da cultura de hoje é o único que tem algum interesse, exatamente porque não tem fins políticos estreitos mas sim uma meta cultural, "pedêutica". E acima de tudo porque permite o gênero do discurso literário em prosa. Baseia-se em valores morais e, em geral, nos valores de uma civilização. Visa a reforçar ou despertar atitudes (sentimentos) não só com relação a uma decisão contingente (legal ou política), mas com relação aos grandes valores que formam a civilização. Exatamente devido ao seu caráter não-prático, é improvável que degenere de discurso de persuasão em discurso de propaganda. São, acima de tudo, as estruturas e regras deste tipo de discurso o objeto da nova Retórica.[4]

O caráter avaliador e persuasivo do discurso literário surge acentuadamente naquela área da tradição retórica que a crítica literária mais conhece, ou seja, as "figuras", e especialmente a "rainha da poesia": a metáfora. Longe de serem ornamentos "estéticos" do discurso, lugares onde a estratégia da persuasão é atenuada ou desaparece, as figuras são mecanismos sem paralelos para fundir num todo indivisível descrição e avaliação, "julgamentos de fato" e "julgamentos de valor". Citando outra vez *La Logique du Port-Royal*: "*Les expressions figurées signifient, outre la chose principale, le mouvement et la passion de celui qui parle, et impriment ainsi l'une et l'autre idée dans l'esprit, au lieu que l'expression simple ne marque que la vérité toute nue*".[5]*

"Paixão", "emoções", "sentimento": indicam aquele objeto incerto que a crítica literária talvez prefira ignorar, mas que nem por isso desaparece de seu campo de ação. Como disse Pascal, o sentimento "age subitamente, e está sempre pronto a agir". Buscando suas raízes no "hábito", na reação cultural "espontânea" ("somos tanto automatismo quanto espírito...") que nos diz, com clareza impiedosa, com

*"As expressões figuradas significam, além da coisa principal, o movimento e a paixão de quem fala e imprimem, portanto, as duas idéias no espírito, enquanto a expressão simples só marca a verdade nua." (*N. T.*)

que profundeza nosso aparelho psíquico é determinado pelo contexto sócio-histórico.

A retórica, portanto, dirige-se ao "sentimento" exatamente porque se preocupa em evocar e disciplinar nossa parte mais puramente *social*. A parte mais "automaticamente" social, devemos dizer, tendo em mente Pascal, mas também recordando a teoria da metáfora apresentada por Max Black. A metáfora, para Black, parece simplesmente impensável fora de todo um sistema de lugares-comuns morais e cognitivos (a retórica, como disse Aristóteles, é a arte de bem usar os lugares-comuns), utilizados e aceitos sem serem mais submetidos a qualquer controle:

> Veja-se a afirmação "o homem é um lobo" [...] A frase metafórica em questão não transmitirá o significado pretendido a um leitor que não saiba o bastante sobre lobos. O necessário não é tanto que o leitor conheça o significado padrão dicionarizado de "lobo", nem que seja capaz de usar a palavra em sentido literal, mas sim que conheça o que eu chamaria de *sistema de lugares-comuns associados*. [...] Do ponto de vista do especialista, o sistema de lugares-comuns pode incluir meias-verdades ou erros crassos (como ao se classificar uma baleia como peixe); mas o importante para a eficácia da metáfora não é que os lugares-comuns sejam verdades, mas que sejam lembrados pronta e livremente. (Por causa disso, a metáfora que funciona numa sociedade pode parecer absurda em outra.)[6]

Vista sob esta luz, quanto mais uma formulação retórica se transforma em lugar-comum (ou melhor — mas é a mesma coisa —, quanto mais se torna "implícita", despercebida por nós) mais persuasiva será:

> A nós, nos parece que o valor das metáforas "mortas" em debate é ainda mais predominante devido à grande força de persuasão que possuem quando, com ajuda de uma ou outra técnica, voltam a ser postas em ação. A força resulta do fato de extraírem seus efeitos de um material analógico que é fácil de admitir, já que não só é conhecido como integrado, por meio da linguagem, à tradição cultural.[7]

> Quem usa uma forma do sistema retórico não precisa pensar nem estar totalmente consciente, naquele momento, de estar usando aquela forma, assim como quem dirige um carro não precisa pensar nem estar totalmente consciente naquele momento de quantos cilindros tem o motor ou como ele funciona [...] o conhecimento das formas retóricas pelo ouvinte pode, na verdade, pôr em risco o efeito que o falante espera despertar com tais formas, já que o efeito está sujeito ao controle do ouvinte.[8]

As figuras de retórica e as combinações maiores que organizam as narrativas longas são, assim, semelhantes aos pressupostos profundos, encobertos e invisíveis de todas as visões de mundo. É por isso que todos voltam devidamente a elas sempre que é preciso trazer à atenção uma experiência especialmente complexa (praticamente só se pode falar sobre o tempo por meio de metáforas), ou exprimir um juízo que tenha importância específica (quase toda a linguagem emocional, de "docinho" a "lixo" e assim por diante, é uma longa cadeia de metáforas). Acabei de dizer que as formas retóricas são "parecidas" com os pressupostos mais profundos de toda *Weltanschauung*. Os exemplos aqui referidos nos convidam a ir além, a indicar que são a forma *mais generalizada* e, em alguns casos, a *única* forma pela qual esses pressupostos continuam a se manifestar. Sua eficácia duradoura e impercebida aponta para o amplo campo de estudos da cultura *inconsciente*, do conhecimento implícito de toda civilização. Na verdade, ficou difícil imaginar uma história social satisfatória do "consenso" que não compreenda as técnicas de persuasão. Reciprocamente, a crítica literária — como uma sociologia das formas retóricas — teria tudo a ganhar com o contato com a história das mentalidades delineada pela escola dos *Annales*:

> A inércia, força histórica fundamental, [...] é mais um fato da mente do que da matéria, já que esta última costuma ser mais rápida na ação que a primeira. Os homens utilizam as máquinas que inventam enquanto mantêm a mentalidade dos estágios técnicos anteriores. Os motoristas de automóveis usam o vocabulário de um cavaleiro, os operários fabris do século XIX têm a mentalidade de seus pais e avós camponeses. A mentalidade é o que muda mais devagar. A história das mentalidades é a história da lentidão na história.[9]

Mas é claro que seria errado dizer que a literatura limita-se a "trazer de volta à vida" as formas retórico-ideológicas já depositadas na tradição. A literatura é atravessada por contínua, e às vezes traumática, inovação: as figuras "ousadas", as obras que na aparência foram rejeitadas como "incompreensíveis" ou "absurdas", são o indício mais visível deste outro lado da questão. Mas de modo algum isto "prova", como se costuma acreditar pelas razões mais variadas, que a literatura "real" seja, por natureza, anticonvencional e que sua interpretação, portanto, nos levará "além" da análise retórica.

Vamos começar com o segundo ponto. A teoria retórica não é, de forma alguma, incapaz de explicar o caráter evolucionário ou mesmo as rupturas da história literária. A análise da metáfora em termos texto-lingüísticos de Harald Weinrich visa exatamente a explicar a função culturalmente inovadora que, quando necessário, ela pode vir a exercer. Na verdade, quando Weinrich observa que a metáfora é uma "predicação contraditória", ele mostra que a relação entre "tópico" e "comentário", ou sujeito e predicado, estabelecida pela combinação metafórica nunca é, originalmente, "pacífica", mas sempre envolve uma transição "arriscada" entre os dois termos.[10] A predicação proposta pela metáfora, em seu entrelaçamento de descrição e avaliação, pode também ser repelida. O contexto inerte e contradeterminante pode mostrar-se rígido demais e, assim, fazer a predicação parecer incompreensível. A história literária, afinal de contas, está cheia de experimentos retóricos que parecem relegados para sempre ao limbo do absurdo. Mas também está cheia — e é esta a questão — de experiências que pareciam absurdas mas que hoje parecem não só inteiramente aceitáveis como, na verdade, indispensáveis: experiências que se estabeleceram como "lugares-comuns". "*Créer un poncif*":* não era este o ideal de Baudelaire — de *Baudelaire*? Portanto, quando se defronta com um texto que viola as convenções do seu tempo, a análise crítica não pode se contentar com a meia-verdade que nos diz como isso aconteceu. Não pode olhar, como de costume, só para o *passado*, para a

*"Criar um lugar-comum." (N. T.)

convenção desalojada ou a *Weltanschauung* desconstruída. O *futuro* de um texto, as convenções e as visões de mundo que ele ajudará a formar e consolidar, estas também fazem parte de sua história e de sua contribuição à história. Esta consideração é subestimada em outros tipos de estudos históricos. Somente o criticismo literário, preso a superstições só suas, como logo veremos, reivindicou a isenção. Não há nenhuma boa razão para isso, não só no que diz respeito à historiografia como também à luz da própria teoria da retórica. Afinal, a retórica, recordando as palavras de Kenneth Burke, é filha da divisão e da discórdia. O simples fato de existir é testemunho de uma sociedade dividida, em conflito. É uma entidade que se transforma o tempo todo, histórica em sua essência. A "ousadia" retórica testemunha uma vontade que quer derrubar as relações de poder da ordem simbólica. Os "lugares-comuns" e a inércia semântica, no que lhes diz respeito, são tanto o *resultado* potencial daquela ousadia quanto o seu oposto. É este o sentido de um trecho memorável de Erwin Panofsky:

> A arte não é, como nos levaria a acreditar o ponto de vista que acentua excessivamente sua oposição à teoria da imitação, uma expressão de sentimento subjetiva nem uma ocupação existencial de determinados indivíduos, *mas sim um conflito objetivante e realizante que visa a resultados significativos, entre um poder formador e um material a ser superado.*[11]

Até mesmo o tom desta frase deixa claro que, para Panofsky, não haveria nada de errado em ver a história da arte como uma articulação da história dos conflitos sociais e da violência: como uma "*história de conflitos na esfera das formas estéticas*".[12] Assim, não é mais uma questão de contrastar o "consenso" retórico (ou ideológico) com a "dissensão" estética, mas de reconhecer que há *momentos* diferentes no desenvolvimento de cada sistema de consenso e, acima de tudo, *maneiras* diferentes de promovê-lo. Como tento explicar nos ensaios sobre Joyce, Eliot e Balzac, bem como na quarta parte desta introdução, em contextos sociais específicos até as formas estéticas "abertas", "não orgânicas" ou "obscuras" podem funcionar como instrumentos de consenso.

O conhecimento do contexto sócio-histórico de uma obra ou gênero literário não é, portanto, um "extra" a ser mantido à margem da análise retórica. Em geral, quer se saiba ou não, este conhecimento constitui o ponto de partida da própria interpretação, fornecendo-lhe a hipótese inicial sem a qual os mecanismos retóricos seriam difíceis de entender ou, na verdade, nos diriam pouquíssimo. Assim, quando há uns dez anos todas as obras eram implacavelmente levadas de volta à oposição natureza x cultura, o procedimento logo se desgastou, não tanto devido à sua indeterminação histórica, mas porque esta indeterminação (muito encorajada pelo próprio Lévi-Strauss) permitiu, em regra, análises que eram, no máximo, elementares, ou que simplesmente estavam erradas.

Mas, ainda que a análise retórica refine e amplie o território das ciências sociais, e que estas últimas, por sua vez, forneçam-lhe aquele arcabouço histórico fora do qual a própria existência de convenções retóricas não faria sentido, não se deve achar, assim, que a conexão entre os dois aparelhos conceituais e o conjunto de fenômenos a que se referem seja linear e previsível. Isomorfismos de verdade não ocorrem nunca, e desta discrepância categorial nasce o conjunto de problemas que caracteriza a história literária.

*A historiografia literária — e além dela*

Os textos literários são produtos *históricos* organizados segundo critérios *retóricos*. O principal problema da crítica literária que pretende ser uma *disciplina histórica* completa é fazer justiça a ambos os aspectos de seus objetos: elaborar um sistema de conceitos que seja ao mesmo tempo historiográfico e retórico. Isso permitiria realizar uma operação dupla: cortar em segmentos a linha diacrônica contínua constituída pelo conjunto de textos literários (a tarefa estritamente histórica); mas cortá-los segundo critérios formais que pertencem *àquela* linha contínua e não a outras (a tarefa estritamente retórica).

Em grande parte, este aparelho teórico já existe e gira em torno do conceito de "gênero literário". Não acho que seja por acaso que, no século XX, os melhores resultados da crítica histórico-sociológica se encontrem em obras que visam a definir as leis internas e o alcance histórico de determinado gênero: desde o romance, em Lukács, até o drama barroco, em Benjamin; da tragédia clássica francesa, em Goldmann, ao sistema de doze notas (num campo aparentado), em Adorno. Mas não há dúvidas de que o conceito de gênero literário ainda não alcançou o destaque que merece, ou poderia levar a uma estruturação da história literária muito diferente daquela que conhecemos. Gostaria aqui de delinear algumas das perspectivas que podem se descortinar caso ele seja usado sistematicamente. No entanto, preciso primeiro indicar por que a crítica ofereceu resistência tão generalizada a essa evolução.

Vamos abordar o caso do jovem Lukács. No período em que trabalhava em seu *Drama moderno*, Lukács, sob a influência da sociologia das formas de Simmel, veio a formular o problema que nos preocupa em termos que continuam válidos hoje em dia. Como escreveu no prefácio de 1911 da obra:

> O problema fundamental deste livro, portanto, é: existe um drama moderno? E que estilo ele tem? Essa questão, no entanto, como toda questão estilística, é, em primeiro lugar, sociológica [...] Os maiores erros da análise sociológica em relação à arte são, nas criações artísticas, buscar e examinar somente o conteúdo, traçando uma linha reta entre eles e as relações econômicas dadas. Mas na literatura o que é verdadeiramente social é a forma. [...] A forma é realidade social; participa, vivaz, da vida do espírito. Portanto, não funciona apenas como fator que age sobre a vida e molda experiências, mas também como fator que é, por sua vez, moldado pela vida.[13]

Conceitos semelhantes estão expressos no primeiro e mais longo esboço do prefácio — a conferência de 1910 "Observações sobre a Teoria da História Literária":

> A síntese da história literária é a unificação, numa nova unidade orgânica, da sociologia e da estética. [...] A forma é sociológica não só como elemento mediador, como princípio que conecta autor e receptor, tornando a literatura um fato social, mas também em relação com o material a ser formado. [...] A forma, numa obra, é o que organiza, num todo fechado, a vida que lhe é dada como assunto, aquilo que determina seu tempo, ritmo e flutuação, sua densidade e fluidez, sua rigidez e suavidade; aquilo que acentua as sensações percebidas como importantes e distancia as de menor importância; aquilo que coloca as coisas no primeiro plano ou no plano de fundo e arruma-as em ordem. [...] Toda forma é uma avaliação da vida, um juízo da vida, e tira sua força e seu poder do fato de que, em suas bases mais profundas, a forma é sempre uma ideologia. [...] A visão de mundo é o postulado formal de toda forma.[14]

Esta linha de pesquisa é claríssima e muito mais rica do que duas ou três citações podem ajudar a sugerir. É de se perguntar que forma a crítica sociológica teria tomado caso Lukács desse continuidade a seu projeto. Mas, claro, as coisas se desenrolaram de outro jeito. Já em 1910, em desconcertante sincronia com os argumentos aqui citados, Lukács elaborou um conceito diametralmente oposto de forma estética — um conceito "trágico", baseado no colapso de todas as conexões entre forma e vida, formas e história:

> [Aqui] surge uma questão fundamental para a estética: não será o que nos acostumamos a chamar de forma e que, *a priori*, colocamos à frente dos significados da vida e do que está sendo formado, a petrificação da existência? [...] Toda obra perfeita, exatamente devido à sua perfeição, coloca-se fora de todas as comunidades e não tolerará ser inserida numa série de causas que a determinem de fora. A essência da criação artística, da formação, é apenas um princípio isolador: corta todos os laços que a prendiam à vida, concreta, em movimento e viva, para dar-se uma nova vida, fechada em si mesma, não ligada a nada e não comparável a nada. Em toda criação artística existe um tipo de *Inselhaftigkeit*, como diz Simmel, e em conseqüência ela reluta em fazer parte de alguma evolução contínua.[15]

Como bem se sabe, entre as obras *A alma e as formas* e *A teoria do romance* Lukács radicalizou esta segunda versão do seu conceito de forma. No famoso diálogo sobre *Tristram Shandy*, o locutor que exalta a ordem formal assusta a moça que ama e lança-a nos braços do seu rival. Do mesmo modo, na *Teoria do romance*, a *historicidade* (consubstancial com o romance) faz com que a realização formal de um romance seja sempre e somente "problemática": é um "anseio" de forma, em vez de sua concretização. Entre vida e forma, história e formas, o jovem Lukács cava uma trincheira cada vez mais funda. A vida é "movimento", a forma, "fechamento". A vida é "concretude" e "multiplicidade", a forma é "abstração" e "simplificação". A forma, numa metáfora sintetizante, é petrificada e petrificante; a vida, fluida, dúctil, "viva".

No entanto, as ciências sociais do século XX apagaram para sempre esta imagem da vida. Quando se olha pelos olhos dos lingüistas, a história da *longue durée*, a antropologia e a psicanálise, *até mesmo* a vida parecem "petrificadas". O inaceitável na dicotomia de Lukács não é tanto a descrição da forma em relação às características atribuídas à existência histórica. Se, na obra de Lukács publicada entre 1910 e 1920, o conceito de forma assume conotações cada vez mais metafísicas, isto acontece, de forma paradoxal, menos por razões internas ao próprio conceito de forma do que devido à imagem que os antecedentes filosóficos de Lukács imprimiram ao conceito oposto. A forma coagula-se num apriorismo cruel — extremo, trágico, oposto à vida — *porque* Lukács quer conservar a "vida" num estado de indeterminação fluida e "aberta". O que Lukács pretende evitar é um conceito que, no entanto, é essencial para a análise da cultura: o conceito de *convenção*.[16] É um conceito fundamental porque indica quando uma forma assumiu uma raiz social definitiva, penetrando na vida cotidiana, animando e organizando-a de maneira cada vez mais imperceptível e regular — e, portanto, mais eficaz. Mas, ao mesmo tempo, é um conceito que reforça uma dura desilusão, porque despe a existência histórica de sua abertura à mudança, e a forma estética de sua pureza original.

Acredito que a crítica literária apegou-se por tempo demais aos termos do dilema de Lukács: salvar o calor da vida e a pureza da forma. É por isso que a história e a retórica tornaram-se temas sem relação nenhuma entre si. É por isso que o conceito de gênero literário permaneceu confinado a um tipo de limbo teórico: reconhecido e aceito, mas usado pouco e com relutância. Falar sobre gêneros literários significa, sem dúvida, enfatizar a contribuição dada pela literatura à "petrificação da existência" e também ao "desgaste da forma". Significa redirecionar as tarefas da historiografia literária e a imagem da própria literatura, encerrando ambas na idéia de consenso, estabilidade, repetição e até de mau gosto. Significa, em outras palavras, transformar o maior dos paraísos — o paraíso da "beleza" — numa instituição social como as outras.

Podemos agora voltar ao papel do conceito de gênero na divisão e no reordenamento da linha contínua da história literária. Uma coisa nos chama imediatamente a atenção. Uma história da literatura construída em torno deste conceito seria, ao mesmo tempo, mais "lenta" e mais "descontínua" do que aquela com que estamos acostumados. Mais lenta, porque a própria idéia de *gênero* literário exige ênfase no que um conjunto de obras tem em *comum* pressupondo que a produção literária obedece a um sistema predominante de leis e que a tarefa da crítica é exatamente mostrar a extensão de seu poder coercitivo e regulamentador. A idéia de gênero introduz na história literária a dimensão que a escola dos *Annales* chamou de *longue durée* e sustenta a hipótese de que "a arte é, sem dúvida, mais propensa à expressão de *estados* da civilização do que de momentos de ruptura violenta".[17]

Esta é uma mudança de ponto de vista cujas conseqüências formam um conjunto difícil e, em parte, também inútil de se prever. Mas uma coisa é certa: obrigará ao reexame, desde os alicerces, da condição historiográfica da crítica literária. Titubeante e obsoleta neste aspecto, a história literária nunca deixou de ser *histoire évenementielle*, na qual os "eventos" são grandes obras ou grandes indivíduos. Até as grandes controvérsias históricas, quando tudo é dito, giram quase exclusivamente em torno da reinterpretação de um número pequeníssimo de obras e autores. Esse procedimento condena o conceito de gênero a uma função subalterna e marginal, como indicado de forma flagrante na dupla formalista convenção-desfamiliarização, na qual o gênero surge como mero *background*, um plano opaco cuja única utilidade é destacar a *diferença* da obra-prima.

Assim como o "evento" rompe e ridiculariza as leis da continuidade, a obra-prima está lá para demonstrar o "triunfo" sobre a norma, a irredutibilidade do que é realmente grande.

Os problemas, aqui, são muitos e estão entrelaçados. Mas, limitando-nos ao essencial, vamos fazer algumas perguntas. Primeiro, até que ponto a pesquisa empírica gerou a antítese entre a norma e a obra-prima na qual a historiografia literária continua a se basear? Em que sentido Shakespeare "viola" as convenções da tragédia elisabetana? Por que não dizer o oposto, que ele foi o único escritor capaz de realizá-las por completo, criando, por assim dizer, o "tipo ideal" de um gênero inteiro? Será que *O aprendizado de Wilhelm Meister* "desfamiliariza" as convenções do *Bildungsroman*? Não seria o contrário, que, com este romance, Goethe as descobre e torna-as reproduzíveis? Os exemplos poderiam se multiplicar. Aqui também, em essência, está o problema de que tratamos ao discutir a relação entre o "lugar-comum" e a "ousadia" na retórica. Mais uma vez, o que está em questão é a direção do olhar do historiador: se deveria olhar apenas para o que está por trás da obra-prima, enfatizando unilateralmente uma quebra, uma ruptura do tecido histórico, ou se, ao mostrar as conseqüências de toda grande obra, deveria acentuar sua função como produtora genuína de "estabilidade" histórica.

Parece-me evidente que a primeira orientação ainda é a mais comum, e não é difícil encontrar a razão. O fato é que a crítica não se libertou inteiramente de sua antiga tarefa: ser um tipo de acompanhamento refinado da leitura, da leitura que fazemos aqui e agora. Como algumas obras continuam a ser lidas, surge espontaneamente o desejo de mostrar que são "contemporâneas" e, assim, de enfatizar o que permite que sejam arrancadas da terra dura do passado e postas em nosso colo. Isto prenuncia uma relação com textos cujas raízes distantes estão na exegese alegórica grega e, acima de tudo, cristã.[18] Baseia-se na crença, apesar de banalizada hoje em dia, de que há mensagens no passado que não só nos dizem respeito como, em certo sentido, foram escritas *para nós e apenas para nós*, e cujo significado só será inteiramente revelado à luz de nossa exegese. Uma superstição realmente agradável e utilíssima "para a vida toda", mas que, exatamente por esta razão diz respeito ao estudioso da mentalidade contemporânea, e não ao historiador. Este último, a menos que queira se transformar naquele personagem lendário cujo único prazer é contemplar a própria reflexão, deve concentrar-se nas dessemelhanças e rupturas: no que foi perdido e tornou-se irrecuperavelmente insólito e no que só podemos "refamiliarizar" agindo com tamanha violência que chegaremos a distorcer a coerência objetiva e concreta de todas as obras que o conhecimento científico tenha como tarefa reconstruir e "resgatar".

A centralidade imprópria e distorcedora que o "gosto" contemporâneo conquistou à custa da crítica histórica nos leva a outra pergunta. No final do século XIX, foram escritas centenas de histórias de fantasmas, mas *A outra volta do parafuso* é algo diferente. Concordo; ou melhor, é algo diferente "para nós", a minoria minúscula que age, em cada caso, como repositório do gosto predominante. Porém a tarefa do historiador da cultura é sempre e apenas perguntar o que, no passado ou no presente, torna possível a "separação" de uma elite da massa do público. Não seria melhor tratar das convenções de massa, dos grandes acordos ideológicos pelos quais cada época se distingue das outras? Pode-se objetar, no entanto, que hoje a produção média de um dado gênero é ilegível e enfadonha. Não duvido. Mas é exatamente esta "incontemporaneidade" que o historiador deve buscar. (Podemos refletir, de passagem, que se todos se comportassem como aqueles críticos literários que só estudam o que "gostam", os médicos poderiam restringir-se a estudar corpos saudáveis e os economistas, os padrões de vida dos ricos.) Então, estamos assim tão certos de que conhecemos essas "outras" histórias de fantasmas, as "convencionais"? Essas convenções foram mesmo estudadas ou nos limitamos a evocá-las apressadamente com o único propósito de dar brilho ao seu "destruidor"? Para quem quiser manter a dupla convenção-inovação e dar à última todo o peso histórico e formal que merece, é ainda mais importante perceber que o primeiro termo do par ainda não se tornou um "objeto de conhecimento" propriamente dito da crítica literária. A idéia de "literatura normal", parafraseando outra expressão dos *Annales*, não tem lugar na crítica. O resultado é que, atualmente, nosso conhecimento da história literária se parece muito com os mapas da África de um século e meio atrás: as faixas costeiras são familiares, mas um continente inteiro permanece desconhecido. Atordoados pelos grandes estuários de rios míticos, quando chega a hora de identificar a fonte ainda confiamos, com demasiada freqüência, em hipóteses bizarras e até em lendas.

Diante de um continente desconhecido, é claro que não se sabe com antecedência se vai valer a pena explorá-lo. Só posso dizer que todas as vezes em que estudei gêneros "menores", "literatura de massa" (apesar de tê-lo feito de uma forma que não acho mais satisfatória, buscando suas leis de funcionamento numa única obra que considerava exemplar, como *Drácula*, *Os meninos da Rua Paulo*, o ciclo de Sherlock Holmes, e não num *corpus* maior e mais sistemático de produtos de "nível médio"), sempre terminei encontrando significados que não eram, de modo algum, "previsíveis" nem "banais". Muitíssimas vezes, na verdade, eram diferentes ou mesmo opostos do que se costuma supor à primeira vista.

A literatura de massa não é a extensão indiferenciada e sem significado que a maioria dos críticos *ainda* diz que é. Contém muitas surpresas e não só por causa dos significados *dentro* dela, mas também devido à luz que lança sobre obras de outro tipo. A retórica do conto policial nos permite entender melhor a problemática formal e cultural da qual dependem as soluções narrativas de Joseph Conrad (que são opostas àquelas do conto policial). Ao ler Baudelaire à luz de Bram Stoker, descobre-se que a função do oximoro assume conotações inesperadas. Nos ensaios sobre literatura de massa aqui reunidos, infelizmente, este aspecto da questão é desenvolvido de forma insuficiente. Há apenas alguns anos, escrever sobre *Drácula* significava ser tomado por um desocupado excêntrico quando maior preocupação era provar que o trabalho era legítimo: "Veja, *Drácula* também faz parte da história literária." Imaginar que o estudo de Stoker poderia contribuir para a mudança dos contornos da "grande" literatura era, realmente, ir um pouco longe demais. Mas hoje estou convencido de que este é um caminho a seguir e que, talvez, nos permita reconstruir o sistema literário do passado com grande precisão teórica e fidelidade histórica.

Uma história literária "mais lenta"; mais "descontínua". Atualmente, a crítica baseia-se em critérios numerosos e variados demais para dividir a linha contínua da história: a vida individual do autor; os conceitos de "períodos de estilo", como maneirismo ou naturalismo; as rupturas ocorridas em outras áreas da história; o recurso explícito ou implícito a um onipresente "Espírito da época" — além, naturalmente, do próprio conceito de gênero. Na maioria dos casos, o resultado final é uma rede ampla e viscosa na qual as rupturas históricas perdem toda a clareza. Se o conceito de gênero literário puder ser elaborado de forma pertinente e sistemática, talvez contribua para consolidar os limites da pesquisa histórica, já que uma história redesenhada segundo princípios estritamente formais será também uma história mais rígida, mais interrompida — não só (como em parte já acontece) no plano diacrítico, mas também e talvez acima de tudo no sincrônico: em todas as épocas, formas simbólicas diferentes e até mutuamente conflitantes coexistem, cada uma dotada de difusão e duração histórica diferentes. A história da literatura deve ter como objetivo representar o seu próprio objeto como um tipo de campo magnético cujo equilíbrio ou desequilíbrio geral é apenas a resultante das forças individuais que agem dentro dele.

É possível até que as características distintas dos "períodos" artísticos ou literários saiam profundamente modificadas deste reexame, mas isso significa levantar problemas que não posso abordar aqui.[19] Em vez disso, deve-se notar que, quando se quer chegar a um reordenamento histórico com algum interesse e validade, o conceito de "gênero" terá de ser elaborado de maneira muito mais pertinente do que hoje. Atualmente, na verdade, ele mistura referências mais ou menos aleatórias ao conteúdo (conto policial, novela picaresca), aos efeitos (terror, humor) e a algumas características formais (histórias "com final feliz", romances "documentários"). Uma classificação tão livre não pode dar nenhuma boa contribuição para simplificar e especificar o campo da pesquisa. Talvez a solução seja a concentração em algumas "dominantes" retóricas principais e a reorganização do sistema dos diversos gêneros com base nelas. Tenho em mente um exemplo específico que, para mim, parece ser a tentativa mais bem-sucedida de encontrar uma historiografia retórica: "A perspectiva como forma simbólica", de Erwin Panofsky.

Quem lê esse ensaio entende, antes de tudo, como as hipóteses históricas "fortes" contribuem para a pesquisa retórica (pesquisa "iconológica", no caso de Panofsky), não só ao fortalecê-la mas também ao oferecer-lhe hipóteses *estruturais* preliminares. Em outras palavras, não apenas entende a *unidade* entre estudo histórico e retórico como também percebe a *distinção* entre eles; na verdade, essas hipóteses preliminares só são corroboradas depois de uma marcha longa e árdua através de territórios especializadíssimos, onde a análise é realizada (e oferece-se à refutação) com base em princípios que não podem mais ser *deduzidos* do conhecimento histórico extra-artístico. Esta é a forma necessariamente "tortuosa" com que a crítica contribui para o conhecimento histórico geral, e logo voltarei a ela. Vamos tratar, por enquanto, de outro aspecto de "Perspectiva" que pode acabar se mostrando essencial para a renovação da metodologia histórica. Como se sabe, Panofsky acredita que a perspectiva pictórica surge em relação a um novo conceito de espaço e da função "ordenadora" que o sujeito humano passa a adotar dentro dele. Este conceito veio da física experimental e recebeu sua codificação definitiva na filosofia kantiana. Assim, um procedimento artístico assume seu significado total *não* à luz de outros fenômenos artísticos, mas sim dos produtos do pensamento científico e filosófico. Na verdade, é na correlação com estes últimos que sua "forma" se torna compreensível e revela sua própria função cultural. Mas, neste caso, uma história das formas retóricas levada à sua conclusão lógica provocará, muito provavelmente, o *desmembramento do campo estético*. E esse desmembramento não assumirá mais a forma historicista de eliminar as peculiaridades técnicas das obras para fundi-las num "Espírito da Época" genérico. Em vez disso, é exatamente da concretude da sua forma que a crítica deduzirá a necessidade teórica de "soltar" as histórias da arte e da literatura, e reescrevê-las como mero componente de uma história dos valores, das estruturas de pensamento nas quais esses valores se organizam e das instituições criadas para promovê-las.[20]

Um exemplo ajudará a esclarecer o que quero dizer. O soneto elisabetano e o romance-folhetim pertencem, ambos, à área da literatura e são, "portanto", tratados pela mesma disciplina: a crítica literária. Mas as coisas pertencem ao mesmo campo e são estudadas pela mesma disciplina quando suas características são consideradas em grande parte *co-*

*muns*. Agora, o soneto e o folhetim compartilham, com toda certeza, aquela dupla negação com que Kant marcou a esfera estética: não têm um caráter cognitivo e não têm fins práticos imediatos. Mas é tudo. Não têm *mais nada* em comum. E quem quer que estude sonetos ou folhetins sabe muito bem que sua "função estética" comum ajuda pouco ou nada a interpretá-los. Um estudo do soneto não dará importância às categorias críticas válidas para o folhetim. Em vez disso, aproveitará convenções "aparentadas" ao soneto, sem que tenham, necessariamente, de pertencer à esfera literária: algumas formas de oração, por exemplo, ou determinados aspectos dos costumes heráldicos, ou ainda a teoria da "harmonia mundial". Do mesmo modo, no caso dos folhetins será preciso estudar o jornalismo do início a meados do século XIX, o melodrama pós-revolucionário, as convenções de um certo tipo de historiografia "popular". Em ambos os casos, quanto mais o seu realizador, sem saber e mesmo sem querer, conseguir "esquecer" os propósitos tradicionais da história da "literatura" (cujo horizonte teórico *exige* que, de um modo ou de outro, o casamento antinatural entre soneto e folhetim seja consumado) e considerar "suficiente" dar uma contribuição, pelo estudo de uma forma ou um grupo de formas correlatas, à história da sociedade, muito melhor avançará o trabalho.

Além disso, não se dá bastante consideração a um fato curiosíssimo: a inflexível falta de interesse que os historiadores "propriamente ditos" sempre demonstraram pela historiografia literária (e, em termos mais gerais, artística). Até mesmo a "história total" da escola dos *Annales* acabou, aliás, parando no limite deste campo de estudo, sem nunca chegar a se interessar por ele ou nele se envolver de forma significativa. Agora, se eliminarmos a possibilidade de os historiadores odiarem os críticos literários por razões particulares e indizíveis, assim como a possibilidade de que estes últimos sejam tão mais ineptos que os outros historiadores para merecer seu total desprezo, este estado de coisas só pode ser explicado pela suposição de que os historiadores literários não conseguem ser historiadores "de verdade" porque lidam com um objeto *imaginário*. Chamam este objeto de "história literária", mas ele sofre de tamanha confusão de contradições internas, epiciclos ptolomaicos, explicações *ad hoc* e pura excentricidade (Gibbon pertence à literatura inglesa, mas Conan Doyle não), que sua disciplina se torna totalmente imprestável para qualquer pesquisa histórica equipada com um mínimo de autocontrole científico.

Assim, uma história da literatura capaz de reescrever-se como sociologia das formas simbólicas, como história das convenções culturais, talvez pudesse encontrar finalmente um papel e uma dignidade no contexto de uma história total da sociedade. Como sempre acontece, isso resolveria alguns problemas e criaria outros, a começar por aqueles levantados por expressões como "história total" ou "história social": conceitos amplos demais para regulamentar qualquer pesquisa. É impossível negar que a sociedade humana é um todo multifacetado, complexo, superdeterminado, mas a dificuldade teórica está, obviamente, na tentativa de estabelecer a *hierarquia* dos diferentes fatores históricos. Por sua vez, a solução deste problema, em termos amplos, é histórica e empírica. Numa sociedade essencialmente agrária, as mudanças climáticas terão importância muito maior do que numa sociedade basicamente industrial. Se a maioria da população for iletrada, a cultura escrita vai oscilar entre um papel totalmente obscuro e uma função avassaladora e traumática (como demonstrou a impressão da Bíblia). Se, por outro lado, todos souberem ler, será improvável que a cultura escrita venha a ter efeitos tão extremados, mas, em compensação, passará a ser o acompanhamento regular e íntimo de todas as atividades diárias.

Assim, conforme mudam os períodos históricos, o peso das várias instituições, sua função e sua posição na estrutura social também mudam. Quando, portanto, o historiador das formas literárias começa a buscar os fenômenos extraliterários que o ajudarão (quer ele saiba, quer não) a orientar e controlar sua pesquisa, a única regra que pode impor a si mesmo é avaliar cuidadosamente *cada instância*. Alguns exemplos vão ajudar, aqui também, a esclarecer o que quero dizer, e espero que mostrem que o critério de "cada instância" não visa a encorajar a arbitrariedade, mas a submetê-la ao único tipo de controle possível nesse contexto.

Vamos observar o conhecimento das estruturas estatais e do pensamento político-jurídico. Será muito útil — e teoricamente "pertinente"

— para analisar a forma trágica na época do absolutismo, mas muito menos no estudo da forma cômica do mesmo período. No século XVIII, continuará importante para analisar a forma "satírica" do romance, mas quase totalmente irrelevante para analisar o romance "realista". Mais uma vez, o estudo das proibições sexuais e de alguns símbolos oníricos que delas derivam pode fornecer muitas indicações sobre a literatura de terror e praticamente nenhuma sobre a ficção policial da mesma década. Do mesmo modo, as reações emocionais à segunda revolução industrial serão pertinentes para a análise da ficção científica, mas um tanto menos para a ficção policial e quase insignificantes para a literatura de terror.

Em vez de multiplicar os exemplos, será útil indicar que a "pertinência" de um fator ou evento histórico para a análise literária não implica, por si só, nenhuma avaliação de sua importância no mecanismo *geral* da história. A Segunda Guerra Mundial, para dar um exemplo gritante, não parece ter muita utilidade para a periodização ou para a interpretação literária; é óbvio que isso não faz dela um episódio secundário ou que não tenha imenso poder explicativo em outras áreas. As diversas instituições da história têm ritmos irregulares de desenvolvimento e, neste aspecto, a tarefa primária da crítica é delinear a evolução de sua própria área de análise, ainda que isto leve a um afastamento ou contradição das periodizações que funcionam em outras áreas. A reconstrução de um mapa historiográfico unificado é um problema posterior e tipicamente interdisciplinar. Mas só pode ser atacado com sucesso por quem possuir conhecimentos corroborados pelos critérios específicos de cada área em particular.

Um último ponto de especificação, ainda que o alcance do argumento o torne supérfluo: o fenômeno extraliterário nunca é mais ou menos importante como "objeto" ou "conteúdo" possível de um texto, mas sim devido ao seu impacto sobre os sistemas de avaliação e, portanto, sobre as estratégias retóricas. O fenômeno da popularização da ciência não faz "parte" da ficção policial porque o detetive trabalha "cientificamente" (o que é bem verdade, mas banal). É melhor dizer (assumindo um risco maior) que a "ciência" penetra na ficção policial por meio de um mecanismo semiótico específico (a decifração das pistas) e de uma função narrativa reservada só para ela (o desenlace final). Quando analisamos melhor essas duas opções retóricas (e aumentamos ainda mais o risco de estarmos errados), podemos dizer que a decifração das pistas pressupõe que a "ciência" se identifica com uma ideologia organicista baseada no "bom senso" da noção de que as diferenças de *status* não podem ser alteradas; que o fim do romance policial esboça uma imagem de temporalidade na qual a "ciência", em vez de ser uma atividade que exija algum tipo de "avanço", desempenha um papel estabilizador, garantindo a imutabilidade de uma dada ordem social ou, pelo menos, reduzindo suas mudanças a um nível mínimo.

Com essas observações, como seria inevitável, a questão estritamente historiográfica misturou-se à questão da validade, ou talvez melhor ainda, "testabilidade" das interpretações críticas. Embora sumariamente, devemos agora perguntar: de que maneiras a hermenêutica e a historiografia interagem? E quais são suas respectivas esferas de validade?

*Por uma crítica "refutável"*

Em princípio, os critérios para comprovar as interpretações literárias deveriam ser os mesmos já usados por todas as outras disciplinas científicas. Em outras palavras, devia-se exigir uma interpretação que fosse coerente, unívoca e completa. E o teste seria compará-la com dados que, no texto ou textos que constituem seu objeto, parecessem contraditórios ou inexplicáveis à luz da própria hipótese. Nada de novo por aqui, pode-se dizer; e na verdade isso não passa da formulação elementar daquele princípio de refutação usado por todas as ciências empíricas, inclusive — com alguns problemas adicionais — as ciências histórico-sociais. Quer dizer, todas, com exceção da crítica literária do século XX, cujo arcabouço metodológico, durante muito tempo, baseou-se em conceitos como "polissemia", "ambigüidade", "abertura", "diferença", todos os quais reforçam o caráter semântico não unívoco do texto literário. Se um texto, por definição, não é unívoco e chega a contradizer a si próprio, nenhum dos seus elementos jamais poderá "refutar" uma interpretação. Devido às peculiaridades semânticas do texto literário, desde o começo parte-se do princípio de que as hipóteses interpretativas serão negadas, e este estado de coisas é aceito como inevitável. Mas se o texto não tem poder refutador, toda interpretação será legítima ou, mais exatamente, nenhuma jamais será ilegítima. A rivalidade entre hipóteses diferentes, o *páthos* da refutação, a paixão pela discussão, ideais que animam todas as realizações científicas, perdem toda a base, parecem supérfluos e até mesmo inconcebíveis. As interpretações tendem a tornar-se mutuamente "incomensuráveis", parecem não ter nenhum "problema" em comum. A afirmação de que uma delas é superior à outra cai quase até o nível de um juízo de gosto, cuja base empírica é percebida como pedantismo inconveniente e prolixo.

Exagerei, mas nem tanto. Enquanto a crítica continuar a girar em torno de conceitos tais como "ambigüidade" e outros semelhantes, será inexoravelmente forçada a multiplicar, em vez de reduzir, os obstáculos que todas as ciências sociais enfrentam quanto tentam dar a si mesmas uma base comprovável. E tudo à toa! Por Hécuba!, dá vontade de acrescentar. Afinal, a questão não é se o uso literário da linguagem é especialmente polissêmico ou não. Ele é polissêmico. Mas de forma alguma isso torna impossível realizar análises unívocas e potencialmente completas e, portanto, refutáveis; só faz com que essas análises acabem abordando o texto não como se este fosse um vetor que aponta numa só direção e num só sentido, mas como se fosse uma fonte de luz que se irradia em várias direções ou um campo de força em equilíbrio relativamente estável. Esses objetos são mais complexos que uma simples seta, mas uma análise empírica e comprovável deles é inteiramente possível, contanto que se busque analisá-los e descrevê-los como estruturas. Deste modo, somar, subtrair ou transformar o significado de cada um dos seus elementos não será mais algo tratado (como costuma acontecer hoje em dia) como uma operação que seja "sempre legítima" devido às conexões lógicas frágeis instituídas pela estrutura literária (que é, portanto, a terra prometida de todo pensamento desconstrucionista). Em vez disso, será algo tratado como ação legítima *somente se* contribuir para a melhoria do conhecimento total do texto e, assim, para *fortalecer* essas conexões, essas "proibições" que, como um todo organizado, ele impõe ao intérprete.

O dia em que a crítica abandonar o grito de guerra "é *possível* interpretar este elemento da seguinte maneira" para substituí-lo pelo bem mais prosaico "a interpretação a seguir é *impossível* por esta ou aquela razão", terá dado um enorme passo adiante no caminho da solidez metodológica. Isso não significa de modo algum abandonar as interpretações imprevisíveis ou ousadas; como observou Popper, o valor de uma teoria está na razão direta de sua improbabilidade. Significa, meramente, sujeitar esta improbabilidade a uma verificação rigorosa, já que o que é extravagante ou esquisito nem sempre é verdadeiro também. *Pecca fortiter, sed crede fortius* é uma boa forma de resumir o espírito da pesquisa científica.

Se é tanto possível quanto necessário que as interpretações críticas sejam refutáveis, é preciso acrescentar que a área fundamental onde devem ser testadas é a sua análise dos mecanismos retóricos. A razão disso é simples: quando se quer iniciar uma história das formas retóricas, a validade de uma hipótese só pode ser medida comparando-a com outras interpretações da mesma forma. Isso parece óbvio; mas neste ponto pode-se perguntar: o que aconteceu com a unidade da análise retórica e da análise sócio-histórica que adotamos como ponto de partida? Voltando à interpretação da ficção policial já citada: um historiador das mentalidades ou da ciência pode objetar que, na época de Conan Doyle, a imagem mais disseminada da ciência não era, de modo algum, aquela que "deduzimos" da estrutura retórica do ciclo Sherlock Holmes. É possível que uma objeção deste tipo não tenha valor refutador?

Sim. Porque a objeção contém tanto uma parte de verdade (que constitui, como veremos, um tipo bastante peculiar de refutação) quanto uma parte de erro. Começando com esta última, suponhamos que um demógrafo descubra que a taxa de natalidade, num determinado tempo e lugar, assume uma configuração que contradiz o que seria sensato esperar a partir da relação entre o aumento populacional e, digamos, as relações de produção, as condições climáticas, os hábitos higiênicos e as crenças religiosas daquele mesmo tempo e lugar. Será que um especialista dessas outras áreas da História acreditaria que as estatísticas do demógrafo estão erradas *porque* não correspondem aos resultados de sua própria pesquisa (que, suponhamos, foram totalmente confirmados e agora são considerados inquestionavelmente corretos)? Certamente que não; ele poderá ter lá suas dúvidas, ficar surpreso, suspeitar de um erro de cálculo, fingir que os números não existem. No entanto, só poderá realmente rejeitá-los se os substituir por outro arranjo dos dados que possa melhorá-los em termos dos princípios estabelecidos pela história demográfica e não pela história da propriedade da terra ou da religião. E não há razão para que o mesmo princípio não se aplique ao campo da retórica. Uma configuração retórica dada, por mais absurda que pareça à luz de outros achados históricos, só pode ser negada no sentido mais completo por uma configuração retórica melhor.

Surgem aqui duas considerações, que vou mencionar rapidamente. É claro que é a pura verdade dizer que a linguagem da demografia chega bem mais perto de ser unívoca do que a da crítica literária. Mas isso é assim em boa parte porque a crítica, pelas razões já mencionadas, nunca levou muito a sério suas próprias bases empíricas e, em vez de lutar para criar uma comunidade científica com metas em comum e regras claras, preferiu, tacitamente, legitimar um estado de coisas em que todo mundo está livre para fazer o que quiser. A euforia lexicogramatical dos últimos anos é apenas o último episódio de uma longa e célebre tradição de irresponsabilidade intelectual. Mas, em princípio, este tipo de coisa sempre pode ser remediada. A segunda consideração revela uma área levemente diversa. Se a crítica pode dar a si mesma um fundamento razoavelmente comprovável, então a análise retórica assumirá, necessariamente, um *status* diferente dentro das ciências sociais "mais fortes". Se um crítico literário comparecesse a uma conferência interdisciplinar sobre totalitarismo e falasse durante uma hora sobre, digamos, os mecanismos da alegoria, seu desempenho pareceria estranho e divertido. Ainda assim, seria a única contribuição válida que nosso participante imaginário poderia dar. Acredito que está na hora de dar fim à pantomima embaraçosa na qual o historiador literário é, na verdade, quem apresenta os lugares-comuns que todo mundo conhece, numa série de frases bem torneadas e convincentes. Os historiadores sabem usar computadores; não terão dificuldade para aprender a diferença entre metáfora e metonímia — supondo, é claro, que alguém seja capaz de demonstrar que a opção entre essas duas figuras envolve diferenças culturais de alguma importância.

Chegamos agora à parte de verdade contida na objeção feita anteriormente. Sinto-me pouco à vontade aqui porque sei que, mais de uma vez, eu mesmo fui culpado pelo erro que vou descrever a seguir. Chegou-se a um nível satisfatório de análise retórica. A configuração obtida parece referir-se, sem ambigüidade, a uma hierarquia de valores específica. Assim, realiza-se a soldagem conclusiva da história retórica e social. Suponhamos que, até então, a argumentação não teve falhas. É exatamente neste ponto que se comete o erro. Sucumbe-se ao encanto da generalização abrangente e cai-se no que poderíamos chamar de "falácia do *Zeitgeist*". Será que a retórica da ficção policial indica uma certa atitude diante da ciência? Bem, então "a sociedade da época de Conan Doyle", "a Inglaterra da década de 1890", "a fase imperialista do capitalismo", seja que nome se queira dar, todas "*têm a mesma atitude*". Em relação a esta virada da argumentação, é óbvio que as objeções do historiador das mentalidades têm valor refutador. Mas só em relação a isso. O que se torna arbitrário quando generalizado pode, perfeitamente, não ser arbitrário se visa a uma esfera de validade mais restrita.

Esta imodéstia universalizante que segue a historiografia literária como uma sombra tem uma causa secreta que é bom conhecer, porque mostra, pelo contraste, uma saída possível. A causa se chama Georg Wilhelm Friedrich Hegel. Poucas coisas foram tão arrebatadoras para os estudos estéticos — e tão fatais para sua solidez empírica — quanto o casamento que Hegel promoveu entre a filosofia da história e a estética idealista. Na *Estética*, cada época histórica tem, em essência, *um* conteúdo ideal a "exprimir" e lhe dá "manifestação sensível" por meio de uma forma artística. Foi praticamente inevitável que, seguindo a discussão ao contrário, depois de definir uma forma retórica alguém se sentisse autorizado a vinculá-la diretamente *à* idéia, única, solitária, resplandecente, na qual supostamente se resume toda uma época. Inevitável e errado — pelo menos, quase sempre. Embora, de tempos em tempos, ocorram momentos de extraordinária compactação intelectual e formal, em regra o contrário é que acontece na história, e nenhum sistema de valores jamais conseguiu representar o *Zeitgeist* sem ser questionado por sistemas rivais. Além disso, se fosse de outro modo, a presente discussão, desde as primeiras linhas, seria totalmente absurda, porque a *retórica sequer existiria.* Lembremo-nos de Kenneth Burke: a meta da retórica, promover a adesão a valores específicos, pressupõe o seu oposto: a divisão. Todas as formas retóricas aspiram a *tornar-se* o "Espírito da Época", mas sua própria pluralidade nos mostra que esta expressão indica mais uma aspiração do que uma realidade e que, portanto, deve ser empregada como ferramenta conceitual utilíssima, mas não como um fato.

Do mesmo modo, é exatamente o respeito pela especificidade de cada forma individual que parece oferecer a melhor garantia de limitação nos vínculos histórico-sociais que a crítica busca determinar. Quanto mais se consegue diferenciar uma determinada forma de suas formas "rivais", mais as conexões sociais e ideológicas encontradas serão *proibidas.* As vantagens disso, tanto para a concretude histórica quanto para a testabilidade empírica, são óbvias. O que nos leva de volta à situação delineada na seção anterior. Se a história da literatura chegar a transformar-se em uma história das formas retóricas, esta última terá, por sua vez, de partir da percepção de que uma forma torna-se mais compreensível e mais interessante quanto mais se entende o conflito, ou pelo menos a diferença, que a liga às formas à sua volta. E isso não deveria ser entendido, como, na verdade, já começou a acontecer, como critério diacrônico; ou, pelo menos, não só desse modo e não primariamente. Além de perceber a sucessão de formas diferentes e mutuamente hostis, a história literária deve visar a uma periodização sincrônica que não seja mais "resumida" em formas exemplares individuais, mas sim determinada para cada período por meio de um tipo de paralelogramo de forças retóricas, com sua dominante, seus desequilíbrios, seus conflitos e sua divisão de tarefas.

Nesse ponto, talvez as relações entre a história das formas e a história da sociedade percam seu caráter incerto e episódico e aquela mesma heterogeneidade das referências extraliterárias que (até agora, e de maneira ocasional e impossível de comprovar) caracterizou a atividade de interpretação pareça um caminho necessário a seguir. A natureza disparatada e descontínua dessas referências não depende (necessariamente) da instabilidade das categorias usadas pela crítica, mas de sua busca de concretude. Precisa basear-se naqueles aspectos da vida social que permitem que se explique aquele objeto concreto específico que é o texto em análise. A heterogeneidade das conexões está na natureza deste trabalho porque está *na natureza da própria literatura*. Talvez a literatura seja a instituição social mais onívora, a mais dúctil para satisfazer exigências sociais disparatadas, a mais ambiciosa ao não admitir limites à sua própria esfera de representação. Não se pode pedir que essa heterogeneidade desapareça, somente (e não é pedir pouco) que reflita fielmente a diversidade real, em termos do seu destino e da sua função, dos textos examinados.

*Literatura, "acordo"*

Esse projeto histórico está quase inteiramente no futuro. Quem sabe se chegará a ser realizado? Quem sabe se é um projeto sensato e não apenas uma pequena utopia pessoal (que, além do mais, estou ainda bem longe de começar a pôr em prática)? Seja qual for o caso, é bobagem especular demais sobre a melhor de todas as críticas possíveis. Em vez disso, vamos tentar terminar a discussão voltando a algumas características daquilo que chamamos "literatura" que justificam esse projeto. Precisamos, em outras palavras, isolar os elementos daquele "objeto real", a literatura, que indicam que ele se torna um "objeto de conhecimento" de acordo com os critérios delineados até aqui.

Selecionando os pontos levantados na primeira parte, vamos dizer que a real função da literatura é *garantir o acordo*: fazer os indivíduos se sentirem "à vontade" no mundo que por acaso habitam, conciliá-los, de forma agradável e imperceptível, com suas normas culturais predominantes. Esta é a hipótese básica. No entanto, para corroborá-la será necessário experimentá-la, de um lado, com um fenômeno literário, a tragédia, que parece indicar o extremo oposto, e, do outro, com as várias articulações especialmente significativas do pensamento crítico e da estética moderna.

Num dos ensaios que se seguem, tento mostrar que as tragédias elisabetana e jacobita contribuíram, de forma mais radical que todos os outros fenômenos culturais do mesmo período, para desacreditar os valores da monarquia absoluta, abrindo assim caminho, com meios totalmente destrutivos, para a revolução inglesa do século XVII. O que acabei de afirmar sobre a literatura como acordo e conciliação parece ser totalmente negado. E é mesmo, porque aquela hipótese foi proposta numa forma historicamente indeterminada, e por isso sua validade deveria restringir-se à sociedade capitalista ocidental. Essa sociedade é separada da época da tragédia — a era do absolutismo — por uma ruptura histórica que alterou de forma radical dois aspectos decisivos da atividade literária e, em termos mais gerais, artística. Em primeiro lugar, a tragédia pertence a um mundo que ainda não reconhece a inevitabilidade do conflito permanente entre interesses ou valores opostos e não atenuados e, portanto, não sente nenhuma necessidade de enfrentar o problema de conciliá-los. E em segundo lugar — existe, como veremos, uma ligação entre os dois —, a época em que a tragédia floresceu não reconhecia nenhuma autonomia na atividade estética e acreditava que ela devia sempre cooperar direta e imediatamente com propósitos morais ou cognitivos.

Assim, a tragédia dos séculos XVI e XVII pertence a um mundo no qual a ideologia dominante ainda quer se apresentar como um *organismo*, no qual, entre as várias classes sociais, há uma diferença funcional mas não conflito de interesses. É um mundo que ainda pensa em si como um todo orgânico, mas está clamorosamente deixando de sê-lo. A tragédia brota dessa conjuntura histórica impossível de repetir. Sua estrutura elementar consiste sempre em mostrar como dois valores que deveriam estar numa relação de domínio e subordinação tornam-se, de repente e de forma misteriosa (o mistério de Iago, das bruxas de *Macbeth*, da paixão de *Fedra*), autônomos e adotam violência igual. Como todos os heróis trágicos de Shakespeare e Racine descobrem para seu espanto, a "soberania" tradicional da razão ou da moralidade sobre as outras faculdades humanas torna-se, repentina e irreversivelmente, impossível.

Trata-se de uma situação que só conseguimos entender se formos capazes de nos arrancar dos pressupostos da nossa própria cultura. Sua qualidade "trágica" não está (como, para nós, seria o caso) no fato de a história acabar causando o sacrifício de um dos dois valores em conflito, de modo que o valor sobrevivente também seja obscurecido pela sombra do luto. Isso acontece, é claro, mas não é aqui, no "final", que a tragédia mostra a que veio, mas em seus pressupostos: no fato de que foi possível *imaginar* e pôr em palavras um conflito inconciliável. Essa opção retórica preliminar, essa situação básica que o dramaturgo trágico nunca se dá o trabalho de "motivar", mas somente de expor com a maior clareza, rompe para sempre a unidade organicista e é sentida como algo doloroso, incompreensível, "trágica", exatamente porque ainda se pensa que o organicismo seja a única forma possível de pensamento.

Podemos inverter a fórmula usada anteriormente e dizer que a tragédia apresenta um mundo que está deixando de ser orgânico mas que ainda pensa em si apenas como orgânico. É o espírito paradoxal desta forma literária que sempre nos deixa, como observou Goethe, "com a mente perturbada", pouco à vontade, incerta. Por esta razão, foi um instrumento incomparável da crítica e da dissidência, mas impossível de repetir: assim que a ideologia organicista desapareceu, sumiu também a possibilidade formal de sua negação trágica.

A tragédia é uma "exceção" da história das formas literárias que não pode ser repetida; para o propósito de nossa discussão, isso já seria o bastante, mas há mais. A literatura e a estética modernas não só nascem "depois" da tragédia como também "contra" ela. Ocorre uma metamorfose que vai além do terreno da estética e se estende direto pelo sistema cultural burguês. Exatamente porque este sistema vê o conflito como um fato dado da existência em sociedade, não assume mais a tarefa de descrevê-lo com "piedade e terror", mas sim de mostrar que valores e interesses mutuamente opostos podem sempre alcançar, se não uma conciliação genuína, pelo menos algum tipo de coexistência e acomodação. No terreno da estética, esse impulso antitrágico da nossa cultura surge com clareza especial. Na verdade, surge como o alicerce real, a secreta razão de ser da própria esfera estética. Isso é atestado por duas obras que contribuíram como poucas para a formação do pensamento estético moderno: *Crítica do juízo* e *Sobre a educação estética do homem*.

É obviamente impossível para mim discutir aqui essas duas obras com o detalhe e a atenção que merecem. Mas algumas referências rápidas servirão ao menos para indicar como são essenciais no caminho que estamos seguindo. Começando com a *Crítica do juízo*, o primeiro ponto a ressaltar é que Kant a escreveu, como nos diz o título do parágrafo III da introdução, como "um meio de unir em um só todo as duas partes da filosofia". Essas duas partes, analisadas nas *Críticas* anteriores, foram, em outras palavras, incapazes de produzir um todo sistemático e harmonioso:

> Os conceitos de natureza contêm a base de toda cognição teórica *a priori* e baseiam-se, como vimos, na autoridade legislativa do entendimento. O conceito de liberdade contém a base de todos os preceitos práticos sensualmente não condicionados *a priori* e descansa sobre o da razão. Ambas as faculdades [...] têm [...] sua própria jurisdição peculiar na matéria de seu conteúdo e, assim, não havendo mais jurisdição (*a priori*) acima delas, a divisão da Filosofia em teórica e prática se justifica.[21]

A tarefa tentada na terceira *Crítica* é, assim, ditada pelo desejo de completude *teórica*. Mas a falta de sistemática que pretende remediar também é o signo de uma *desarmonia real* entre os dois diferentes mundos, ou modos de ser, do próprio assunto. Nas palavras de um comentário recente:

> A *Crítica do juízo* propõe-se a resolver a laceração que ocorre na figura do homem entre a legiferação da razão pura (que envolve a idéia de necessidade) e a legiferação da razão prática (que envolve a idéia de liberdade), e criar um meio-termo (*Mittelglied*) entre as duas legiferações. Esse meio-termo será o juízo (em sua implicação da idéia de finalidade).[22]

O propósito de Kant é curar a laceração que resulta da "desilusão" criada pelas ciências naturais, das quais brotou a separação entre os juízos de fato e os juízos de valor. Embora essa separação salvaguarde a autonomia da pesquisa científica e nessa esfera seja, assim, bem-vinda como inovação libertadora, ela repercute como mutilação dolorosa na esfera na qual são gerados os valores morais e as visões de mundo. Como observa o próprio Kant no parágrafo IX da introdução, o "conceito de uma *finali-*

*dade* da natureza", que é o pressuposto do juízo, *deve* ser postulado porque *só deste modo* a "liberdade" pode tornar-se uma faculdade operacional e efetiva, com seu "objetivo final [...] realizado na natureza e em harmonia com suas leis". Kant continua:

> O efeito, de acordo com o conceito de liberdade, é o objetivo final que (ou cuja manifestação no mundo sensível) é existir, e isso pressupõe a condição da possibilidade desse objetivo na natureza (isto é, na natureza do sujeito como ser do mundo sensível, ou seja, como homem). É, assim, pressuposto *a priori*, e sem relação com a prática, pelo juízo. Essa faculdade, com seu conceito de uma *finalidade* da natureza, nos fornece o conceito mediador entre os conceitos de natureza e o conceito de liberdade [...].[23]

A pesquisa de Kant revela toda a sua "necessidade" histórica quando se pensa que, embora a sociedade capitalista seja impensável sem o progresso científico e técnico refletido na separação entre intelecto e moralidade, é igualmente impensável sem a tentativa incessante de anular essa separação e remediá-la, tentativa da qual é testemunha a proliferação extraordinária e aparentemente inexplicável de atividades estéticas que distinguem o capitalismo. Em nossa sociedade, a socialização do indivíduo não possui mais a legitimidade que já lhe foi conferida pelos laços da tradição. Só parece justa quando satisfaz — como observou Hegel na *Filosofia do direito* — "o direito dos indivíduos à sua satisfação *particular*". E nenhuma "satisfação" é possível para o homem, animal simbólico, quando a existência se divide entre uma esfera na qual os valores culturais são tudo e uma esfera na qual não há nenhuma legitimidade. Quanto mais aumentava a "legiferação do intelecto" e quanto mais numerosos eram os aspectos da vida social que pareciam sustentados por uma rigorosa "neutralidade" simbólica — a "segunda natureza", objetiva e estranha, tipicamente resumida pelos mecanismos econômicos do século XIX —, mais desenvolvido teve de se tornar o esforço estético para apresentar o mundo como coisa "finalística", como um mundo-para-o-indivíduo.

Daí a centralidade cultural da tentativa de Kant de estabelecer o "meio-termo" capaz de reconectar a natureza à razão. Daí sua insistência no "conforto e intensificação da vida" produzido pela contemplação do belo e na "harmonia" que o prazer estético desperta tanto dentro do indivíduo quanto na relação entre o indivíduo e a natureza. Daí, finalmente, todas as reflexões sobre "o belo na natureza", problema que a teoria estética posterior consideraria impróprio mas cuja presença maciça e fundamental na *Crítica do juízo* não vem, penso eu, somente das peculiaridades da estética do século XVIII, mas também, pelo menos na mesma medida, da consciência de Kant de que a divergência entre as ciências naturais e a cultura prático-retórica teria de encontrar uma mediação necessária e, ao mesmo tempo, incerta, um "e se" do qual o conceito do "belo na natureza", precário em muitos aspectos, seria a primeira versão.

É bem sabido que as cartas *Sobre a educação estética do homem* limitam-se, em boa parte, a reafirmar a substância da *Crítica do juízo*, simplificando-a ao mesmo tempo. A novidade da obra de Schiller é extrair dos argumentos de Kant o que poderíamos chamar de "política cultural" (nem sempre, deve-se acrescentar, inteiramente na mesma linha das intenções da *Crítica*). Assim, na nona carta, a arte é apresentada expressamente (coisa que nunca aconteceu no texto de Kant) como instrumento inigualável de acordo; inigualável porque — a observação nos leva de volta aos problemas apresentados no início deste ensaio — é capaz de agir sem ser observada, fugindo ao controle consciente do usuário:

> A seriedade de teus princípios os assustaria [aos teus contemporâneos], mas no jogo do seu semblante eles estarão prontos a tolerá-los; afinal, o gosto deles é mais puro que seu coração e é ali que deves agarrar o fugitivo temeroso. Em vão atacarás os seus preceitos, em vão condenarás a sua prática; mas em suas horas de lazer, podes experimentar tua mão formadora. Expulsa de seus prazeres o capricho, a frivolidade e a grosseria e, imperceptivelmente, vais expulsá-los de suas ações e, finalmente, também de suas tendências. Cerca-os, sempre que os encontrar, com as formas grandes e nobres do gênio e envolve-os com os símbolos da perfeição, até que a Semelhança vença a Realidade e a Arte triunfe sobre a Natureza.[24]

Em outros lugares, e acima de tudo na parte mais famosa de sua obra, a sexta carta, Schiller desenvolve o tema da arte de Kant como única atividade que permite à vida do homem recuperar sua harmonia perdida:

> Esse caráter polipóide dos Estados gregos, nos quais todos os indivíduos gozavam de existência independente mas podiam, quando surgisse a necessidade, transformar-se num único organismo, dava lugar então a um mecanismo engenhoso no qual, além do encaixe de inumeráveis partes sem vida, surgia um tipo mecânico de vida coletiva. O Estado e a Igreja, as leis e os costumes, foram então dilacerados; o prazer divorciou-se do trabalho, os meios do fim, o esforço da recompensa. [...] Assim, pouco a pouco, a vida concreta do Indivíduo é destruída para que a idéia abstrata do Todo possa arrastar sua triste existência e o Estado permaneça para sempre um estranho para os seus cidadãos, já que, em momento algum, chega a fazer contato com o seu sentimento. [...] A unilateralidade no exercício de seus poderes deve, é verdade, levar inevitavelmente o indivíduo ao erro, mas a espécie como um todo à verdade. [...] Corpos atléticos podem, é verdade, ser desenvolvidos por exercícios de ginástica; a beleza, apenas através do movimento livre e harmonioso dos membros. Do mesmo modo, o estímulo a funções individuais da mente pode realmente produzir seres humanos extraordinários; mas somente a igual composição de todas elas, seres humanos felizes e completos.[25]

Esses trechos ajudam a esclarecer as metas e as limitações da "harmonia" de Schiller. A divisão que cada indivíduo sofre — a *Educação estética* não deixa dúvidas a respeito — é conseqüência de uma divisão *social* (entre Igreja e Estado, natureza e razão, "selvagens" e "bárbaros"). Mas a conciliação efetuada pela arte, a harmonia que ela representa e promove, nunca é apresentada a sério como modelo a ser oferecido à sociedade como um todo, tal como um ideal que permitiria curar a divisão, mas somente como a melhor maneira de enfrentar a divisão e *coexistir* com ela. O critério de harmonia está totalmente confinado à esfera da *legitimação simbólica*, a qual, na verdade, institui como esfera autônoma. Embora as causas materiais da divisão sejam consideradas desumanas e perigosas, a harmonia de Schiller só pode existir e ter valor enquanto elas também continuarem a existir. A questão não é *eliminar* as tensões conflitantes e sim criar uma esfera que possa *compô-las*, reorganizar a percepção da própria divisão de modo a tornar "felizes" aqueles que precisam suportá-la. Essa "felicidade" é a essência do "acordo" moderno; e como é cada vez mais difícil obtê-la na vida cotidiana, torna-se necessária uma "forma" que possa, de algum jeito, garantir-lhe a existência.

Uma última questão que nos permitirá passar de Schiller: a laceração que Kant visava a curar com sua terceira *Crítica* era entre o intelecto e a razão, a natureza e a liberdade. Em outras palavras, separava um terreno no qual o conceito de valor era tudo de um terreno oposto no qual era nada. Com Schiller, este arcabouço se modifica. Na *Educação estética*, o termo "natureza" não mais indica uma palavra simbolicamente neutra, mas um conjunto específico de valores. A "natureza" não mais se opõe à "razão", não porque lhe faltem atributos de valor, mas porque é alimentada por valores *diferentes*. Se isso for verdade, então a esfera estética cumpre duas funções culturais distintas na civilização burguesa e a *Educação estética* de Schiller situa-se em seu ponto de encontro. A primeira função é aquela indicada pela estética de Kant: restaurar a conexão entre o mundo dos juízos de fato e o dos juízos de valor pela resistência à "desilusão" científica e, em vez, satisfazendo aquela necessidade profunda de "magia" que é parte integrante do desejo de ver valores "enraizados em fatos", evitando assim a responsabilidade por sua parcialidade na crença segura de que "brotam" da própria "realidade das coisas".[26]

A segunda função foi superposta a essa e, no decorrer do tempo, adquiriu provavelmente importância ainda maior. Consiste em levar *a uma conciliação de valores conflitantes*. A obra de Schiller é apenas meio passo nessa direção. Os valores a harmonizar na *Educação estética* não são conflituosos em si nem por si mesmos. Só se tornam conflituosos devido ao seu desenvolvimento *unilateral*. No entanto, ainda podem ser "compostos" e, desse modo, levados de volta ao conceito neoclássico de "harmonia". No quadro que tenho em mente, isso não é mais possível porque o conflito não brota mais do fato de que elementos antes unidos tornaram-se reciprocamente estranhos, ao mesmo tempo em que se mantêm sujeitos a uma nova síntese, mas sim de uma oposição real, uma hostilidade intrínseca que não sustenta mais nenhuma oportunidade de solução "dialética".

No entanto, para que isso aconteça a sociedade burguesa terá de abrir-se definitiva e dolorosamente ao conflito social: o conflito incessante e sangrento que percorre a história européia de 1789 até hoje, dividindo todos os "povos", todas as culturas nacionais, não vindo mais tanto assim de um inimigo "estrangeiro", mas de um inimigo "interno", que fala a mesma língua, mora na mesma cidade e costuma recorrer ao mesmo deus. A origem dos conflitos não pode mais ser atribuída a antigas diferenças históricas ou geográficas, caracteres "nacionais" que vieram a ser sentidos como fatos quase imutáveis da natureza. Não; o conflito estava mais perto agora e, portanto, mais agudo; e, ao que parecia, irresolúvel.

A literatura do século XIX é permeada por essa nova percepção da natureza conflituosa da sociedade. Na verdade, parece que seu grande legado histórico consiste em indicar como, numa civilização irreparavelmente dividida entre interesses e valores hostis, o próprio conceito de "acordo" tem de sofrer uma transformação profunda. Não pode mais consistir no triunfo drástico e reconhecido de um sistema de valores sobre todos os outros. Precisa assumir uma forma mais dúctil e precária: não mais a da síntese dialética total, mas daquela mais "duvidosa" da *acomodação*.[27]

A acomodação é o grande tema da ficção narrativa "realista" e talvez, de forma ainda mais significativa, o principal critério retórico daquele fenômeno ainda mais enigmático, a "lírica moderna". Caso se tivesse de caracterizar esta última com uma só palavra, a que viria à mente seria "obscuridade". E essa obscuridade, que se arrisca a virar ininteligibilidade, deve-se em grande parte à tentativa restritiva e ineluтável de fazer "acomodações" semânticas entre elementos que se tornaram totalmente heterogêneos e contraditórios. O oximoro de Baudelaire ainda é a figura que exemplifica e resume da melhor forma esta operação. Paul Ricoeur escreveu:

> [...] como um homem de desejos, sigo em frente disfarçado — *larvatus prodeo*. Da mesma forma, a própria linguagem, desde o princípio e em sua maior parte, é distorcida: significa coisa diferente do que diz, tem um duplo significado, é equívoca. O sonho e os seus análogos ficam, assim, posicionados numa região da linguagem que se apresenta como *locus* de significações complexas nas quais outro significado é, ao mesmo tempo, dado e oculto num significado imediato. Vamos chamar essa região de duplo significado de "símbolo" [...][28]

As palavras de Ricoeur introduzem a nossa última rodada. Não se referem à lírica moderna nem à hermenêutica literária, mas ao sonho e à psicanálise. E realmente, caso se queira ver na literatura a atividade cultural delegada a um acordo seguro pela realização de "ajustes" entre valores conflitantes, não se pode abrir mão pelo menos de uma discussão sumária de alguns aspectos do pensamento freudiano.

Freud, como bem se sabe, via na arte a forma mais bem-sucedida de "compensação" daqueles impulsos que a civilização obriga o indivíduo a sacrificar.[29] Na raiz da atividade estética, portanto, encontra-se o "retorno do recalcado". Mas, para que o conteúdo psíquico recalcado volte a ocupar o palco, precisa usar uma "máscara" ou, mais exatamente, assumir uma "forma" diferente da original, como conseqüência do conflito com uma força psíquica que age no sentido oposto:

> [...] o modelo da negação freudiana é formal [...] uma formação semiótica de acomodação que permite a alguém dizer sim e não ao mesmo tempo a alguma coisa [...] o desejo perverso não poderia [ser] aceitável como conteúdo, na obra literária, sem que esta última também aceitasse o modelo formal capaz de filtrá-lo.[30]

Essa visão freudiana contém vários elementos absolutamente essenciais à atividade interpretativa: a imagem do texto como campo de conflito entre forças psíquicas e culturais; a idéia de que essas forças localizam-se de formas diferentes em relação à nossa consciência própria (ou seja, são mais ou menos "inconscientes"); a insistência de que o conflito entre elas só pode ser compreendido se suas formalizações retóricas específicas forem analisadas; a explicação da característica surpreendente e muitas vezes até "obscura" dessas formalizações, que nasce da natureza heterogênea e mutuamente hostil das forças que buscam a acomodação entre si.

Na minha opinião, todos esses elementos são contribuições permanentes à teoria da interpretação literária. O problema está em outro lugar. Consiste em perguntar se o horizonte teórico da psicanálise, depois de dar essas contribuições, não as impede, no fim, de serem usadas da forma mais comprovável e produtiva. Deixem-me explicar, começando com um conceito essencial para a teoria do "retorno formal do recalcado": o conceito de "negação" (*Verneigung*). Em sua leitura freudiana de *Fedra*, Francesco Orlando elaborou e condensou este conceito na fórmula "Não gosto disso".[31] A fórmula exprime um conflito: não/gosto disso. Mas este conflito exprime-se e é interpretado de forma cientificamente inaceitável, porque apenas um dos seus elementos é definido; o outro é determinado apenas e exatamente "pela negação". Esse lado da oposição em que se localiza o recalcado possui um conteúdo só seu: o "gosto disso", que se refere a um objeto ou imagem específico. O outro lado, diferentemente, não passa de um "não". Isso mostra que determiná-lo *pelo que é* é algo considerado de importância inteiramente secundária. Só pode ser descrito e possuir importância teórica em virtude do que *não é*:

> Se um certo tipo ou intensidade de desejo pode ser expresso pela negação com a declaração NÃO GOSTO DISSO, um desejo maior ou mais indeclarável dará origem, por exemplo, a NÃO GOSTO NADA DISSO. Um desejo ainda maior ou indeclarável poderá ser representado como ODEIO ISSO, DETESTO ISSO e outras expressões semelhantes que continuam a ser negações claras, embora incorporadas a um verbo sem uma partícula negativa. Poderíamos comparar tudo isso a um recipiente cujo conteúdo exerça uma pressão mais ou menos explosiva sobre as paredes; quanto maior a pressão, mais resistentes ou numerosas têm de ser as paredes.[32]

A frase que abre *Eros e a civilização* vem à mente aqui: "O sacrifício metódico da libido, seu desvio rigidamente imposto para as atividades socialmente úteis, *é* a cultura." A cultura não é "*nada além*" da repressão dos instintos. Pode assumir a forma que quiser. A *única* coisa que conta é que cumpra *aquela* missão. Vem daí, é claro, a antropologia historicamente indeterminada que sempre viciou o empreendimento psicanalítico. Mas vem daí também uma conseqüência imprevista no nível estritamente hermenêutico. O que foi apresentado como conflito entre forças opostas na verdade se transforma — seguindo a hipótese da "negação" — em um processo unilateral, muito mais próximo das "inversões" típicas da dialética hegeliana (a palavra "negação", de qualquer modo, devia ter-nos posto em guarda) do que da visão materialista de um choque entre entidades específicas.

Na presença da "negação", uma só coisa merece atenção: o que acontece com o desejo que surge, como é modificado e transformado. Quanto às metamorfoses do outro pólo do par, não há nada a dizer, apesar do fato de que deveriam ter algum interesse para os historiadores culturais. Mas é inevitável que assim seja, porque esse outro pólo na verdade nunca existiu e é apenas uma imagem "alienada" do recalcado. E assim, a falta de interesse *a priori* no lado "repressor" do par (na "civilização", na "história") acaba desvalorizando a intuição do texto como "acomodação", diluindo-o na idéia muito mais desgastada do texto como lugar onde uma "essência" se "exprime" de forma mais ou menos completa. A comparação com o "recipiente" cuja "forma" (as "paredes") se altera com a "pressão do conteúdo" não deixa margem a dúvidas sobre essa questão.

Essa é uma recaída na concepção monística dos fenômenos artísticos, que, de qualquer modo, é perceptível no próprio conceito do "retorno do recalcado". Se os textos literários — e neste aspecto não tenho, pessoalmente, nenhuma dúvida — devem grande parte de sua atração enigmática ao fato de reproporem conteúdos psíquicos inconscientes, não há razão, teórica ou empírica, para restringir o terreno do "inconsciente" apenas ao "recalcado". O próprio Freud sugeriu, com clareza especial em *O ego e o id*, que o inconsciente inclui, além de conteúdos recalcados propriamente ditos, o nível do superego.[33] Se, portanto, a literatura tem a tarefa de nos "familiarizar" com nossos eus inconscientes, revivendo essas conexões das quais, normalmente, não temos consciência, não há razão alguma para que essa operação também não envolva o superego. Ainda mais se lembrarmos que o superego, a consciência moral em sua forma "cruel" e inexorável, não coincide, de forma alguma, nem em Freud nem de fato, com o chamado "princípio da realidade". Quem diz, corretamente, que a civilização burguesa vive em uma separação tácita mas rígida entre o que é certo "em teoria" e o que se aplica "na prática" — entre princípios máximos e sua concretização mínima — está dizendo (em termos freudianos) exatamente que a relação entre o superego e o princípio da realidade (entre a consciência moral e o comportamento social) é, por sua própria natureza, *problemática*. A "civilização" produz o superego e faz dele seu "emissário" na psique individual. Mas então o abandona, deixa-o de lado, desanima-o (e, se necessário, combate-o: na guerra, quem seguir com excesso de rigor os Dez Mandamentos leva um tiro). Em conseqüência, o superego também precisa "ressurgir" continuamente em obras que redefinem, de várias maneiras, sua esfera de aplicação, e mostrar com que outras forças psíquicas e sociais entra em conflito. Boa parte da ficção realista do século passado gira, de fato, em torno desse problema; e a literatura comovente para crianças, que é um dos produtos finais e exemplares dessa tradição, sustenta inteiramente essa hipótese.

Portanto, em primeiro lugar a teoria do "retorno do recalcado" precisa de ampliação. Mas também precisa de correção. Afinal, ela indica que o prazer estético consiste essencialmente na percepção desse "retorno". A "acomodação" formal, segundo esse argumento, é apenas o *meio* necessário para fazer ressurgir o conteúdo recalcado. Nas palavras de Orlando: "Eu diria que a imagem é o tributo perpétuo pago — e com que boa vontade é pago — ao inconsciente pela linguagem do ego consciente."[34] Uma afirmação como essa baseia-se necessariamente na suposição de que a maior felicidade que podemos encontrar é exprimir e viver os conteúdos inconscientes da psique em seu todo e sem restrições. Como isso não é possível, "compensa-se" com a acomodação oferecida pela arte. Mas fica claro que seria melhor não precisar disso.

Essa hipótese parece-me insustentável. Com bastante freqüência, de fato, o conteúdo do nosso inconsciente realmente surge de maneira radical e conseqüente. E, nesses casos, o resultado é o extremo oposto do prazer. O indivíduo encontra-se radicalmente sozinho, arrastado a um conflito indômito e desigual com o mundo ao seu redor. Mais exatamente, pode-se dizer que tanto o id quanto o superego, embora de formas diferentes, empurram *sem cessar* o indivíduo para esse conflito. Arrastam-no, em sua unilateralidade intransigente, para uma infelicidade irreparável.

Mas, nesse caso, o "prazer" estético não pode consistir na percepção de um "retorno" do inconsciente, mas, sim, em seu extremo oposto: na contemplação de uma acomodação bem-sucedida. A conciliação "formal" não é o *meio*, o simples *meio de transmissão* do prazer: é o seu *fim*, sua única e verdadeira substância. O prazer não está em "afrouxar" um pouco a garra da censura, mas em redesenhar com precisão as esferas de influência das várias forças psíquicas. Isso permite que se "amarre" sua inquietude, pelo menos por algum tempo, e garante ao indivíduo aquela "redução da tensão" que, segundo Freud, caracteriza todas as formas de prazer.

Se voltarmos nossa atenção à "acomodação formal" efetuada pelo texto, também seremos capazes, em conclusão, de trazer de volta à ribalta um elemento da teoria freudiana que a crítica literária sempre deixou à margem: o chamado "princípio da realidade". O significado desse conceito já é incerto e instável no próprio Freud. Às vezes é apresentado como oposto ao "princípio do prazer"; outras, como sua "extensão". Em alguns casos, parece coincidir com o "conhecimento exato da realidade" enquanto, em outros, seu caráter cognitivo parece totalmente secundário. Às vezes é colocado em conexão estrita com a consciência moral, às vezes em conflito com ela. Mas não há dúvida de que Freud queria indicar, com esta expressão, um aspecto do aparelho psíquico e do comportamento social cuja importância está fora de questão. É o "princípio da realidade" que permite viver num mundo dividido e conflituoso, arredondando suas arestas afiadas e conseguindo, ao mesmo tempo, satisfazer imperativos de natureza e força diferentes.

É esse o significado de um trecho famoso no qual Freud descreve o comportamento do ego, parte da psique mais intimamente ligada ao princípio da realidade:

> [...] Vemos este mesmo ego como uma pobre criatura que deve servir a três senhores e, conseqüentemente, é ameaçada por três perigos: o mundo externo, a libido do id e a severidade do superego [...] Em sua posição a meio caminho entre o id e a realidade, cede com demasiada freqüência à tentação de tornar-se adulador, oportunista e mentiroso, como um político que vê a verdade mas quer manter seu lugar no favor do povo.[35]

Como o ego, portanto, o princípio da realidade não indica um "princípio" autônomo e um mundo auto-suficiente de objetos, mas aquele tipo de "meio-termo" que sempre surge na conclusão de um conflito. É a linha de menor resistência em torno da qual se constrói um equilíbrio, uma sensação de inteireza do indivíduo e de seu envolvimento com o mundo. Com certeza, é um equilíbrio precário, só reconhecido como tal (quando o é) depois de atingido, sem que se tenha (é preciso dizer) clara consciência dele.

Ainda assim, o equilíbrio é atingido. Decompô-lo em seus componentes estritamente inconscientes é um estágio necessário da análise. Mas deve seguir-se o reconhecimento de que, assim que se efetuar a "acomodação" entre eles, encontramo-nos olhando um *novo* conteúdo, que não é redutível à soma de suas partes. Esse conteúdo é "implícito", não "inconsciente". Na verdade, não há mais necessidade de que a consciência o recalque e afaste, já que ele não viola as normas sociais reinantes, mas sim obedece-as, coincide com elas. Com efeito, em certo sentido ajuda a formálas, porque esse novo conteúdo não passa de doxa, opinião, lugar-comum, "visão de mundo", como costuma parecer em sua forma concreta: não como sistema "puro" e espinhoso, mas como algo persuasivo, sedutor, abrangente, como algo que garante um *modus vivendi*, um ajuste entre rompantes conflitantes.

A partir do princípio da realidade chega-se até a doxa e daí, à literatura, que é, por mais paradoxal que pareça, uma das manifestações mais claras do princípio da realidade. A literatura é o "meio-termo" por excelência e sua função "educacional", "realista", consiste exatamente em nos treinar sem que percebamos para uma tarefa interminável de mediação e conciliação. A literatura (que, como o princípio da realidade e a doxa, prospera em épocas de estabilidade social e de repente parece "inútil" ou "impossível" durante as guerras e revoluções) indica com que profundidade está enraizado o nosso desejo de fazer com que o "ajuste" à ordem existente *coincida* com alguma idéia de "felicidade". Ela nos faz perceber que o "consenso" — sentir que "queremos" fazer o que "temos" de fazer — pode ser uma das aspirações mais elevadas da psique individual. Diz-nos, em outras palavras, que, na ausência de grandes batalhas (e, portanto, coisa que nunca pode ser exagerada, na ausência do que poderia ser uma grande tragédia), é inevitável que, de tempos em tempos, tentemos nos convencer de que este é mesmo o melhor mundo possível.

Se uma noção tão pouco desconstrutiva e libertadora de literatura ainda parece desagradável ou pouco convincente, só posso me utilizar de uma imagem que me veio com freqüência no decorrer deste estudo. É um baixo-relevo de um antigo túmulo grego no Museu Britânico. Mostra uma harpia — a parte de cima do corpo é de mulher, a de baixo, de ave de rapina — levando embora um pequeno corpo humano; segundo os especialistas, a alma do falecido. Embaixo, a harpia firma a alma com força em suas garras, mas em cima seus braços gregos a seguram num abraço atento e carinhoso. A alma nada faz para escapar do apresamento da harpia. Parece calma, até relaxada. É provável que não goste de estar morta; se gostasse, não haveria necessidade de harpias. Mas, ao mesmo tempo, a alma deve saber que não há como fugir à força das garras. Por essa razão não baixa seu olhar, mas descansa a cabeça, confiante, nos braços da harpia. Exatamente porque não há como fugir, prefere iludir-se com a natureza afetuosa, quase maternal da criatura que a arrasta para longe em seu vôo.

Podemos condená-la?

# O grande eclipse

# A FORMA TRÁGICA COMO DESCONSAGRAÇÃO DA SOBERANIA

> Qu'então o *Real Ator* nascido
> Adorne o *Trágico Patíbulo*;
> Enquanto aplaude a súcia armada
> Tendo de sangue a mão manchada.
> E *Ele*, na cena sem igual
> Não quis nem fez coisa banal.[1]

A louvação de Marvell a Cromwell apresenta a execução de Carlos I como um espetáculo teatral — especificamente, como tragédia. O argumento deste ensaio é que há excelentes razões para que isso seja apropriado: de fato, a tragédia das épocas de Elizabeth I e Jaime I foi uma das influências decisivas na criação de um "público" que, pela primeira vez na história, arrogou-se o direito de levar à justiça um rei. No entanto, admitir esta profunda importância histórica não é dizer que a tragédia do Renascimento inglês seja uma forma cultural "puritana", "burguesa" nem "revolucionária". Pelo contrário, pouca coisa na tragédia inglesa permite antever a nova era iniciada por um golpe de machado em Whitehall em 30 de janeiro de 1649. Mas as novas eras não começam a existir meramente pela evolução de novas idéias; a dissolução ou o descarte das velhas tem igual papel em seu surgimento. E, no caso em questão, os historiadores concordam que foi realmente este o fenômeno decisivo.[2] Nas páginas a seguir, portanto, tentarei indicar os elementos essenciais da definição da forma trágica e demonstrar que a "tarefa" histórica que essa forma acabou cumprindo foi, exatamente, a destruição do paradigma fundamental da cultura dominante. A tragédia privou o monarca absoluto de toda legitimação ética e racional. Depois de desconsagrar o rei, a tragédia tornou possível decapitá-lo.

*"Enquanto isso, explicaremos nosso propósito mais sinistro"*

Vamos começar com a obra que deu início à tragédia inglesa: *Gorboduc*, escrita por Thomas Norton e Thomas Sackville em 1562. A peça conta a história de um rei que abdica e divide o reino entre os dois filhos, Ferrex e Porrex. Este último mata o irmão para assumir o controle total do reino mas, por sua vez, é assassinado pela mãe. Neste ponto, o povo se revolta e mata o rei e a rainha. Os nobres, reunidos no parlamento, abafam a rebelião e, embora o Duque de Albany traia o projeto de todos ao tomar o trono para si, a peça termina com a indicação clara de que a aristocracia-em-armas acabará com a revolta.

A mera lógica dos eventos da peça é rica em implicações. Uma delas é que a tragédia apresenta um universo no qual *tudo tem sua origem na decisão do rei.* Assim, a tragédia presta uma homenagem ambígua ao monarca. Se a cultura geral do absolutismo limitava o poder soberano que conferia ao rei com incontáveis hesitações e incertezas (resumidas tipicamente em Bodin),[3] a tragédia entrega-lhe este poder inteiramente e sem a menor reserva. No mundo da tragédia, o monarca é *absoluto* de verdade. Não quero dizer, nem aqui nem no que se segue, que a tragédia apresenta o monarca absoluto como realmente era. Seria de fato uma tarefa frustrante buscar uma representação realista do sistema político absolutista na mecânica da tragédia inglesa. A força (ou fraqueza) do absolutismo não estava na pessoa do rei, mas, sim, num sistema de instituições coletivas, tais como uma burocracia operacional, um sistema fiscal sólido, um exército permanente e uma unificação jurídica eficiente; a ponto de, como escreveu Immanuel Wallerstein, ser mais exato chamar esse sistema de "estatismo".[4] Também é verdade, no entanto, que o rei agia como símbolo e síntese desse novo sistema de poder no contexto de sua própria teoria política, que defendia o aumento do poder não para o Estado, mas para o rei. A tragédia, portanto, não encena as instituições do absolutismo, mas sua cultura, seus valores, sua ideologia. Esse fato não prejudica, de forma alguma, a capacidade da tragédia de cumprir sua tarefa de dissolução radical. Pelo contrário, razões históricas profundas atuam no caso do absolutismo para tornar o conflito de idéias (entendido como processo cultural pelo qual se legitima o poder) uma questão decisiva. A primeira delas é especificamente inglesa: as numerosas fraquezas estruturais da Coroa tornavam difícil estabelecer uma monarquia absoluta *de facto*. Razão maior ainda, portanto, para que a tentativa de construí-la se baseasse em elementos de caráter ideal. Os argumentos de Jaime I sobre o direito divino dos reis, como observa Carl Schmitt, simplesmente mascaravam a falta de esperança e de perspectivas de sua verdadeira posição.[5] Quando, portanto, como veremos, a tragédia encena a degradação da imagem cultural do soberano, priva a monarquia de seu bastião central, sua maior arma. Há uma segunda razão mais abrangente para a pertinência fundamental aqui do campo ideológico. No sistema político do absolutismo, a relação entre cultura e poder difere consideravelmente daquela obtida em outros tipos de sociedade, em particular no capitalismo. Neste último, o poder social encontra sua legitimidade, desde o princípio, no simples fato de existir. A propriedade de que fala a filosofia do direito natural, tipicamente pressuposta antes do contrato social, é um dado real. Ela existe, e isso basta. Não tem mais significado que o mundo da natureza depois do "desencantamento" efetuado pela física do século XVII. Para a filosofia do direito natural, que é o verdadeiro lugar de origem da distinção entre "estrutura" e "superestrutura", a cultura é, em última instância, uma retardatária cuja função consiste em preservar o dado fundamental da propriedade ("A regulamentação e a preservação da propriedade", não por acaso, é a fórmula clássica que, no início do Segundo Tratado de Locke, define as tarefas e os limites do poder político). Com o absolutismo, o contrário é verdadeiro. Aqui a legitimidade do poder social deriva de uma forma de investidura divina. O poder se baseia num desígnio transcendente, numa ordem intencional e significativa. Do mesmo modo, as relações políticas só têm o direito de existir enquanto *reproduzem simbolicamente aquela ordem*. Em poucas palavras: se a propriedade burguesa pode ter significado porque existe, a monarquia absoluta pode existir porque tem significado. O que acontece na esfera da cultura absolutista não se confina às alturas da superestrutura; configura a própria base, a condição de existência do domínio político. Daí, os conflitos culturais e as modificações da época do absolutismo apóiam-se diretamente na política deste mundo, de cujo colapso a tragédia — em geral negligenciada sempre que esse problema é considerado — é um dos fenômenos decisivos.

A soberania é um poder que, por ter sua origem *em si mesmo*, está, assim, livre de todo controle; é "autodeterminada", como diria Hegel. A soberania é um poder *universal*, que atinge e define todas as partes do corpo político, cujo destino, portanto, está fechado dentro dela. Ambos os atributos configuram de forma profunda a estrutura de *Gorboduc*. Universal, a decisão do rei aos poucos afeta sua pessoa, sua família, a nobreza, o povo e toda a sociedade; evento após evento, o ato real ressoa por todo o corpo político. Autodeterminante, o rei é o único personagem realmente livre para optar e, portanto, *agir* no verdadeiro sentido da palavra. É o ator primário e, em certo sentido, o único verdadeiro ator na tragédia moderna. Como explica Kierkegaard, em suas reflexões sobre a diferença entre a tragédia antiga e a moderna: no mundo antigo,

> mesmo que o indivíduo se movesse livremente, ainda pertencia às categorias materiais do Estado, da família e do destino. Esta categoria material é exatamente o elemento fatalista da tragédia grega e sua exata peculiaridade. Portanto, a destruição do herói é não só o resultado de suas próprias façanhas como também um sofrimento, enquanto na tragédia moderna a destruição do herói na verdade não é sofrimento, mas ação. [...] Nossa época perdeu todas as categorias materiais de família, Estado e raça. Precisa deixar o indivíduo inteiramente por conta própria, de modo que, em sentido mais estrito, ele se torna o seu próprio criador.[6]

Resta apenas acrescentar que o principal exemplo desse "indivíduo", libertado das "categorias materiais" *dentro* da sociedade (e não fora dela, banido como um vagabundo ou leproso), é dado pelo soberano absoluto, que é literalmente *absolutus*, ou seja, solto, livre. A tragédia só pôde ressurgir no final do século XVI, quando a figura do novo príncipe entrara no palco da história. Sem o soberano absoluto, a tragédia moderna não teria sido possível.

Com essas premissas estabelecidas, vamos voltar a *Gorboduc*. Aqui, os atributos que o rei se arrogaria a si mesmo lhe são prontamente concedidos. Mas a dádiva está envenenada. Exatamente aquilo que faz de Gorboduc um soberano — a universalidade e a autodeterminação — também o declara, de acordo com um paradigma que permanece imutável durante o desenvolvimento da tragédia inglesa, um *tirano*.[7] A chave para a metamorfose surge no começo na peça, quando Gorboduc declara a seus conselheiros a intenção de abdicar. Embora a tentativa destes últimos de dissuadi-lo com vários argumentos "racionais" ("Só eu quero mostrar por certas regras/ Que tipo se gravou na mente humana"),[8] Gorboduc nunca se dá ao menor trabalho de refutá-los. É rei não porque pode argumentar e convencer, mas simplesmente em virtude do fato de poder *decidir*. E decide de maneira "autodeterminada", ou seja, sem ter de se preocupar em apresentar "motivos" ou "causas", sobre as quais mantém rigoroso silêncio. Encontramos, inevitavelmente, o problema da *decisão*, obrigatório na história da teoria política e, em particular, do poder absoluto. Como já insinuamos, é aqui que reside o atributo fundamental do monarca; de acordo com a definição de Carl Schmitt, a autoridade soberana é aquela que decide sobre "o estado de exceção".[9] Esse poder de decisão encarna-se na ditadura, que visa a dar fim ao estado de exceção e que, quando consegue, impõe-se com base numa soberania permanente e não mais meramente ocasional.[10] É bem digno de nota que, a partir de *Gorboduc*, a tragédia inglesa nos oferece uma dinâmica de eventos diametralmente oposta àquela descrita por Schmitt no caso da ditadura. Na tragédia, a ditadura (que, como Benjamin nos recorda, "exige a finalização da imagem do soberano como tirano") não é um meio de dar fim a um estado de exceção mas, pelo contrário, é o que provoca esse estado, o que dá início à guerra civil. Em outras palavras, a força que o rei manifesta em sua decisão declara-o não só como um tirano mas também como incapaz de governar. Em conseqüência disso o exercício da soberania leva à completa anarquia, como se os dois fossem uma coisa só. Com efeitos que mais tarde precisaremos registrar, a tragédia apresenta o absolutismo como um paradoxo impossível de resolver.

Em *Gorboduc*, como afirmei, o rei surge como um tirano mas, à primeira vista, o contrário é o que parece verdadeiro, pois como pode ser um tirano alguém que, como Gorboduc, abdica do trono? A contradição está apenas na aparência. A principal característica da abdicação de Gorboduc está mais em sua forma do que no conteúdo e no fato de manifestar-se como decisão soberana, um ato de livre-arbítrio. Em termos elisabetanos, o conflito da cena da abdicação (I, ii) acontece entre a *vontade* de Gorboduc e a *razão* de seus conselheiros. Ambos os termos são fundamentais nos tratados ético-políticos do século XVI, que situam a diferença entre rei e tirano exatamente na relação que se institui entre vontade e razão. O Aristóteles de Lydgate já tratara da questão: "A Alexandre ele escreveu, em verdade/ Que devia sempre se guiar pela razão."[11] "A obstinação", escreve Thomas Elyot,

> é uma afeição imovível, fixada à vontade, que abandona a razão. [...] Devido a ela, muito capitão valente e príncipe nobre falhou não apenas a si mesmo mas também pôs toda a sua terra em perigo e muitas vezes a levou à destruição e à ruína.[12]

"Pobre daquele cuja vontade tomou o lugar da sabedoria", lamenta Ricardo II em *O espelho dos magistrados*;[13] e Hooker, grande codificador da ideologia elisabetana, diz:

> Duas fontes principais existem da ação humana, o conhecimento e a vontade [...]; a vontade [...] difere grandemente daquele desejo natural inferior a que chamamos apetite. O objeto do apetite é qualquer bem sensível que se possa desejar; o objeto da vontade é aquele bem que a razão nos leva a buscar.[14]

Finalmente, lemos em *O espelho da política*, na virada do século:

> [Viver sob uma monarquia] é muito perigoso e algo a ser temido (considerando a fragilidade do homem e a grande liberdade que os reis têm de fazer o que anseiam, seja para o bem ou para o mal, e o grande poder que têm para executar aquilo a que a sua vontade os levou).[15]

Em resumo, como deixa claro a última citação, no caso do rei, vontade é poder, poder de agir. E, significativamente, nada garante que esse poder de agir esteja subordinado aos ditames da razão, já que, pelo contrário, o absolutismo aspira a emancipar inteiramente esse poder. Na "autonomia da política", o organicismo elisabetano articula *o princípio da tirania*. A distinção consoladora de Hooker entre apetite e vontade baseia-se na precedência e no controle atribuídos à razão, mas, uma vez que isso deixa de ser garantido, as duas formas de vontade ficarão indistinguíveis: "O poder tirânico é colocado nas mãos de um só, que [...] tiraniza segundo a sua vontade descomedida, [...] segundo sua vontade e seu apetite sensual."[16] Agora o apetite e a vontade são colocados no mesmo nível. A "carne por demais imunda" triunfa sobre a "razão divina": o tirano subjuga o soberano.

Com *Gorboduc*, o antigo conflito ético entre vontade e razão transforma-se num choque político entre o poder executivo e o privilégio consultivo, entre Gorboduc e seus conselheiros, o soberano e a aristocracia. Os termos do conflito são em tudo coerentes com o sistema de correspondências que floresceu na Inglaterra por volta de meados do século XVI. O rei era o "coração" do corpo político, a fonte da ação, enquanto a nobreza era o "olho", ou o órgão dos sentidos e do intelecto.[17] Mas o que nessa "imagem de mundo" era uma distinção funcional, uma colaboração entre os diversos órgãos para o bem do todo, em *Gorboduc* vira uma disputa. O primeiro movimento da primeira tragédia inglesa, assim, é *cortar* as ligações que sustentavam a cultura dominante. No fundo, a tragédia inglesa não passa da negação e do desmantelamento da imagem de mundo elisabetana.

É claro que, antes de mais nada, "a imagem de mundo elisabetana" é uma hipótese historiográfica. Foi apresentada separadamente e mais ou menos ao mesmo tempo por Theodore Spencer, em 1942,[18] e, em 1943, por E. M. W. Tillyard, que "inventou" a expressão. Também em 1943, Leo Spitzer escrevia *Classical and Christian Ideas of World Harmony*, obra na qual estendeu um argumento semelhante para toda a Europa ocidental.[19] O argumento é basicamente o seguinte: a cultura européia baseia-se no encontro entre o platonismo e o cristianismo, cuja fusão dominou-a até o "desencanto" científico dos séculos XVII e XVIII. Portanto, basicamente só há dois períodos na cultura européia: o que vai da Antigüidade ao Renascimento, passando pela Idade Média, e o período moderno. Em todas as suas variantes, esse argumento nega a especificidade histórica e cultural da época do absolutismo, negação que se realiza com ainda mais facilidade no caso da Inglaterra, onde a existência desta época foi mais rápida e precária do que em outros lugares. Assim, diz Tillyard: "Ao chegar à própria imagem de mundo [elisabetana], pode-se dizer de forma dogmática que ainda era solidamente teocêntrica e que era a versão simplificada de uma imagem medieval muito mais complicada." Sob esse ponto de vista, a única característica que realmente distinguia a cultura elisabetana passa a ser sua capacidade de integrar alguns elementos modernos à totalidade medieval já estabelecida — em resumo, sua capacidade de "acomodação".

> Embora os contornos da imagem de mundo medieval em geral tenham sobrevivido até a época elisabetana, sua existência então era precária. Havia Maquiavel, para quem a idéia de um universo total e divinamente ordenado era repugnante. [...] A grandeza da época elisabetana foi conter tanta coisa nova sem romper a forma nobre da antiga ordem. É aqui que entra a própria Rainha. De algum modo, os Tudor se inseriram na constituição do universo medieval. Faziam parte do padrão e tornaram-se indispensáveis.[20]

Por melhor que a teoria da imagem de mundo elisabetana explique outros fenômenos, deixa de perceber o fato mais importante da época. Afinal, a produção cultural avança com estranhos saltos e compactações; e no período do absolutismo inglês, essa produção concentra-se no drama-dentro-do-drama, na tragédia. Se esse drama não tivesse existido, a cultura elisabetana dificilmente assumiria a importância que tem para nós, pelas mesmas razões citadas por Tillyard: não teria apresentado suas próprias características distintivas que fizeram dela um objeto de estudo específico diferente dos outros. Portanto, quem afirma falar da cultura elisabetana tem de falar de sua tragédia, mas é exatamente isso que a teoria da imagem de mundo elisabetana nos impede de fazer. Com certeza, a teoria aborda o tema da tragédia, mas só para atribuir-lhe a curiosa função de confirmar o seu próprio esquema ao *contrário*. Argumenta-se que a negação trágica vai mostrar a solidez do organicismo medieval e que a necessidade de destruição radical confirma o poder do que está para ser destruído. É como se argumentassem que, ao estrangular Desdêmona, Otelo prestou um tributo à sua importância. Não há dúvidas que sim, mas ele a estrangula da mesma forma, e do mesmo jeito a tragédia, em sua destruição da imagem de mundo medieval, reconhece a sua importância, mas ainda assim a destrói. E é na dinâmica da destruição que precisamos nos concentrar, não no belo edifício que, no fim do quinto ato, foi reduzido a escombros. Essa dinâmica, como vimos, origina-se na decisão do rei, ou melhor, no fato de que o rei age como um *soberano absoluto*. Com certeza Tillyard está certo ao notar as muitas exaltações de Elizabeth que a "inserem" "na constituição do universo medieval". Mas isso é dizer apenas que não reconhecem sua função nova e real. Só a tragédia olha o novo príncipe diretamente nos olhos, aceitando sem discussão as suas pretensões absolutistas e elaborando-as sistematicamente. Sozinha no período elisabetano, a tragédia é verdadeiramente moderna, verdadeiramente rigorosa.

Vamos voltar mais uma vez a *Gorboduc* e ao seu conflito entre o poder do rei e a razão aristocrática. Em virtude de sua ação, o rei causa a dissolução de todo o corpo político. O absolutismo revela, assim, toda a sua força, que, por sua vez, entretanto, é revelada como catástrofe social. *Gorboduc* mostra-se como uma história típica da tragédia inglesa, mas só o tipo de história que conta e no tipo de lógica que confere aos acontecimentos. O que ainda falta é a outra característica essencial da tragédia, sua forma específica de *reflexão* sobre os acontecimentos. Em *Gorboduc*, a vontade se emancipa da razão, a ação, do discurso; e a autonomia da ação soberana, municiada pela vontade inescrutável do monarca, dá origem à sucessão de ações que forma a história. Mas se a razão foi derrotada pela vontade do rei, não chegou a ser destruída. Na última cena da peça, Eubulus, porta-voz da ideologia do corpo político e maior expoente da imagem de mundo elisabetana, reproduz os mesmos argumentos rejeitados no início por Gorboduc. O *establishment* cultural elisabetano suportou o impacto da ação dramática, que, além disso, confirma inteiramente a sua validade: Eubulus previra tudo desde o princípio. De forma bastante adequada, os valores deste *establishment* voltam ao campo, enriquecidos e, desta vez, armados, eles mesmos dotados da força que, no início, fora monopólio do rei. O parlamento-em-armas, no fim de *Gorboduc*, pode intervir novamente no decorrer dos acontecimentos e, dando fim à cisão trágica, levar a tragédia a uma conclusão. Voltou a unir força e razão, submetendo aquela a esta. Ao nos oferecer somente um absolutismo limitado, *Gorboduc* nunca passa de uma semitragédia. A restauração da razão e a restauração da aristocracia são conseqüência uma da outra. Se os valores da imagem elisabetana de mundo sobrevivem é porque seus expoentes políticos também sobrevivem. Assim como o progresso do absolutismo eliminará estes últimos, o progresso da forma trágica — em seu desenvolvimento, um espelho brilhante da "crise da aristocracia" — tornará impossível um fechamento no qual a razão, não só intacta como armada, reconquiste o palco. Encontramos a prova meio século depois, quando Shakespeare reescreve *Gorboduc* e o chama de *Rei Lear*.

Embora muito mais complexa, a trama de *Rei Lear* baseia-se nas mesmas suposições que vimos funcionando em *Gorboduc*. Dividir o reino é agir contra a razão e, no vácuo assim gerado, a força destrutiva da "natureza" egoísta de Edmund, Goneril e Regan pode se libertar. No entanto, algumas convenções são mais claras aqui do que em *Gorboduc*, sobretudo o fato aparentemente paradoxal de que a abdicação é um ato tirânico. A decisão de abdicar, que em Gorboduc era "propósito" *tout court*, torna-se o "propósito mais sinistro" de Lear: obscuro, inescrutável, arbitrário e mostrado como tal. Além disso, a razão simples e frágil que Lear cita para abdicar — o peso de sua velhice — indica claramente que traiu sua função política e pública pelo bem de sua pessoa física e privada. Como Cláudio ou Macbeth, embora de forma diferente, Lear cede, assim, à "natureza descaída" e essa concessão indica a transformação do rei num tirano. A cena inteira da abdicação é dominada pelo absolutismo arrogante de Lear. Diferentemente de Gorboduc, Lear não se contenta com a simples rejeição das idéias de seu conselheiro Kent, e expulsa-o do reino sob pena de morte. O que o gratifica nos discursos de Goneril e Regan é o abismo que abrem entre ele e elas, a dependência ilimitada que declaram.[21] Pelo contrário, o que o enfurece em Cordélia é o seu imaculado espírito feudal: "Amo Vossa Majestade/ Segundo a minha obrigação; nem mais, nem menos" (I, i, 92-3).[22] Cordélia ainda vive em um mundo de obrigações recíprocas, de direitos e deveres feudais, enquanto Lear aspira à onipotência absoluta. Sua "loucura" é, em grande parte, a inevitável conseqüência dessa aspiração, não sua derrubada. Assim, em III, ii, no ponto máximo da tempestade, grita suas ordens absurdas às forças da natureza ("Soprai, ventos, e rompei vossas bochechas!") Ou, novamente, em III, iv, eleva-se acima de todas as filhas num supremo julgamento. Ou, finalmente, mais uma vez, na última cena, não consegue nada além de cobrir de insultos aqueles que tentaram ajudá-lo, glorificando seus próprios poderes: "Rogo-vos uma praga, assassinos, traidores todos!/ *Eu* poderia salvá-la e agora ela se foi para sempre!/[...] / *Eu* matei o escravo que vos ia enforcar" (V, III, 269-70, 274, itálico meu). Assim, como afirmou Benjamin, a loucura surge como sinal definitivo da degeneração do soberano.[23]

Ao mesmo tempo em que *Lear* amplia as pretensões absolutistas de *Gorboduc*, diminui as pretensões contrárias da aristocracia. É verdade que *Rei Lear* é bem cheio de nobres leais — Kent, Gloucester, Albany, Edgar, sem mencionar os numerosos gentis-homens que passam pelo palco somente para atestar sua fidelidade ao velho rei. O que se perdeu não foi o número de nobres fiéis, mas sua função. Não lhes é mais permitido, como no caso de Eubulus em *Gorboduc*, inserir os acontecimentos num arcabouço orgânico e racional de significado político. Na primeira cena da tragédia, Kent se opõe a Lear meramente para defender os direitos de

Cordélia (com quem divide a ética feudal), não em nome dos mais elevados interesses do reino. E, quando parte da corte, não revela nenhuma capacidade de prever as conseqüências futuras. O próprio serviço que mais tarde oferecerá a Lear é inspirado pela fidelidade a uma pessoa e não a uma instituição política. Quando Gloucester, por sua vez, tenta fazer uma descrição da situação no início da peça, recorre ao que, para o público elisabetano, já parecia uma superstição vazia, "a excelente tolice do mundo": "Esses últimos eclipses do sol e da lua não nos pressagiam nenhum bem. [...] O amor esfria, as amizades desabam, os irmãos se dividem: nas cidades, motins; nos campos, discórdia; nos palácios, traição; e o laço se rompeu entre filho e pai" (I, ii, 107-108, 110-114). Mas o exemplo mais claro da precariedade da nobreza surge na fala com que Edgar conclui a peça:

> Ao peso deste tempo triste devemos obedecer;
> Falar o que sentimos, não o que devíamos dizer.
> Os mais velhos é que mais suportaram; nós, os jovens
> Jamais tanto veremos, nem tanto viveremos.
>
> (V, iii, 323-26)

O fato de a extraordinária eficácia dramática dessas palavras estar em sua estupidez arrepiante e na banalização dramática que impõem à peça não é algo que deveria soar estranho. Na própria obra que desmembrou nossa confiança no significado das palavras, lá surge a tranqüilização obtusa do provérbio rimado e da metáfora morta: "o peso do tempo", "tanto ver", "tanto viver". O episódio que envolveu a queda de um reino e duas famílias (sem mencionar, imagina-se, um bom número de soldados franceses e ingleses) é resumido como uma "época triste". Embora *Rei Lear* tenha negado a transparência dos sentimentos na linguagem, agora Edmund insiste que "falemos o que sentimos". "Velho" e "jovem", categorias que a peça privou de todo valor interpretativo, agora são exumadas como se ainda pudessem explicar alguma coisa. E, finalmente, para finalizar, quatro versinhos impecavelmente rimados, cheios de monossílabos, surgem para concluir uma obra na qual a prosa atormentada invadiu o terreno da convenção rítmica. A fala de Edgar é o mais extraordinário e apropriado dos anticlímaxes. Sua mediocridade cega indica o abismo que se abriu entre os fatos e as palavras ou, mais exatamente, entre referentes e significados. O desfecho de *Rei Lear* deixa claro que ninguém é mais capaz de dar significado ao processo trágico; nenhum discurso é igual a ele e aí exatamente jaz a tragédia.[24] Observa-se aqui a cesura histórica que divide *Gorboduc* e *Lear*. Em *Gorboduc*, a razão, embora derrotada momentaneamente pelo poder decisivo do rei, ainda assim conseguia prever e dar significado à seqüência de ações. Ela sempre foi um pólo do drama, dotada de seus próprios representantes, e saiu da prova enriquecida e mais segura de si. No final, estava preparada para começar a endireitar o mundo outra vez. Em *Lear*, o pouco de razão que resta foi não apenas derrotado como ridicularizado e dissolvido pelo decorrer dos acontecimentos. Se, no fim, a razão tem a última palavra, é somente em virtude daquele duelo arcaico e semimilagroso entre os dois filhos de Gloucester; se volta ao palco, é somente com o objetivo de nos confundir com a pobreza de sua reflexão.

Antes de examinar as conseqüências do que acaba de ser dito, consideremos rapidamente as modificações semânticas às quais a palavra "tragédia" é submetida no decorrer de poucas décadas. Falando do Prólogo de *O conto do monge*, de Chaucer, George Steiner observa que o significado de tragédia na alta Idade Média não envolve a forma dramática. "Uma tragédia é uma narrativa que conta a vida de algum personagem antigo ou importante que sofreu algum declínio da fortuna rumo a um fim desastroso."[25] A tragédia, em grande parte, é sinônimo de infortúnio ou morte, e mantém esse sentido não apenas no *Espelho dos magistrados*, como também em *Arden de Faversham* (1590?: "E prepara teu senhor para a sua tragédia")[26] e na *Tragédia espanhola* de Kyd (1590?: "Esta mesma espada [...] será a causadora de tua tragédia").[27] Nesse ponto de vista, o príncipe é mais importante pelo que é do que pelo que faz. Se sua queda é mais clamorosa, é por razões "quantitativas", aliás, e não por razões inerentes à sua função política específica. *Gorboduc* representa um segundo momento, no qual a tragédia, deixando de ser a história de um rei contra o destino, torna-se a história de um tirano. Esse novo sentido da tragédia encontra-se em Eliot: "Ao ler tragédias, [o homem deve] execrar e detestar a vida intolerável dos tiranos"; em Sidney: "A elevada e excelente Tragédia [...] fez os Reis temerem ser tiranos e os tiranos manifestarem seus humores tirânicos"; em Puttenham: "A vida e as tiranias infames [dos príncipes] foram reveladas ao mundo inteiro, admoestada a sua crueldade, escarnecidas as suas loucuras e insolências extremas e seu fim miserável pintado em peças e representações, para mostrar a mutabilidade da fortuna, e a punição justa de Deus como castigo de uma vida cruel e viciosa".[28] Agora a tragédia é a história de um tirano que liberta a ação do domínio da razão. Mas se *Gorboduc* e os tratados do século XVI privilegiam esse sentido de tragédia, é sempre com o objetivo de reforçar o *status* da razão. Entre eles, a tragédia torna-se uma forma estética supremamente educativa. Uma última indicação disso vem de uma função dramática que ainda não levamos em consideração. Todos os atos de *Gorboduc* se abrem com uma cena muda e terminam com um coro. De um lado, a cena muda mostra, de maneira alegórica, o que acontecerá no ato propriamente dito, e a alegoria é de tal forma codificada, até mesmo proverbial, que será compreendida de imediato. Do outro, o coro resume o que aconteceu no ato e enfatiza sua importância. Assim, mesmo que a decisão do soberano desligue a ação da razão, essa ação continua a ocorrer no contexto temporal e semântico estabelecido pela razão. A moral precede o entrecho, e o modelo geral prevê o caso específico. No caso de *Gorboduc*, a tragédia toma forma graças à inserção do soberano em sua origem, mas essa evolução só ocorre dentro de uma estrutura dramática rigidamente circunscrita que ainda possui certas características que permanecerão imunes à catástrofe e vão delimitá-la, dar-lhe sentido e resolvê-la. Finalmente, com o poder destrutivo de *Rei Lear*, a tragédia entra numa terceira fase de evolução, na qual essas "paliçadas e fortalezas da razão", das quais Hamlet já duvidava, são incessantemente derrubadas. Nem os personagens nem os outros elementos dramáticos conseguem dar significado à trama trágica:

> Que a eleição será de Fortimbrás./ Dou-lhe o meu voto, embora na agonia./ Dize-lhe o que se passou e as ocorrências/ que me envolveram. O resto é silêncio (*Hamlet*, V, ii, 355-8).

"O que se passou e as ocorrências": isto, para Hamlet, é tudo o que se pode dizer ao fim de sua tragédia. Com a conscienciosidade medíocre que o caracteriza, Horácio falará a Fortimbrás de "atos carnais, sangrentos e antinaturais,/ Juízos acidentais, matanças fortuitas,/ Mortes provocadas por causa [forçada e] astuta,/ E nesse desenlace, propósitos mal entendidos/ a cair sobre quem os concebeu" (V, ii, 381-5).

Em suma, apresenta-lhe um resumo da trama. Mas e o "resto", que nada mais é que o significado do que aconteceu? Sobre ele cai a proibição de Hamlet: que ninguém pretenda dar-lhe significado.

Com esta última observação, deveria ficar claro que o conceito de tragédia que tento delinear aqui só pode ser *estrutural*, capaz de definir ao mesmo tempo um eixo sintagmático (trama) e um eixo paradigmático (valores), e de esclarecer a relação única que obtém entre eles na tragédia. Isso significa dizer que o "trágico" — expressão que sempre se refere a uma única dimensão do problema, em geral (até em Nietzsche) ao conteúdo das ações — não existe como situação possível na história humana, seja ela real ou imaginária. Só a *tragédia* existe — ou seja, uma forma específica de *representar* aquela história; uma estrutura rigorosamente assimétrica marcada por uma falta constitutiva. A tragédia plenamente realizada é a parábola da degeneração do soberano inserida num contexto que *não pode mais entendê-la*. É um texto a que falta uma função interpretativa adequada e no qual o "juízo" final tem de ser imensamente mais pobre do que aquilo a que se refere. Desde Hegel, essa inadequação foi atribuída ao desaparecimento do coro e, junto com ele, do que Hegel chamou de "uma consciência moral mais elevada, ciente das questões substanciais, alerta contra falsos conflitos e que sopesa o resultado".[29] Se o coro da tragédia antiga funcionava mesmo como Hegel afirma (questão sujeita a um considerável debate), na tragédia moderna, seja como for, o coro, que ainda existe em *Gorboduc*, onde coincidia, no final da peça, com a aristocracia-em-armas, está ausente. Com ele desaparece o ponto de vista universal, "mais elevado". Ou, mais exatamente, essa consciência não é mais propriedade daqueles personagens que ocupam o palco trágico e que são as várias facetas da classe dominante da época. Na tragédia moderna, essa classe fica de repente *incapaz de compreender* a trajetória e o sentido da história. Não tem nada a ensinar aos que observam e que, assim, encontram-se privados daquela condução espiritual à qual foram acostumados, exatamente quando os acontecimentos que observam tornam essa condução absolutamente necessária. Os espectadores ficam literalmente restritos *a pensar por si sós*: pela primeira vez, nada nem ninguém lhes mostra o caminho. Durante milênios, as "idéias" foram confirmadas não por sua "verdade intrínseca" (um critério científico moderno), mas pela "autoridade" de quem as proferia. Na tragédia moderna, o princípio da autoridade é dissolvido e com ele some o maior obstáculo para a existência do *público racional* que outros, de outras maneiras, se encarregarão de acabar de formar.

### *"Uma história contada por um idiota, que nada significa"*

Para nós, o conceito de teatro refere-se diretamente à atividade estética, mas para os elisabetanos estava ligado, antes de tudo, a um sistema de relações políticas. "O mundo é um teatro, a Terra um palco,/ que Deus e a natureza de atores encheram,/ Os reis entram, com figurino completo,/ E alguns representam bem, outros mal/ [...] Todos os homens têm papéis, cada qual o seu."[30] A idéia de que o mundo é um teatro onde os homens simplesmente desempenham um papel só tem significado verdadeiro no contexto de uma "sociedade hierárquica" feudal, cuja característica fundamental, de acordo com a reconstrução de Macpherson, consiste no fato de que "o trabalho produtivo e regulador da sociedade é dividido oficialmente entre grupos, faixas, classes ou pessoas", cada um dos quais "está confinado a um só modo de trabalhar e só recebe e tem permissão de receber uma escala de remuneração adequada ao desempenho de sua função".[31] A importância da estratificação da sociedade medieval em seus estados ou camadas, como escreveu outro estudioso do pensamento político medieval, é que "era exatamente o marco de um membro de um estado específico que não pudesse sair de seu próprio estado. [...] cada membro da sociedade deveria cumprir as funções que lhe eram atribuídas porque se achava que seria esta a emanação da ordem divina das coisas. Era o princípio da vocação [...] segundo o qual cada indivíduo fora chamado (*vocatus*) para cumprir tarefas específicas. [...] O que importava não era o indivíduo, não era o homem, mas [...] o cargo que aquele indivíduo ocupava".[32] O indivíduo "existe", portanto, somente enquanto é um "ator" num "papel" social. A sociedade só é pensável como teatro e a vida, como encenação. Mas, nesse caso, estritamente falando, o teatro de verdade seria inconcebível. E, com efeito, a sociedade feudal só conhece o teatro em sua forma religiosa, como representação perene de papéis prescritos por toda a eternidade. O renascimento do palco só pode ocorrer quando o sistema de papéis que constitui essa sociedade hierárquica começa a ceder, e a solidez dos laços políticos se desfaz no decorrer da longa crise do século XIV. O absolutismo — vemos novamente a necessidade desta categoria historiográfica — tem sua origem na tentativa de interromper esse processo. A hierarquia feudal, cuja organização molecular estava numa situação de extremo desarranjo, esperava recuperar-se concentrando o poder nas mãos do soberano.[33] Esse projeto utópico do fim da Idade Média, tão perfeitamente compreensível no arcabouço da imagem de mundo elisabetana, teve vida efêmera, mas encontrou interessante encarnação dramática nas peças "sombrias" ou "problematizantes" (*problem plays*, ou peças-problema) dos primeiros anos do século XVII, peças que, do ponto de vista histórico, seria preferível chamar de peças "desproblematizadoras".

A peça "desproblematizadora" por excelência é *Medida por medida* (1604), de Shakespeare, que enriquece e aperfeiçoa a estrutura criada no ano anterior por John Marston em *The Malcontent* [O descontente]. Essa estrutura apóia-se em quatro elementos: a natureza do protagonista, sua relação com a trama, as características dos personagens menores e a cena final. Os quatro elementos definem várias conjunturas ideológicas da imagem de mundo elisabetana, e elas só ressurgem na estrutura trágica para serem questionadas. Portanto, será útil examinar o funcionamento "programático" da imagem de mundo elisabetana para perceber com mais clareza como a tragédia se constitui como sua negação. A começar com a figura do protagonista, detentor legítimo da autoridade suprema, o Duque, de Shakespeare ou Altofront, de Marston, notamos que sua característica fundamental é *não estar sujeito às paixões*. Isto o separa dos outros personagens, que nesse aspecto são notavelmente mais fracos, e assinala-o como o soberano da utopia elisabetana, tão dedicado à felicidade do povo quanto privado de interesse pessoal. Para voltar aos nossos termos anteriores, está sujeito à razão e não à vontade, enquanto, para que a lição seja a mais clara possível, a paixão egoísta domina tanto Ângelo, representante do poder legítimo, quanto Mendozo, seu usurpador. Aquele que restaura este poder, portanto, é uma figura de integridade tão completa que pode ser dividida sem riscos em Duque/Frade ou Altofront/Malévolo. Aquilo que, no herói trágico, transforma-se em impotência e laceração tristonha é aqui subterfúgio e sagacidade, o *arcanum imperii* do disfarce que até Elyot ainda podia lembrar aos seus "governadores" para melhor conhecerem seus súditos. Vestido de frade, o Duque de Viena perambula pela cidade e observa. "Vejo vossa Graça, como um poder divino,/ vigiou os meus passos", exclama Ângelo no final de *Medida por medida* (V, i, 369-70). Essa visão superior da autoridade é um elemento formal fundamental. Os heróis trágicos são sempre manifestamente cegos e, no drama da época de Jaime I, a idéia de que algum personagem pudesse "ver" o desenvolvimento dramático em sua inteireza perde-se totalmente, com o resultado de que só quem tem uma visão abrangente dos acontecimentos é a platéia. Mas na sociedade hierárquica essa inversão radical do que, em termos ideais, seria uma ordem descendente de compreensão, na qual quanto mais alta a posição, mais se vê,[34] traz consigo algumas conseqüências explosivas. Afinal, em última instância, é plausível que os que tenham a visão mais geral reivindiquem o poder mais geral, e a exaltação pré-revolucionária do País acima da Corte basear-se-á exatamente na traição do interesse geral por esta última.[35] O Shakespeare das "peças-problema" parece preocupado em prevenir essas conseqüências. Através do Duque, o público de Londres tem seu próprio "representante" no palco, que pode, além do mais, fazer o que é negado ao público e intervir nos acontecimentos. Mas o Duque não é meramente um personagem para a platéia; é também, e acima de tudo, o diretor de *Medida por medida*, levando os personagens ao palco, mandando-os embora, dizendo-lhes o que fazer e dizer, sugerindo truques e artimanhas, substituições e disfarces. A trama da peça não passa de uma comédia escrita pelo Duque, cujo objetivo — como ele logo explica com clareza (em I, iii) — é voltar a impor a sua autoridade sobre Viena e restaurar a força das instituições. Com o soberano como "diretor", o seu plano como "peça", a meta das peças-problema é reconstituir "de cima" o mundo teatral. O encerramento de *The malcontent* é exemplar nesse aspecto.

> MALÉVOLO (*A* Pietro *e* Aurélia.)
> Ó, espíritos tão alegres, enxugai vossos olhos tão úmidos.
> Fora com este homem! (*Dá um pontapé em* Mendoza.) Uma
> águia não caça moscas.
> (*A* Pietro *e* Aurélia.) Vós, aos vossos votos.
> (*A* Macquerelle.) E tu, para os arrabaldes.
> (*A* Bilioso.) Tu eu não daria ao meu pior amigo:
> És o mais perfeito canalha.
> (*A* Celso *e ao* Capitão.) Vivei contentes/ Os dois junto ao
> seio meu.
> (*A* Maria.) E tu, ao meu coração
> O resto de atores à toa, que à toa se vão;
> Quanto a mim, assumo aqui o direito meu,
> o que deve agradar a todos. A todos, adeus.[36]

De acordo com uma estratégia que ressurge em *Medida por medida*, o soberano aqui redistribui os papéis sociais. O mundo mais uma vez foi transformado em teatro — e, por essa razão, o espetáculo pode terminar, declarando o teatro em si como gratuito daqui para a frente. Diversamente do caso da tragédia, o final aqui é na verdade um ápice, uma conclusão. Isso até em nível estritamente temporal, por conta da posição funcional que ocupa na seqüência da trama. Aqui o final não é apenas o último elo de uma cadeia de eventos, mas um ato que provoca repercussões para trás e, mais do que simplesmente "dar fim" à trama, nega seu caráter de seqüência temporal irreversível, de *história*. Enquanto a tragédia é dominada pela percepção de que não há como voltar atrás, o que é simbolizado pelo ato de *morrer* (tanto Desdêmona quanto a Duquesa de Malfi "voltam à vida" por um instante para dar a ilusão de que tudo pode começar de novo, mas então expiram de uma vez por todas), na última cena das peças-"problema" revela-se que os atos criminosos que o vilão achava estar cometendo nunca aconteceram e os que se supunha mortos revivem, para a alegria de todos os presentes. Assim, concretiza-se dramaticamente o ideal de todas as culturas de restauração: abolir a irreversibilidade da história e tornar o passado permanente. As relações sociais, não mais enganosas nem produtoras de acontecimentos incontroláveis, são reformuladas de forma transparente e espacial — ou seja, estática.

Falta falar dos outros que, aparentemente ameaçados por um destino dramático bem diferente, mostram ser, pelo contrário, totalmente flexíveis e subservientes a um mago benévolo. A não ser pelo vilão, esses personagens são marcados pelos dois atributos do súdito ideal: lealdade e passividade. Encontramos mulheres que, sete anos depois, ainda amam o homem que as rejeitou e até recusou-se a vê-las mais tarde; carcereiros que sucumbem ao magnetismo que emana de um frade; irmãs que nunca alimentam o menor sentimento de vingança por um irmão assassinado; comandantes de fortalezas que permanecem teimosamente fiéis ao seu senhor legítimo mas despossuído. Todos e cada um estão presentes para encenar o drama concebido pelo soberano, sobre o qual se confere (como em um famoso discurso de Jaime I no Parlamento) "poder para exaltar as coisas vis e envilecer as coisas elevadas, fazer de seus súditos peões do xadrez".[37] Assim, o soberano obtém seu verdadeiro triunfo teatral não sobre esses personagens, mas sobre o vilão, Ângelo em *Medida por medi-*

*da* e Bertram em *Tudo está bem quando acaba bem*. A forma de sua humilhação é idêntica em ambos os casos: é obrigado a aceitar a mulher a quem está ligado por lei ou pela promessa de casamento, e a renunciar à mulher a quem foi atraído pela paixão. É forçado a desposar a primeira porque, imaginando cometer adultério, na verdade fazia amor com a própria esposa ou a noiva legítima. O truque da substituição dramatiza dois fatos importantes. Em primeiro lugar, nega qualquer autonomia à esfera das relações privadas, que se torna transparente aos olhos do soberano e da platéia. O que o vilão tentou manter ciosamente oculto é, pelo contrário, exposto e ridicularizado sem piedade. Em segundo lugar, Ângelo e Bertram sabem, ambos, que foram meros "atores" no plano do soberano. O papel que personificaram fisicamente os aprisiona em sua fixidez, dissolve todas as aspirações individuais que tivessem alimentado e reconfirma o princípio básico da *sociedade hierárquica*: o homem é o que o seu soberano faz dele. Assim, tudo encontra de volta o seu lugar e o seu sentido — de forma exemplar, no contexto do matrimônio. As peças-problema exaltam o talento do rei, sábio, astuto, poderoso, só para o reduzirem, no final, a um juiz de paz. E isso não deveria parecer estranho, pois o que era o bom rei da utopia elisabetana senão quem ministrava a justiça tradicional? As peças-problema terminam, portanto, com cenas de julgamento, nas quais o rito da punição e da recompensa é encenado com perfeição. Também se deve notar que a inteligência de Shakespeare vai ainda mais longe ao apontar o soberano como personagem que pode realizar a desejada acomodação entre a *constituição política* da sociedade e os primeiros anseios de independência por parte da *sociedade civil*. Em *Medida por medida*, em contraste com o legalismo intransigente de Ângelo, o Duque confirma com sua própria autoridade os "contratos privados" entre indivíduos, ainda que estejam formalmente privados de qualquer sanção legal. Em *Tudo está bem*, o rei exalta o valor do mérito e da capacidade científica acima da rígida soberba aristocrática de Bertram. O soberano reconstitui uma rede de relações sociais que, exatamente por possuir uma base política tão sólida, pode ser aberta e tolerante com uma "novidade" que está pronta e disposta a ser inserida no antigo arcabouço. A forma "mista" da tragicomédia incorpora, em sua estrutura dramática, esta acomodação entre a esfera do estado e a da sociedade civil que foi uma das grandes aspirações elisabetanas.[38]

Vamos voltar ao nosso exame da estrutura trágica, em que o protagonista-soberano das peças — "problema" se transforma na figura consideravelmente mais complexa do herói trágico. E, para começar, vamos examinar as duas interpretações mais amplamente conhecidas do herói trágico. A primeira encontramos na *Estética* de Hegel, na qual, falando exatamente de Shakespeare, o filósofo localiza a novidade da tragédia "moderna" em sua capacidade de construir "personagens firmes e coerentes que vão à ruína devido unicamente a essa adesão decisiva a si mesmos e às suas metas", personagens "sem justificativa ética, mas sustentados apenas pela inevitabilidade formal de sua personalidade".[39] Essa fidelidade à própria individualidade faz do herói trágico o personagem parcial e unilateral por excelência: aquele no qual toda a universalidade se perdeu.

> Os poderes éticos, assim como os agentes, diferenciam-se em seu domínio e em sua aparência individual. Agora, se [...] esses poderes assim diferenciados forem chamados a surgir como ativos [...] então sua harmonia se cancela e eles surgem em cena uns em *oposição* aos outros, com independência recíproca. [...] Portanto, o que é superado no desenlace trágico é apenas o traço *unilateral* que não conseguiu se adaptar a essa harmonia e, agora (e eis a coisa trágica em sua ação), incapaz de renunciar a si mesmo e à sua intenção, encontra-se condenado à destruição total.[40]

Em contraposição a isso, vamos considerar outro texto crítico que também põe a essência da tragédia na figura do herói trágico, *The Hidden God* [O deus oculto], de Lucien Goldmann. Goldmann vira de ponta-cabeça o conceito hegeliano do herói trágico, que agora chega ao palco para contrapor "a um mundo composto de elementos fragmentários e mutuamente excludentes uma exigência de totalidade que, inevitavelmente, torna-se uma exigência de conciliação dos opostos. Para a mente trágica, os valores autênticos são sinônimos de totalidade".[41] Enquanto, em Hegel, o herói trágico cede à parcialidade, em Goldmann mantém-se comprometido com os valores universais. O herói trágico shakespeariano, acredito, representa o ponto em que as duas hipóteses se encontram; não porque consiga uni-las, e sim porque elas o dividem. Como forças opostas e inconciliáveis, fazem dele um personagem irreparavelmente *cindido*, como Cláudio "ligado a negócios duplos", ou Hamlet em sua "distração", ou Antônio perambulando entre Roma e o Egito, ou Otelo "perplexo ao extremo". Este é, em seu melhor somatório, o conflito que, impiedoso, toma conta do regicida Macbeth.

Não faz sentido interpretar a cisão que caracteriza o herói trágico como um dado psicológico, como a moderna "loucura". Isso porque, bem além do fato demonstrado por Michel Foucault de que o conceito de "loucura" do Renascimento é muito distante do nosso, uma afirmativa como "O herói trágico é um louco" define um homem, enquanto estamos interessados em definir uma função dramática. Podemos começar a definir o herói trágico como aquele elemento da obra em que duas tensões contrárias se encontram e lutam até o final. E a essas duas forças, que Hegel e Goldmann chamam de "particularidade" e "totalidade", chamamos vontade e razão. Como vimos em *Gorboduc* e *Rei Lear*, sua separação, juntamente com o conseqüente conflito, é a premissa necessária da tragédia. É assim também com o herói trágico, que existe para enfatizar e intensificar em sua pessoa o significado geral da estrutura trágica. (Observe-se que somente Shakespeare consegue soldar perfeitamente a cisão que constitui a estrutura trágica com aquela que constitui o herói trágico, indicando sua origem comum.) Mas, para dar um passo a mais, se a divisão trágica se duplica no herói podemos finalmente descartar o conceito popular, mas errôneo, de que a tragédia consiste, em essência, num conflito entre personagens. Esse conceito também tem sua fonte na *Estética* de Hegel, onde se lê:

> O que vemos à nossa frente são certos fins individualizados em personagens vivos e situações muito conflitantes, e vemo-los em sua auto-afirmação e exibição, em sua influência e desígnios recíprocos. [...] O indivíduo não permanece fechado numa independência só sua, mas sim vê-se levado à oposição e ao conflito com os outros. [...] A colisão é o ponto de destaque em torno do qual o todo gira.[42]

As sugestões de Hegel foram desenvolvidas, um século depois, na primeira obra de George Lukács: "O drama é a poesia da vontade [...] a expressão mais pura da vontade é a luta [...] todas as manifestações da vontade poderiam ser reduzidas à luta." E de novo:

> O conflito [dramático] deve ser tal que permita ao homem concretizar o valor mais alto ou máximo de sua vida — ou seja, exatamente aquela parte de si em que toda a sua vida se condensa com mais força [...] o homem trágico é o único tipo humano cuja vida é simbolizada por uma única aventura.[43]

Como deixa claro o último trecho, a noção do drama como conflito não pode ser separada da definição do herói trágico como personagem unitário. As duas afirmativas, que se dão apoio mútuo, confluem para formar um só argumento. Este é válido em certos casos: nas tragédias de Corneille, nas peças históricas do próprio Shakespeare mas não na tragédia shakespeariana, que, apesar disso, é sempre o exemplo mais usado. Embora, com certeza, o conflito entre personagens esteja presente na tragédia shakespeariana, não constitui, de modo algum, a essência do drama. O melhor exemplo, neste caso, é *Hamlet*, em que o resultado do choque entre Cláudio e Hamlet é o reinado de Fortimbrás, a quem vimos por alguns instantes, de quem nos dão várias opiniões e que por puro acaso passou por Elsinore em seu retorno à Noruega. O resultado do conflito é, assim, flagrantemente *acidental*. O próprio Hamlet não lhe dá peso nenhum e liqüida o problema da sucessão com uma frase. Por quê? Exatamente porque o problema do herói trágico não é de agir para afirmar seus próprios fins individuais, assim como a importância da estrutura trágica não está na supremacia de um fim específico sobre os outros. A dimensão política da tragédia não consiste em esclarecer os deslocamentos do poder, como acontece na longa procissão de soberanos nas histórias, e até em *Júlio César*; em vez disso, está em perguntar se ainda é possível uma *base cultural* do poder e em responder de forma negativa. Nas histórias, o poder soberano é um dado que ninguém questiona e, assim, o interesse dramático concentra-se no desenvolvimento e na solução do choque que acontece por causa dele. Nas tragédias, em vez disso, o poder soberano torna-se um *problema* insolúvel: obrigado a enfrentar este fato, o herói não pode mais acreditar em sua luta pelo poder e abandona-a como empreendimento sem sentido. Mas vamos tentar especificar isso melhor através do exemplo daquele que, às vésperas do que seria "o conflito em que toda a sua vida se condensa", discursa nas ameias de um castelo e declara-se "cansado do sol".

Quem lê a história de Macbeth não pode deixar de lembrar de César Bórgia. O que torna a semelhança ainda mais interessante é que ela pára a meio caminho. Afinal, embora se possa pensar que as ações do soberano escocês sejam inspiradas pelos conselhos de Maquiavel ao novo príncipe, na verdade afastam-se deles num ponto fundamental: a questão da "crueldade bem ou mal usada".

> Podemos dizer que a crueldade é bem usada (se é que se pode falar dessa maneira do que é mau) quando é empregada de uma vez por todas e dela depende a segurança de alguém, e depois não se persiste nela, mas assim que possível volta-se a buscar o bem dos súditos. A crueldade mal usada é aquela que, embora pouco freqüente a princípio, com o passar do tempo, ao invés de desaparecer, fica mais visível. Os que usam o primeiro método podem, com ajuda divina e humana, encontrar alguma forma de consolidar sua posição, como fez Agátocles; os outros, provavelmente, não conseguirão manter-se no poder.[44]

Macbeth é incapaz de seguir o primeiro caminho; hesita e, ao permitir que seus inimigos se reorganizem, se perde. E hesita porque está dividido, porque agiu de acordo com Maquiavel mas continuava a *pensar* como Hooker.[45] É revelador como Macbeth fala e faz uso de seu regicídio — ou melhor, como não fala e não faz uso dele. A seus olhos, é a ação que nunca deve ser "vista", nunca deve merecer reconhecimento cultural. "Estrelas, ocultai o vosso fogo./ Que a luz não veja meus desejos negros e profundos;/ Fique o olho cego à mão, porém insisto/ Que o que ele teme, feito, seja visto" (I, iv, 50-3); "Que minha faca afiada não veja a ferida que causa" (I, v, 52); "Temo pensar no que fiz/ Não ouso olhar de novo" (II, ii, 48-9).

O assassinato político, que, em Maquiavel, pode, com vantagem, ser censurado e, com vantagem ainda maior, usado como alerta aos inimigos, torna-se em *Macbeth* o paradigma da façanha impensável e sem nenhuma vantagem. Embora se possa cometê-lo no caminho do poder, não se pode falar a respeito nem aceitá-lo no universo da cultura. O dilema de Macbeth é que coexistem nele o imperativo do poder *e* o imperativo da cultura, vontade e razão juntas. Ainda não consegue aliviar o exercício do poder — o poder como tal — da necessidade de sua legitimação cultural. Esta presença conjunta de impulsos inconciliáveis priva sua vida de um significado unificado: "É uma história contada por um idiota, cheia de som e fúria/ Que nada significa" (V, v, 26-8).

Ou seja: somente um louco ou imbecil (com efeito, aqueles como Edgar ou Malcolm que chegam exigindo "concluir" a tragédia) pode pensar que a história de Macbeth possa ser "contada", ordenada com base em significados compreensíveis. Essa combinação de narrativa e juízo de valor tornou-se impossível e o que resta é só "som", ou seja, palavra sem força, e "fúria", ou seja, força sem sentido. Esta é, em resumo, a lição da estrutura trágica como um todo.

Macbeth simboliza todo um grupo de personagens shakespearianos que cedem àquela "cruel mancha da natureza" de que Hamlet se queixa em seus dois primeiros monólogos. Cláudio cede a ela, tentado pela coroa e por Gertrudes; e Lear, em face da velhice; e Antônio, diante de Cleópatra; e Otelo, depois que Iago desmantelou as defesas rígidas de sua cultura veneziana. Assim como a tragédia nasceu da irrupção dominadora da vontade sobre a razão, o herói trágico é impelido por uma paixão que o compele a agir apesar dos valores culturais que continuam a inspirá-lo, e contra eles. Esse paradigma é tão constante que, em *Hamlet*, Shakespeare consegue confirmá-lo invertendo diametralmente o problema. Se, durante quatro séculos, a tragédia do príncipe da Dinamarca deixou perplexos seus espectadores e leitores, talvez uma das principais razões seja que *Hamlet* é uma obra *com o protagonista errado*. Se Cláudio fosse o seu centro de gravidade, tudo correria com muito mais suavidade e de acordo com o padrão. Em vez disso, o protagonista é Hamlet e nada corre com suavidade. É impossível entender Hamlet comparando-o a Macbeth ou Otelo, pois ele representa o outro princípio sobre o qual se pode construir o herói trágico. A oposição é tão fundamental que, diversamente do que acontece em todas as outras tragédias, Shakespeare não opõe Hamlet a Macduff, César ou Edmundo — todos personagens unívocos e unificados —, mas a *outro herói trágico*: Cláudio, que é, no final, meramente dinamarquês para Macbeth.

O grande e famoso mistério que cerca Hamlet é que ele não consegue agir. A razão da inação de Hamlet, diríamos, é que dentro do universo trágico nunca há razão para a ação. Lembremos que, em *Macbeth*, a ação é a fúria sem fala: pode-se ou não cair nela, mas não se pode, em boa fé, "convencer-se" a entrar nela. Portanto, quando Hamlet diz "Que meus pensamentos sejam sangrentos, ou nada valham!" (IV, iv, 66), exprime com perfeição o seu dilema, ao preservar a ilusão de que "pensamentos" possam ser "sangrentos". Afinal, se a razão é incapaz de deter a ação, também é simetricamente incapaz de incitá-la. Esse laço foi cortado e, embora Hamlet quisesse refazê-lo, essa mesma ambição, que o impele a raciocinar com profundeza ainda maior, deixa-o irremediavelmente mais distante da ação.[46] Enquanto Macbeth fala de ações "que devem ser realizadas antes de serem julgadas" (III, iv, 139), Hamlet, embainhando mais uma vez a espada que puxara para matar Cláudio, diz o contrário: "Isso seria julgado" (III, iii, 75).[47]

Macbeth é arrastado pela lógica do seu primeiro ato; Hamlet adia sem parar este ato (cometido no máximo por acaso, como quando mata Polônio). Afinal, Hamlet parte da convicção (para a qual se voltam seus dois primeiros monólogos) de que tudo o que pertence à categoria de "paixão" ou "natureza" é, por essa mesma razão, oposto à imagem da soberania absoluta meta-histórica e estável — "Hipério em relação a um sátiro" — que vê em seu pai e se sente conclamado — "Oh, maldita desgraça" — a reencarnar. Hamlet exige que os valores culturais lhe dêem a Forma que precede e dirige a Natureza passional (assim como, para aproveitar uma comparação anterior, o bem racional do legislador divino de Hooker precede e dirige o curso da natureza e garante-lhe o significado). Seu famoso conselho aos atores — "comportar-se como se fossem o espelho da natureza" (III, ii, 22) — não significa (como até Lukács acredita) "imitar a natureza", mas exatamente o contrário: mostrar à natureza o modelo ao qual ela deve adequar-se. Mas isso, repetimos, é agora impossível. A forma, a razão, perdeu o poder de se impor à natureza; o conselho de Hamlet é dado apenas aos *atores*, e só no espetáculo (ver o monólogo "O que é Hécuba para ele?", em II, ii, 559 e seg.) a cabeça ainda pode governar o coração e a ética, fomentar a paixão.

O conselho de Hamlet aos atores — "comportar-se como se fossem o espelho da natureza, mostrar à virtude os seus traços, zombar de sua própria imagem, e à própria idade e ao corpo do tempo sua forma e sua pressão" — está cheio da saudade de uma relação com o mundo já desaparecida. Com efeito, o que Hamlet pede que os atores façam é o que o Duque de *Medida por medida* realmente faz. Em Viena, o projeto teatral pode ser traduzido como uma intervenção no mundo, uma restauração orgânica da hierarquia e do significado; em Elsinore, mantém-se como encenação, que, além do mais, nunca completada, transmite à corte o significado oposto daquele que busca Hamlet.[48] O herói trágico não pode ser o legislador de Hooker, o diretor de uma peça com final feliz. E o mundo que ele não pode mais reduzir a um teatro abre-se para um modo de conduta que tanto completa quanto nega o teatro: *a mentira*. Afinal, se de fato o indivíduo existe socialmente porque representa um papel, o que mais importa é o seu desempenho. A fidelidade é apenas fidelidade ao papel, e sinceridade significa simplesmente uma boa atuação. Otelo suspeita de Desdêmona porque, em sua ignorância, ela não se preocupa em adequar-se a um tipo social e, assim, comete "erros" de conduta; e, pelo contrário, acredita cegamente em Iago que, consciente do artifício, atua de acordo com as regras da arte.[49] Um dos maiores méritos de Shakespeare é esclarecer friamente a extensão em que o ideal do mundo-como-teatro se tornou vulnerável depois que se abriu um espaço de liberdade e interesse individual que criou uma lacuna entre "pessoa" e "função". Para dar uma nova base sólida à sociedade humana, seria necessário abandonar o ideal da "fidelidade" em troca do "interesse" e transformar o laço social do "juramento" feudal no "contrato" da filosofia do direito natural,[50] mudança cultural que virou de ponta-cabeça a relação entre fatos e valores (e, no terreno da história literária, substituiu a tragédia pelo romance). Mas, na verdade, essa é outra história, à qual Shakespeare precede bastante e que em vão se tenta ler em suas obras. Ele pode anunciar a aurora da civilização burguesa, mas não prefigurando-a. Pelo contrário, demonstra de forma inexorável como, obedecendo às antigas regras, que são as únicas que conhece, o mundo só pode fazer-se em pedaços.

Se colocamos Macbeth e Hamlet um contra o outro, reconhecemos os dois extremos solitários em que se decompôs a imagem do soberano. Em Macbeth, temos a força, que o impele a uma tirania bem além da verdadeira soberania; em Hamlet, temos a razão, ou uma louca obsessão por ela, que o mantém no papel de "doce príncipe", bem aquém de tal soberania. Como aquele que, por estar em equilíbrio, constitui o ponto de equilíbrio do corpo social, o soberano é a pessoa que falta, o ser impossível da tragédia shakespeariana. Só em outros locais esse monarca encontra sua encarnação dramática completa, em outro país e em outro texto: na figura de Segismundo, em *La vida es sueño*, de Calderón. Como o centauro de Maquiavel, Segismundo reúne o homem e a fera, o filósofo cristão e o plebeu vestido com peles de animais, senhor de si mesmo e senhor dos outros. O surgimento desse personagem teve de ser precedido pela meditação jesuítica sobre a "razão do estado" e pelo reconhecimento de uma validade "técnica" no pensamento de Maquiavel que pudesse, depois, ser subordinada e levada a um fim espiritual.[51] Quando, na última cena da peça, Segismundo aprisiona o soldado que liderou a própria rebelião que o levou ao trono, seu gesto mostra exatamente como a ilegalidade e a violência necessárias para a conquista do poder político podem ser subjugadas e depois banidas em nome dos fins morais daquele poder. A "força", em Calderón, não tem a sua própria lógica independente; pode ser transformada em instrumento de qualquer projeto, seja ele qual for. É nessa possibilidade de mediar e temperar a força com a razão que Shakespeare se recusa a acreditar. Para ele, o "príncipe cristão", totalmente cristão e totalmente príncipe, não existe. Nesse aspecto, Shakespeare é o único dramaturgo que chega ao nível de Maquiavel, desenvolvendo todas as conseqüências da separação entre a práxis política e a avaliação moral. Não que Shakespeare conceba esta separação do mesmo modo que Maquiavel; eu disse antes que Macbeth age como César Bórgia mas pensa como Hooker, e essa também é a posição de Shakespeare — posição manifestada em sua estrutura trágica, na qual o eixo das ações (a trama) é dominado por uma lógica e o eixo dos valores (o paradigma), por outra, sem que nenhum dos dois consiga sobrepujar nem expurgar o outro (como acontece, em sentidos obviamente diferentes, em Maquiavel e Hooker). Na estrutura intimamente paradoxal de Shakespeare, as duas posições mutuamente exclusivas parecem igualmente reais e o mesmo mundo, governado por dois sistemas de leis.

A manifestação mais clara desse paradoxo ocorre quando o herói trágico é dilacerado entre pretensões conflitantes. O caráter radical da posição de Shakespeare surge com clareza se o comparamos com um dramaturgo como Corneille, que baseia toda a sua dramaturgia exatamente no monólogo.[52] As tragédias mais típicas de Corneille — especialmente *El Cid* e *Horácio* — podem ser descritas como uma sucessão de duelos: primeiro um duelo interno, um monólogo no fim do qual o herói escolhe uma das linhas de conduta prática e moral entre as quais estava indeciso; depois, um duelo verbal, um diálogo no qual o herói mostra ao adversário a firmeza superior de seu próprio ideal; e, finalmente, fora do palco, um duelo físico, do qual o herói volta vitorioso. O padrão é elementar, mas rico de significado. Podemos começar destacando que o herói corneliano tem sempre consciência perfeita dos valores entre os quais se dilacera. Seu objetivo jamais será "sinistro" como o de Lear nem jamais se espantará com o que fez ou deixou de fazer, como Macbeth ou Hamlet. Sempre preferir (como mostraram Starobinski e Doubrovsky) o heróico ao natural, o político ao pessoal, o "luminoso" ao "obscuro", já está determinado no fato de que a escolha deve se exprimir na forma solar, onipresente, heróica do dístico corneliano. Quando o próprio dilema se posta na forma clara e distinta do contraste entre valores, é fácil prever que o valor idealmente superior prevalecerá. E como, na verdade, é isso o que sempre acontece, pode-se dizer que, com a opção inicial do herói, a tragédia já está finda e acabada. O que se segue — o duelo verbal e depois o físico — repete, meramente, o resultado do conflito de abertura. A análise que Doubrovsky faz de Corneille recorre com freqüência ao Hegel da dialética senhor/servo da *Fenomenologia*. Pode-se acrescentar que o teatro de Corneille é governado pela mesma lógica que governa a filosofia da história de Hegel: a auto-afirmação progressiva da idéia no mundo. Esta é a razão profunda pela qual o duelo literal pode, ou melhor, deve ocorrer fora do palco: ele é apenas o eco material, inevitável e redundante do conflito ideal. Em resumo, a ação corneliana é sempre uma *emanação da razão*. E, na medida em que inicia e determina todas as ações posteriores, o monólogo do herói dividido não é tanto um ato verbal quanto a única ação real.

Em Shakespeare, o monólogo cumpre uma função bem diferente, não de promover a ação nem de determinar suas conseqüências, mas de retardá-la e tornar suas conseqüências impossíveis de compreender. É o lugar da dúvida e da indecisão; do "matiz pálido do pensamento", com o qual "o tom natural da resolução/ é mortificado" em Hamlet; das "palavras" que "ao sopro das façanhas lançam um sopro frio demais" em Macbeth. Em vez da lúcida continuidade corneliana entre palavra e ação, uma discrepância radical ou diferença de categoria torna as palavras impotentes, e as ações, mudas. Essa falta de confiança na força prática da linguagem, tão diferente do que imaginava a sua cultura, torna os monólogos de Shakespeare a primeira manifestação da "poesia" no sentido moderno de estar emancipada de uma retórica concebida como arte de convencer. Enquanto no monólogo corneliano o herói prescrevia a si mesmo as ações que então realizaria, criando, de fato, um circuito retórico completo, o herói shakespeariano, pelo contrário, não se dirige a ninguém — nem a uma parte de si mesmo, nem a outro personagem, nem mesmo à platéia. Sem destinatário, suas palavras sequer participam do contexto dramático. Embora aconteça com freqüência (em *Hamlet*, I, iv e III, ii, em *Macbeth*, V, v) que o herói comece um monólogo na presença de outros personagens, eles não o ouvem e o monólogo só pode terminar quando a ação, princípio agora heterogêneo e hostil às suas reflexões, volta a reivindicar seus próprios direitos. Quando, portanto, uma estética idealista extrai esses trechos e transforma-os em "poemas", a operação crítica, embora ilegítima, compreendeu de forma intuitiva o caráter dramaticamente absurdo dos monólogos. Os outros personagens sequer os ouvem; não têm ligação nenhuma com a ação; nunca fica claro qual é o "objeto" de sua reflexão — na verdade, o personagem que os recita não retém lembrança deles, de modo que Hamlet e Macbeth precisam começar o raciocínio inteiro de novo cada vez que monologam. Finalmente, como já observou Tolstói (na única atitude sensata de quem busca "realismo psicológico" em Shakespeare), não é Otelo, Macbeth nem Hamlet que fala nesses trechos, mas "todos os seus personagens falam, não a própria língua, mas aquela mesma linguagem shakespeariana pretensiosa e nada natural, na qual não só não podem falar como na qual nenhum ser vivo jamais falou nem fala".[53] Uma única voz fala nos monólogos; ou melhor, uma só função: não referencial, como nos discursos dos conselheiros de Gorboduc; não expressiva, como no Rei Lear; não conativa, como nos heróis de Corneille; mas *auto-referencial*, forçosamente liberada de tudo o que a cerca e, a partir daí, totalmente concentrada em si mesma.

Deveria estar claro que essa "poesia" shakespeariana não tem, em si, nada de "libertador", "construtivo" ou "universal". Ela é possibilitada pelo espanto ao perceber que os paradigmas culturais, repentinamente desaparecidos, não podem mais ordenar e guiar o mundo — e é idêntica a essa percepção. Abriu-se um abismo entre o significado e o referente que, embora dê à imaginação uma inesperada liberdade semântica, esvazia a realidade e a história daquele significado que parecera consubstancial a elas.[54] Nas tragédias, isso se revela de forma exemplar no fato de que, a partir de Ricardo II, somente o rei derrotado tem permissão de adotar (ou melhor, é a isso condenado) um discurso tão visivelmente poético; somente o rei que deixa de agir como "o verdadeiro 'homem-Deus', como a *personificação real* da Idéia".[55] A "poesia", assim, nasce da disjunção entre "idéia" e "realidade"; essa disjunção, por sua vez, torna-se objeto privilegiado da reflexão poética, que não pode recompor nem resolver; e, finalmente, a poesia só pode ser "dita" por quem viveu uma disjunção análoga em sua própria pessoa — pelo soberano que é incapaz de unir história e transcendência, ação e valor, paixão e razão, e cuja queda simboliza, portanto, o colapso de toda uma civilização. A poesia, assim, é sinônima da crise orgânica de uma ordem política e cultural, como vemos quando, ampliando o campo de análise, passamos do monólogo para a estrutura trágica como um todo. Esta última viola de forma gritante a função que a cultura elisabetana dava à arte e se afasta completamente de seus esquemas interpretativos (por meio dos quais somos capazes, por exemplo, de explicar *Gorboduc*, mas não *Rei Lear*). Nem Sidney nem Puttenham deixam de seguir, por um momento sequer, duas suposições nas quais se baseiam as suas obras mais importantes: a arte só adquire o direito de existir por realizar uma função educativa,[56] que, por sua vez, torna-se possível porque a "beleza" artística consiste numa *proporção harmoniosa* que contém em si mesma a imagem do mundo como (na expressão de Sidney) "o que pode ser e deve ser".[57] A tragédia só produz proporção e harmonia para dissolvê-las, tanto nos personagens quanto na estrutura geral. Como pode uma função educacional ser exercida por uma estrutura que adota como objeto o abismo entre cultura e ação e como postulado formal a impossibilidade de aboli-lo? Contra o pano de fundo da cultura inglesa, a tragédia é aquilo que "nega eternamente"; como o Mefistófeles de Goethe, é a parteira da história.

### *"Podemos ler nas estrelas [...] se encontrarmos óculos para lê-las"*

Ler a tragédia jacobita tendo em mente Shakespeare é notar imediatamente uma vacância — o herói trágico desapareceu. Não há ninguém em cuja pessoa o significado (ou melhor, a perda de significado) da obra se concentre. Um novo protagonista coletivo está no lugar do soberano: a corte. "A corte é um emaranhado de voltas estranhas", escreveu Thomas Churchyard em 1596, "um labirinto de mentes a funcionar,/ Um trono magnífico que pode mudar".[58] É sintomático que uma das primeiras manifestações de desagrado com a corte viria de Churchyard, cujas acusações de cupidez, falsidade e crueldade costumam aplicar-se a uma categoria social bem diferente: a nova *sociedade civil* (urbana, competitiva, aquisitiva). O fato de que ele reproduz essas acusações ao falar da corte prefigura a imagem que os jacobitas tipicamente trariam à luz: a corte como local exemplar do conflito irrestrito entre interesses particulares. Essa é a corte venal e desacreditada dos Stuart, em que a "crise da aristocracia" degrada-se numa tragicomédia de intrigas, um ataque caótico e vão aos últimos vestígios do poder. No palco, os que pertencem a essa corte falarão como Iago e agirão como Edmundo. A densidade ambígua da linguagem de Shakespeare divide-se para dar origem a duas formas de expressão características: o *aforismo* e o *comentário à parte*; de um lado, a profissão de fé disfarçada de provérbio, do outro, os tons privados e frios do egoísmo; de um lado, virtude pública, do outro, vício privado. Se o herói trágico, em seus monólogos, travava uma batalha desigual com um significado duvidoso e fugidio, ao personagem da época de Jaime I (exceto em Webster) nunca falta o discurso lúcido e unívoco. Assim, numa obra dos últimos anos do florescimento do drama jacobita, James Shirley faz um personagem dizer: "Ah, pobre dama,/ Quase me arrependo, já que ela é tão fiel./ Mas a vida de um amigo pesa mais que qualquer amor;/ Além disso, assim garanto o meu destino. Lorenzo/ Ameaça o meu avanço. Ele é meu inimigo."[59] Aqui, todos podem distinguir perfeitamente o bem do mal e dividir-se de acordo com as duas metades que a distinção exige. A conduta social, em vez de problemática, torna-se meramente tortuosa. "Um labirinto de mentes a funcionar": seria esse o entrecho característico do drama jacobita. "Assim, quem conhece a política e seu real aspecto/ Achará seus caminhos tortuosos e indiretos."[60] É o que diz Flamínio, em *The White Devil* [*O diabo branco*], de Webster, e sua máxima é usada várias vezes em obras como *The Revenger's Tragedy* [A tragédia do vingador] ou *Women Beware Women* [Mulheres, cuidado com as mulheres], nas quais o conflito mortal entre os personagens nunca surge num encontro direto. O duelo aristocrático ainda usado, mas modificado, por Shakespeare no final de *Hamlet*, *Rei Lear*, *Macbeth* e *Antônio e Cleópatra* foi substituído pela intriga da corte. O personagem não se gaba mais de sua coragem, mas sim de sua astúcia. Embora a tortuosidade dos "'planos" individuais ateste a eficácia superior da nova forma de domínio político, agora há tramas *demais*, sobrepondo-se e desfazendo-se entre si sem parar. A lição obsessiva do drama jacobita é que a proliferação de interesses e pontos de vista torna todos vulneráveis. Ninguém consegue controlar a trama nem mesmo entender muita coisa dela. Falta agora à peça um ponto de observação privilegiado, um centro como antes fora o herói trágico. Nisto, manifesta-se a natureza profundamente barroca da tragédia jacobita, perfeitamente de acordo com o que é sua conclusão mais apropriada, o arremedo súbito de massacre. (O massacre já triunfara em *Hamlet*, obra que, se fosse possível expurgar-lhe o protagonista, constituiria efetivamente, em todos os pontos mencionados, um modelo insuperável de tragédia jacobita.) A única "solução" das complicações dramáticas, o único "ponto de encontro" dos agentes dramáticos, consiste agora na redução de tudo a "nada", palavra que aparece com freqüência nesse drama. Não temos mais sequer os herdeiros exangues de Shakespeare para dar a ilusão de continuidade histórica, já que praticamente a corte inteira expira diante dos nossos olhos.

Na tragédia jacobita, o desaparecimento estrutural do herói coincide com o desaparecimento político da figura do soberano. Os príncipes jacobitas são, quase sempre, "duques" de cidades pequenas e seu poder não tem pretensões universais nem apresenta mais o problema shakespeariano de sua base cultural. Assim despidos de toda importância ou exemplaridade, tornam-se muito mais parecidos com os outros personagens, dos quais só se separam por uma diferença meramente quantitativa.

Como já indicaram nossas observações sobre a trama, é como se as barreiras da posição social tivessem caído e todos os personagens fossem dotados do mesmo poder, da mesma dignidade e, finalmente (com Webster), da mesma linguagem. Mas a igualdade que surge dessa metamorfose é altamente paradoxal, já que o princípio que governa esse processo mostra ser, na verdade, o impulso destrutivo por excelência: a luxúria, o desejo ou paixão sexual, ao qual todos, duques e mercadores, cardeais e assassinos profissionais, irmãos e irmãs, alcoviteiras e duquesas, sucumbem igualmente. "L'amour", diz Corneille em *El Cid*, "est un tyran qui n'épargne personne."[61] Como o amor corneliano, a luxúria jacobita não poupa ninguém e, portanto, torna todo mundo igual. Esse próprio fato faz dela um agente da destruição[62] numa hierarquia social baseada no princípio diametralmente oposto da *desigualdade*. A oposição entre um princípio de paixão e um princípio de posição social, entre luxúria e riqueza, abrange todo o *corpus* do drama jacobita. O incesto de *'Tis Pity She's a Whore* [Que pena que ela é uma rameira] (antevisto em *Women Beware Women* e, de forma mais obscura, em *A duquesa de Malfi*) pode ser considerado sua encarnação extrema e conclusiva, previsto, ironicamente, pelo pai de Giovanni e Anabela ao declarar: "Eu não a faria desposar a riqueza, mas sim o amor."[63] O incesto é a forma de desejo que torna impossível a troca matrimonial que, numa sociedade em que o poder ainda está ligado às pessoas físicas, reforça e perpetua a rede da riqueza. Mas o conflito entre luxúria e riqueza, peça após peça, já causou vítimas ilustres: o Duque de Bracciano e Vitória Corombona, a Duquesa de Malfi e Isabela em *The Changeling* [O impostor], a corte inteira em *The Revenger's Tragedy* e *Women Beware Women* — todos seguem um só itinerário rumo à destruição, no qual embarcam assim que deixam o desejo comandá-los.

Todos seguem um só itinerário porque a luxúria é uma obsessão. Em *The Atheist's Tragedy* [A tragédia do ateu], Levidulcia fala de sua "afeição" nestes termos: "Eu soltaria e manteria/ O ar para esfriá-lo." A luxúria parece externa e objetiva, um fardo que esmaga seu portador. Alguns versos depois, Levidulcia diz: "A luxúria é um espírito que depois de despertar,/ Derruba ousadamente o próximo que encontrar."[64] A luxúria tornou-se o próprio nome da obsessão espectral, transformação que dissipa irrevogavelmente o grosseiro epicurianismo que ainda poderia levar o Visconde Conway a exclamar "o que é um gentil-homem senão o seu prazer?".[65] Na pesada atmosfera jacobita, esse prazer, inteiramente privado da dimensão essencial da liberdade, torna-se uma compulsão repetitiva. Nesse aspecto, é preferível definir luxúria como "paixão" em vez de "desejo", porque é, com clareza, uma coisa que se sofre passivamente. No drama jacobita, basta um só olhar para provocar a captura de alguém. Os personagens não se apaixonam por "olhar" (ação subjetiva de discernir e observar), mas por "ver", no ato passivo de *ser ofuscado*. Os exemplos são muitos: o Duque com Bianca e Lívia com Leâncio, em *Women Beware Women*; Alsemero e Deflores com Isabela em *The Changeling*; Lussurioso com Castiza em *The Revenger's Tragedy*; Levidulcia com Sebastiano e depois com Fresco em *The Atheist's Tragedy* [A tragédia do ateu]. A luxúria passa de prazer a sinal do destino — ou melhor, a destino, simplesmente. Nas primeiras falas de *'Tis a Pity*, o Frade diz a Giovanni: "A morte espera em tua luxúria" (I, i, 59). Ao que Giovanni responde: "Meu destino é meu deus." Destino, maldição, exemplo supremo de *engano alegórico*, a luxúria promete prazer, mas obtém o oposto. Em seu nome, a parábola prefigurada nas famosas ambigüidades do verbo "morrer" (ter um clímax/expirar) é levada ao seu término.

> GIOVANNI: Mais um beijo, irmã.
> ANABELA: O que significa isso?
> GIOVANNI: Salvar-te a fama e matar-te num beijo. (*Apunhala-a.*)
> Pois morre, e morre por mim, e pela minha mão.
> (*'Tis a Pity*, V, v, 83-85)

"O que significa isso?" A perturbação de Anabela repete a do Duque de Tourneur que, quando percebe estar beijando uma caveira envenenada, grita debilmente: "Oh! O que é isso? Oh!"[66] No momento da morte, a luxúria revela-se como sempre foi: um destino que zomba de suas vítimas. E, nesse momento também, a alegoria triunfa em seu gesto definitivo de virar as acepções de ponta-cabeça. O amante se torna assassino; o criado aparentemente fiel mostra-se um inimigo mortal; o que parecia vital e atraente (a caveira enfeitada de *The Revenger's Tragedy*) mostra-se morto e letal. Uma mulher é assassinada pelo marido quando beija o retrato que ele mesmo envenenou; outra por um cardeal, quando beija a Bíblia como sinal de fidelidade. Os significados são invertidos e (em outra metamorfose tipicamente alegórica) fixados de uma vez por todas na morte, o único significado que é verdadeiramente estável e universal. A ênfase característica é mostrada pelas palavras de Bosola: "Embora sejamos comidos por piolhos e vermes/ E embora levemos sempre sobre nós/ Um corpo morto e podre, adoramos/ Escondê-lo em ricos tecidos."[67] Parêntese efêmero, a vida não passa de uma espera pela transformação final e irrevogável, a negação de todas as máscaras: a caveira. A caveira de Yorick, que depois de trinta anos aparece nas mãos de Hamlet; a caveira da esposa de Vindice, que ele transforma em instrumento de vingança; as caveiras não identificadas sobre as quais Charlemont e Castabella vão dormir; a caveira mostrada de modo ameaçador a Flamínio pelo fantasma de Bracciano. A caveira sobre a qual Walter Benjamin escreveu com perspicácia:

> Na alegoria, o observador é confrontado com a *facies hippocratica* da história como uma linguagem primordial e petrificada. Tudo sobre a história que, desde o princípio, foi inoportuno, triste, malsucedido, exprime-se num rosto — ou melhor, na cabeça de um morto. [...] Quanto maior o significado, maior a sujeição à morte, porque a morte escava mais profundamente a linha picotada de demarcação entre a natureza física e o significado. Mas embora a natureza esteja sempre sujeita ao poder da morte, é verdade também que sempre foi alegórica. Tanto o significado quanto a morte realizam-se no desenvolvimento histórico, assim como estão intimamente ligados como sementes no estado de desgraça da criatura em pecado.[68]

"Mas embora a natureza esteja sempre sujeita ao poder da morte, é verdade também que sempre foi alegórica." O argumento de Benjamin encontra a sua tradução dramática nas reviravoltas rocambolescas do teatro jacobita, cujas vítimas, pelo plano daqueles que as capturam, descobrem em seus últimos momentos a "verdade" do real estado de coisas e a "falsidade" do que parecia ser. Quando começa o processo de matar o Duque, por exemplo, o Vindice de Tourneur choca-o com a revelação de que nem seu assassino nem o instrumento da sua morte (a caveira envenenada) são o que parecem; então, de espada na mão, obriga-o a observar o adultério pelo qual, naquele mesmo instante, está a ponto de ser traído. A falácia da vida, só esclarecida pela morte lenta, coincide exatamente com as operações da "natureza alegórica" de Benjamin. Não é por acidente que Puttenham define alegoria como "a figura de [falsa aparência ou dissimulação]", tendo acabado de nos recordar: "*Qui nescit dissimulare nescit regnare.*"[69] A euforia suprema do vilão jacobita vem com o sucesso ao elaborar um plano "alegórico" para pegar seu inimigo. Sua voluptuosidade retórica é bem demonstrada nas palavras de D'Amville sobre a pedra com a qual assassinou o irmão: "Sobre este chão erguerei minha casa senhorial/ E esta será a primeira pedra fundamental" (*The Atheist's Tragedy*, II, iv, 99-100). Mas esse sucesso costuma ter vida curta, já que a alegoria sempre termina por vingar-se de quem aspirou a mantê-la sob controle. Embora em Tourneur a "casa senhorial" do vilão permaneça intacta e impenetrável quase até o final (tanto que alguns expedientes bastante esquisitos, como uma confissão involuntária, um machado que escorrega das mãos do carrasco, são necessários para derrubá-la), a evolução final do drama jacobita apresenta soluções mais satisfatórias. Ao contrário do que acontece em Tourneur, a proliferação das tramas nas tragédias posteriores não permite a ninguém assumir o controle dos acontecimentos. A construção alegórica de um personagem torna-se apenas um elemento já levado em conta na construção conflitante de outro, e onde um personagem propõe escrever *fim* em "sua" tragédia, outro já está pronto para começar a dele. Como no argumento de Benjamin, a alegoria não é uma farsa subjetiva da qual se imagina que alguém possua a chave semântica, mas a condição objetivamente enganosa da natureza da história pela qual todos acabam sendo traídos. Isso se confirma quando comparamos as duas máscaras supremamente alegóricas que concluem *The Spanish Tragedy* [A tragédia espanhola] e, três décadas depois, *Women Beware Women*. Na tragédia de Kyd, Hierônimo consegue que o papel de todos seja duplicado na pantomima mascarada na qual recebe explicação e avaliação morais. Se a pantomima é a "imagem de dissimulação" que permite a Hierônimo e Bel-Imperia se vingarem, é também, ao mesmo tempo, a reelaboração simbólica de todo o curso trágico dos acontecimentos, ao qual confere uma compreensibilidade luminosa e inequívoca. Na tragédia de Middleton, Lívia também elabora um plano de assassinato e, ao colocá-lo em prática, dá a cada personagem o papel que já desempenhara nos quatro atos precedentes. Mas dessa vez os atores traem seus papéis e diante do Duque, que, um pouco irritado, lamenta esse afastamento do programa e depois, distraído pela encenação, bebe sem reparar um copo cheio de veneno — a pantomima termina com a pirotecnia assassina de Cupidos lançando flechas envenenadas e ninfas soltando vapores letais. A alegoria clara e distinta de Kyd (e de toda a Idade Média cristã) deu lugar à alegoria obscura e fugidia examinada por Benjamin. Assim como o tema principal da luxúria, a trama também passa por esta transformação, que fica para que a sigamos também no "personagem" principal do palco jacobita.

O enredo do drama jacobita exige duas novas funções complementares e importantes: uma encarregada de *mediar* os vários planos conflitantes na tentativa de evitar a catástrofe, a outra encarregada de *executar* um desses planos dados sem hesitação nem demora. Em Shakespeare, essas tarefas foram atribuídas a personagens menores e muitas vezes ridículos — Polônio, Rosencrantz e Guildenstern, e os assassinos contratados de Macbeth. Com os jacobitas, esses intermediários e assassinos (ambas as funções unidas, freqüentemente, num só personagem) ocupam o centro do palco: Flamínio, Bosola, Lívia, Deflores e, em parte, até Vindice. O deslocamento do centro de gravidade dramático para pessoas de nível inferior acrescenta outro item ao descrédito que vai se acumular sobre a classe governante jacobita, que implicitamente não só é degenerada como também covarde, incapaz de olhar de frente as suas próprias ações. Macbeth não contrata um assassino para matar Duncan, e Otelo sabe que tem de estrangular Desdêmona com as próprias mãos; mas o mesquinho lorde jacobiano lança de modo inglório toda a responsabilidade de seus projetos sobre outra pessoa, a quem mais tarde culpará por ter-lhe seguido as ordens (Ferdinando com Bosola ou Isabela com Deflores). Assim, esses personagens servis são empurrados para uma posição "central" na trama, até onde esta posição é possível — basta pensar na pacificação grandiosa mas breve realizada por Lívia no terceiro ato de *Women Beware Women* — e eles se tornam os únicos personagens que, de tempos em tempos, possuem um conhecimento abrangente dos acontecimentos. Sua supremacia, contudo, é ambígua, ligada à sua falta de autonomia e até dependente dela, de serem meros instrumentos nas mãos dos outros. "Sou sua criatura", diz Bosola a Ferdinando (*A duquesa*, I, i, 296). Como observa Flamínio, são forçados a uma incessante "variação de formas" se quiserem ser "macacos de grandes homens" (*White Devil*, IV, ii, 244-45). São forçados a nunca ser "eles mesmos", mas sempre outra coisa, artificial e enganosa; forçados a inchar e agitar-se no palco como se não passassem de alegorias personificadas. "O que o servo faz é, na realidade, a ação do senhor", escreve Hegel; "essa ação do segundo [consciência] é a própria ação do primeiro".[70] No coração da tragédia jacobita encontramos uma consciência vazia de autonomia, uma capacidade de agir vazia de liberdade. Não surpreende que esses personagens personifiquem a essência da melancolia: "Vivi/ terrivelmente mal, como alguns que vivem na corte,/ E às vezes, quando meu rosto era só sorriso,/ Senti a confusão da consciência em meu peito./ Em vestes alegres e honradas tal tortura tantas vezes mora:/ Pensamos que o passarinho preso canta, quando na verdade chora" (*White Devil*, V, iv, 118-23).

Esse é o lamento da vida não autêntica que, como Hegel acertou ao dizer, encontra sua objetivação praticamente mais completa no servo. E essa falta de autenticidade não encontra (como queria a teoria de Goldmann) seu contrapeso em algum valor autêntico, por mais derrotado que esteja na verdade. A confusão no peito de Flamínio nunca vem à luz e, quando seu confrade Bosola, agora demitido do serviço do poder, fica "livre" para agir, um erro o faz matar a metade "boa" de si mesmo na pessoa de Antônio. A tragédia jacobita não pretende, de modo algum, buscar uma base diferente para a sociedade humana, mas apenas seguir toda a trajetória da falta de autenticidade até sua inevitável autodissolução. É um drama cujo sujeito não busca, apenas se perde.

A maldição da alegoria que, de várias maneiras, pende sobre a corte jacobita talvez encontre seu melhor "porta-voz" em John Webster, em cuja obra a maldição invade radicalmente o domínio da própria linguagem. "Quando olho nos lagos de peixes, em meu jardim,/ Penso ver uma coisa armada com um ancinho/ Que parece me atacar" (*A duquesa*, V, v, 5-7).

As palavras do Cardeal são um exemplo esplêndido da retórica de Webster: a incerteza das aparências, a imprecisão de uma "coisa" que mal combina com a precisão do "ancinho" com que está armada, toda a visão misteriosa localizada nas águas familiares dos "lagos de peixes do meu jardim". De repente, e no lugar mais inesperado, surge um sinal, um sinal equívoco. Seu equívoco, além disso, não é o do oráculo clássico, a ambigüidade fria de Apolo que, embora engane, age assim para revelar, no final, seu significado único e verdadeiro. Em Webster, o significado não engana, mas dissolve: em aparência ("Penso"), indeterminação ("uma coisa") e detalhe inexplicável ("armada com um ancinho"). E o problema nem é como interpretar esses sinais mas, mais basicamente, determinar se, de fato, são ou não sinais. Onde termina a melancólica *imaginação* (palavra fundamental em Webster) e começa a manifestação de uma realidade transcendental? Os personagens de Webster vacilam entre a necessidade de encontrar "confirmação" metafísica na forma de um significado transcendente e um ceticismo desanimado quanto à sua verdadeira existência e compreensibilidade. Por exemplo, embora o horóscopo calculado por Antônio quando do nascimento do filho preveja a morte violenta da criança, é Antônio que morre violentamente enquanto o filho herda o ducado. Ou mais uma vez, quando lê o horóscopo, seu nariz sangra no monograma do lenço: "Alguém supersticioso", observa, "consideraria isso/ De mau agouro; quando vem meramente do acaso" (*A duquesa*, II, ii, 127-28). Mas ao dizê-lo ele se distrai e deixa cair o horóscopo que, recolhido por Bosola, trai a Duquesa. No fim, então, o sangue foi realmente um sinal de mau agouro, mas para a Duquesa e Antônio, e não para o filho. Essa incerteza e essa imprecisão semânticas são típicas de Webster como um todo. Supõe-se que exista alguma relação entre a vida humana e as estrelas, mas qual é ou como se deve compreendê-la não fica claro. Parece que os fantasmas existem, mas podem ser meras projeções da imaginação. A descrição do fogo do inferno de São Gregório pode ser indiscutível para o Cardeal que, em vez disso, "intrigado", acha-a contraditória. Em certo ponto, em *The White Devil*, Flamínio recita um longo apólogo, comenta-o, confessa que a comparação pode não se sustentar "em todas as partículas" e depois, de novo, passa a confiar nela e aplicá-la à situação em questão (IV, iii, 218f). A maldição específica dos personagens de Webster é que nunca conseguem abrir mão do discurso, de fazer sentido, da ampliação retórica de sua vivência. Um descobre que é corno porque um "emblema" é lançado em sua janela; outro planeja um assassinato encenando sonhos e enigmas. Os personagens morrem com uma metáfora nos lábios: Marcelo, Flamínio, Júlia, a Duquesa, o Cardeal, Bosola. Mas tanta "poesia" (de todos os jacobitas, Webster é aquele que, nesse aspecto, mais lembra Shakespeare), embora nunca abandone o personagem, nunca ilumina o seu caminho. Em vez disso, mantém-no num estado incerto e ambíguo que faz dele a vítima resignada das armadilhas dos outros. "O destino é um cão de caça", diz Flamínio (*White Devil*, V, vi, 179), sempre em nossos calcanhares, e nunca conseguiremos nos livrar dele. Perseguidos por espíritos — "mal-assombrados", como dizem uns aos outros —, esses cortesãos andam em círculos, na vã tentativa de fugir daquela "coisa" que tanto se esforçam para definir. Seu destino não é mais a história de Macbeth contada por um idiota nem a cruel mancha da natureza de Hamlet, mas um cão de caça — ou pelo menos assim lhes parece. Seu mundo sobrevive sem vitalidade, exaurido pela busca de um ilusório *ubi consistam* em meio a incontáveis sinais enganosos. Esse é um mundo cujo desejo mais profundo é o esquecimento. Flamínio diz, antes de morrer: "Falar foi inútil. Nada recordo" (*White Devil*, V, vi, 206). E o Cardeal: "E agora, imploro, deixa-me/ De lado, nunca mais lembrado" (*A duquesa*, V, v, 90). O palácio do príncipe é realmente mal-assombrado e o inflexível destino alegórico suspenso sobre todos os seus aspectos (amor e ambição, senhores e servos, ações e palavras) faz dele um local ao mesmo tempo dilapidado e ameaçador. Para a imaginação dos jacobitas, essa era uma corte que, incapaz de se endireitar, tinha de ser dispersada, exorcizada. Alguns anos depois...

# A dialética do medo

## *Rumo a uma sociologia do monstro moderno*

O medo da civilização burguesa resume-se em dois nomes: Frankenstein e Drácula. O monstro e o vampiro nasceram juntos, em certa noite de 1816, na sala de estar da Villa Chapuis, perto de Genebra, num jogo de salão entre amigos para passar o tempo numa noite chuvosa de verão. Nascidos em pleno vigor da revolução industrial, surgem de novo juntos nos anos críticos do final do século XIX, sob os nomes de Hyde e Drácula.[1] No século XX, conquistam o cinema: depois da Primeira Guerra Mundial, no expressionismo alemão; depois da crise de 1929, com as grandes produções da RKO nos Estados Unidos; mais tarde, em 1956-57, Peter Cushing e Christopher Lee, dirigidos por Terence Fisher, encarnam mais uma vez, triunfantes, esse pesadelo gêmeo.

Frankenstein e Drácula levam vidas paralelas. São personagens indivisíveis, porque complementares; as duas faces horríveis de uma só sociedade, os extremos: o miserável desfigurado e o proprietário impiedoso. O trabalhador e o capital: "A sociedade toda deve dividir-se nas duas classes de *proprietários* e *trabalhadores* sem propriedade."[2] Esse "deve", que para Marx é uma previsão científica do futuro (e garantia de um futuro reordenamento da sociedade), é o aviso prévio do fim da cultura burguesa do século XIX. A literatura de terror nasce exatamente *do terror de uma sociedade dividida* e do desejo de curá-la. É exatamente por essa razão que Drácula e Frankenstein, com raras exceções, não aparecem juntos. A ameaça seria grande demais; e essa literatura, depois de produzir o terror, deve também apagá-lo e restaurar a paz. Deve restaurar o equilíbrio rompido, dando a ilusão de ser capaz de parar a história, porque o monstro exprime o medo de que o futuro seja monstruoso. Seu antagonista, o inimigo do monstro, será sempre, pelo contrário, um representante do presente, um condensado da mediocridade complacente do século XIX: nacionalista, estúpido, supersticioso, insensível, impotente, satisfeito consigo mesmo. Mas isso não se deixa ver. Fascinado pelo horror do monstro, o público aceita os defeitos de seu destruidor sem um murmúrio,[3] assim como aceita sua descrição literária, a tipologia desgastada e repetitiva que ganha nova força e virgindade em contato com o desconhecido. O monstro, assim, serve para deslocar os antagonismos e horrores evidentes *dentro* da sociedade para *fora* da própria sociedade. Em *Frankenstein*, a luta será entre uma "raça de demônios" e a "espécie do homem". Quem ousa combater o monstro torna-se, automaticamente, o representante da espécie, de toda a sociedade. O monstro, o total desconhecido, serve para reconstruir a universalidade, a coesão social que, em si mesma, não inspira mais convicção.

O monstro de Frankenstein e o vampiro Drácula são, ao contrário dos monstros anteriores, dinâmicos e *totalizantes*. É isso que os torna assustadores. Antes, as coisas eram diferentes. Os malfeitores de Sade concordam em trabalhar à margem da sociedade, escondidos em suas torres. Justine é sua vítima porque rejeita o mundo moderno, o mundo da cidade, da troca, de sua redução a mercadoria. Assim, ela se entrega ao antigo horror do mundo feudal, à vontade do senhor individual. Além disso, em Sade o mal tem um limite "natural" que não pode ser ultrapassado: a gratificação do desejo do senhor. Uma vez que esteja satisfeito, a tortura também cessa. Drácula, por outro lado, é um asceta do terror: nele, celebra-se a vitória "do desejo da *posse* sobre o do *gozo*",[4] e a posse como tal, indiferente ao consumo, é, por sua própria natureza, insaciável e ilimitada. O vampiro de Polidori ainda é um senhorzinho feudal obrigado a viajar pela Europa estrangulando jovens damas com o propósito miserável de *sobreviver*. O tempo está contra ele, contra os seus desejos conservadores. Já o Drácula de Stoker, pelo contrário, é um empresário racional que investe o seu ouro para expandir o seu domínio: conquistar a cidade de Londres. E o monstro de Frankenstein já semeia a devastação no mundo todo, dos Alpes à Escócia, da Europa oriental ao pólo. Em comparação, o fantasma gigantesco de *O castelo de Otranto* parece um anão. Está confinado num único lugar; só pode aparecer uma vez; é uma mera relíquia do passado. Depois que a ordem se restabelece, silencia para sempre. Os monstros modernos, no entanto, ameaçam viver para sempre e dominar o mundo. Por esta razão, têm de ser mortos.[5]

*Frankenstein*

Como o proletariado, nega-se ao monstro um nome e uma individualidade. É o monstro de Frankenstein; pertence inteiramente ao seu criador (assim como se pode falar de um "operário da Ford"). Como o proletariado, é uma criatura *coletiva* e *artificial*. Não se encontra na natureza; foi construído. Frankenstein é um cientista-*inventor* produtivo, em conflito declarado com Walton, o cientista-*descobridor* contemplativo (o padrão se repete com Jekyll e Lanyon). Reunidos e trazidos de volta à vida no monstro estão os membros daqueles — os "pobres" — que o colapso das relações feudais levou forçosamente à pilhagem, à pobreza e à morte.[6] Somente a ciência moderna — essa metáfora das "sinistras máquinas satânicas" — pode lhes oferecer um futuro. Costura-os de novo, molda-os segundo sua vontade e, finalmente, lhes dá vida. Mas no momento em que o monstro abre os olhos, seu criador se afasta com horror: "No brilho fraco da luz meio apagada, vi os olhos opacos e amarelos da criatura se abrirem [...] Como posso descrever minha emoção com essa catástrofe [...]?" Entre Frankenstein e o monstro, há uma relação ambivalente e dialética, a mesma que, segundo Marx, liga o capital ao trabalho assalariado.[7] De um lado, o cientista não consegue deixar de criar o monstro: "Muitas vezes minha natureza humana rejeitou com asco a minha ocupação, enquanto, ainda instado por um ardor que aumentava sem cessar, eu levava meu trabalho até sua conclusão." Por outro lado, sente imediatamente medo dele e quer matá-lo, porque percebe que deu vida a uma criatura mais forte e da qual, daí para a frente, não pode libertar-se. É a mesma maldição que atinge Jekyll: "Para dar paz ao seu bom coração, vou lhe dizer uma coisa: no momento que escolher, livro-me de Mr. Hyde." Mas, mesmo assim, é Hyde que se tornará o senhor da vida do seu senhor. O medo provocado pelo monstro, em outras palavras, é o medo de quem tem medo de ter "produzido seus próprios coveiros".

As "exigências" explícitas do monstro, na verdade, não podem produzir o medo. Não são um gesto de desafio; são exigências "reformistas"/"cartistas". O monstro só deseja ter direitos de cidadania entre os homens: "Não ficarei tentado a me colocar em oposição a ti. Sou tua criatura e serei sempre suave e dócil com o meu senhor e rei natural. [...] Eu era benevolente e bondoso; o sofrimento fez de mim um ser cruel. Faze-me feliz e serei novamente virtuoso." Além disso, quando todas as relações amigáveis com os seres humanos fracassaram, o monstro aceita humildemente sua marginalização e pede apenas ter outra criatura que seja "tão deformada e horrível como eu". Mas até isso lhe é negado. A mera *existência* do monstro já é assustadora o bastante para Frankenstein, ainda mais a possibilidade de que produza filhos e se multiplique. Frankenstein, que nunca consegue consumar seu casamento, é vítima da mesma impotência que Benjamin descreve:

> Razões sociais para a impotência: a imaginação da classe burguesa parou de se preocupar com o futuro das forças produtivas que liberou. [...] Impotência masculina: imagem principal da solidão, na qual se efetua o freio das forças produtivas.[8]

A possibilidade de o monstro ter descendentes apresenta-se ao cientista como pesadelo real: "Uma raça de diabos se propagaria pela Terra e poderia tornar a própria existência da espécie humana uma situação precária e cheia de terror."

"Raça de diabos": essa imagem do proletariado encerra um dos elementos mais reacionários da ideologia de Mary Shelley. O monstro é um produto histórico, um ser artificial; mas depois de transformado numa "raça", volta a entrar no reino imutável da Natureza. Pode tornar-se objeto de um ódio instintivo e elementar; e os "homens" precisam desse ódio para contrabalançar a força liberada pelo monstro. Isso é tão verdadeiro que a discriminação racial não se sobrepõe ao desenvolvimento da narrativa, mas brota diretamente dela; não é só Mary Shelley que quer fazer do monstro uma criatura de outra raça, *mas o próprio Frankenstein*. Na verdade, este não quer criar um homem (como afirma), mas sim um monstro, uma raça. Ele narra com detalhes o "trabalho e o cuidado infinitos" com que se esforçou para formar a criatura; diz que "seus membros eram bem proporcionados" e que tinha "escolhido seus traços por serem belos". Tudo mentira; no mesmo parágrafo, três palavras adiante, lemos:

> Sua pele amarela mal cobria o funcionamento dos músculos e artérias por debaixo; o cabelo era comprido, de um negro lustroso; os dentes de uma brancura perolada; mas essa exuberância só fazia um contraste mais horrendo com seus olhos aquosos, [...] sua cútis emurchecida e os lábios negros e retos.

Mesmo antes de começar a viver, esse novo ser já é monstruoso, já é uma raça separada. Tem de ser assim, é feito para ser assim; é criado, mas nessas condições. Há um claro lamento pelas leis suntuárias feudais que, ao impor um tipo de roupa específico para cada camada social, permitiam que esta fosse reconhecida à distância e a prendiam fisicamente ao seu papel social. Agora que as roupas se tornaram mercadorias que qualquer um pode comprar, isso não é mais possível. Agora as diferenças de posição social têm de ser inscritas mais profundamente: na pele, nos olhos, na compleição física. O monstro nos faz perceber como é difícil para as classes dominantes resignar-se com a idéia de que todos os seres humanos são — ou deveriam ser — iguais.

Mas o monstro também nos faz perceber que, numa sociedade desigual, eles *não* são iguais. Não porque pertençam a "raças" diferentes, mas porque a desigualdade realmente se registra na pele, nos olhos e no corpo de cada um. Mais ainda, é claro, no caso dos primeiros operários industriais: o monstro é desfigurado não só porque Frankenstein o quer assim, mas também porque era assim que as coisas realmente eram nas primeiras décadas da Revolução Industrial. Nele, as metáforas dos críticos da sociedade civil tornam-se reais; o monstro encarna os hilotas de Adam Ferguson, a dialética da mão-de-obra alienada descrita pelo jovem Marx:

> Quanto mais se forma o seu produto, mais deformado o trabalhador; quanto mais civilizado o seu objeto, mais impotente o trabalhador; quanto mais inteligente o trabalho, mais imbecilizado o trabalhador e mais ele se torna escravo da natureza. [...] É verdade que o trabalho produz [...] palácios, mas choupanas para o trabalhador. [...] Produz inteligência, mas idiotia e cretinismo para o trabalhador.[9]

Assim, a invenção de Frankenstein é uma metáfora expressiva do processo de produção capitalista, que forma deformando, civiliza barbarizando, enriquece empobrecendo — um processo bilateral em que cada afirmação envolve uma negação. E com efeito o monstro, o pedestal onde Frankenstein erige sua grandeza angustiada, é sempre descrito pela *negação*: o homem é bem proporcionado, o monstro não; o homem é belo, o monstro, feio; o homem é bom, o monstro, mau. O monstro é o homem invertido, negado. Não tem existência autônoma; não pode nunca ser realmente livre nem ter futuro. Vive somente como o outro lado daquela moeda que é Frankenstein. Quando o cientista morre, o monstro não sabe o que fazer com a própria vida e se suicida.

Os dois extremos de *Frankenstein* são o cientista e o monstro. Mas é mais exato dizer que se tornam extremos no decorrer da narração. O romance de Mary Shelley, de fato, baseia-se num esquema elementar, o da simplificação e da divisão ("a sociedade toda deve dividir-se nas duas classes..."). É um processo que exige suas vítimas; na verdade, todos os personagens "intermediários" perecem um depois do outro nas mãos do monstro: William, irmão de Frankenstein; a criada Justine; o amigo Clerval; a esposa Elizabeth; seu pai. É uma seqüência repetida no sacrifício de Filemon e Baucis, quando o sonho empresarial de Fausto dita a destruição, na figura dos dois velhos, da unidade familiar e da pequena propriedade independente. Também em *Frankenstein*, as vítimas do monstro (ou melhor, da luta entre o monstro e o cientista, luta que antecipa as relações sociais do futuro) são aquelas que ainda representam o ideal ético e econômico da família como unidade "extensa": não só os parentes, mas também a criada e Clerval, o amigo fraterno. Clerval, em comparação com seu contemporâneo Victor, ainda é placidamente tradicionalista: ao contrário de Frankenstein, preferiu ficar na cidade de seus pais, na casa da família, e manter vivos os seus valores. Esses valores são coletivos, localistas, imutáveis: a ética da "estrada comum" louvada pelo pai de Robinson Crusoé.[10] O próprio Frankenstein termina convertendo-se a eles, mas aí é tarde demais:

> Como é mais feliz aquele que acredita que sua cidade natal é o mundo, mais do que quem aspira a tornar-se maior do que sua natureza permite [...] Adeus, Walton! Busca a felicidade na tranqüilidade e evita a ambição, ainda que seja apenas a ambição aparentemente inócua de distinguir-se na ciência e nas descobertas.

As últimas palavras de Frankenstein religam-se ao prefácio de Mary Shelley, que dá como meta da obra "a exibição da cordialidade da afeição doméstica". Também não é por acaso que suas palavras são ditas a Walton, já que Walton é essencial para a comunicação da mensagem da obra. Como Frankenstein, Walton começa como protagonista de uma realização desesperada, estimulada por uma idéia imperiosa, e também agressiva e desumana, de progresso científico: "A vida ou a morte de um homem não passavam de pequeno preço a pagar pela conquista do conhecimento que eu buscava." Mas a história de Frankenstein dissuadiu-o. No final, Walton cede aos protestos dos marinheiros, que temem por sua vida, e concorda em voltar "ignorante e desapontado" à terra natal e à sua família. Graças à sua conversão, Walton sobrevive. E isso lhe confere uma função dominante na estrutura narrativa, no sistema de "emissores" de mensagens do livro. Walton começa e dá fim à história. Sua narrativa "contém" e, assim, subordina a narrativa de Frankenstein (que, por sua vez, "contém" a do monstro). O ponto de vista narrativo mais amplo, mais abrangente, mais *universal* é reservado a Walton. O sistema narrativo inverte o significado de *Frankenstein* como o descrevemos, exorcizando o seu horror. O elemento dominante da realidade não é a *divisão* da sociedade em dois pólos opostos, mas sua *reunificação* simbólica na família de Walton.[11] A ferida está curada; volta-se para casa.

A universalidade atribuída a Walton pelo sistema de emissores narrativos aplica-se não só à história em pauta mas a todo o curso da História.

Através de Walton, Frankenstein e o monstro são relegados à condição de meros "acidentes" históricos; sua história é apenas um episódio, um "caso" (o título de Stevenson será *O estranho caso de Dr. Jekyll e Mr. Hyde*). Desse modo Mary Shelley quer nos convencer que *o capitalismo não tem futuro*: talvez exista há alguns anos, mas agora acabou. Qualquer um pode ver que Frankenstein e o monstro morrem sem deixar herdeiros, enquanto Robert Walton sobrevive. É um anacronismo flagrante, mas para o qual Mary Shelley nos preparou. O fulcro sociológico de *Frankenstein* — a criação do proletariado — não responde a interesses econômicos nem a necessidades objetivas. É produto de uma obra solitária, subjetiva e inteiramente desinteressada; Frankenstein não espera nenhuma vantagem pessoal com a criação do monstro. Ou melhor, *não pode* esperá-la, porque no mundo do romance não há como *utilizar* o monstro.[12] E não há como utilizá-lo porque não há fábricas. E não há fábricas por duas ótimas razões: para Mary Shelley, as exigências da produção não têm valor por elas mesmas, mas devem estar subordinadas à manutenção da solidez moral e material da família; e, do modo como ela entendia, as fábricas, sem dúvida alguma, multiplicariam a temida "raça de diabos" a um número infinito. Por querer exorcizar o proletariado, Mary Shelley, com coerência lógica absoluta, apaga do seu quadro também o capital. Em outras palavras, ela apaga a História.

E, na verdade, o resultado final da peculiar estrutura narrativa empregada é fazer com que a história de Frankenstein e do monstro pareça uma *fábula*. Como numa fábula, a história prossegue de forma *oral*: Frankenstein fala com Walton, o monstro com Frankenstein, Frankenstein com Walton novamente (enquanto Walton, que personifica a História e o futuro, *escreve*). Como numa fábula, há a tentativa de criar uma situação aconchegante, digna de confiança, *doméstica*; até o monstro, no início da narrativa, sugere que ele e Frankenstein se refugiem numa cabana nas montanhas para ficar mais à vontade. Como numa fábula, por uma lei pétrea o que aconteceu deve ser considerado uma ocorrência *imaginária*. O capitalismo é um sonho — um sonho mau, mas mesmo assim um sonho.

### *Drácula*

O Conde Drácula só é aristocrata no nome. Jonathan Harker, o corretor de imóveis de Londres que fica em seu castelo e cujo diário abre o romance de Stoker, observa com espanto que falta a Drácula exatamente o que torna "nobre" um homem: os servos. Drácula se rebaixa a conduzir a carruagem, preparar as refeições, fazer as camas, limpar o castelo. O Conde leu Adam Smith; sabe que os servos são trabalhadores improdutivos que reduzem a renda de quem os mantém. Também falta a Drácula o consumo ostentatório do aristocrata: ele não come, não bebe, não faz amor, não *gosta* de roupas vistosas, não vai ao teatro, não sai para caçar, não dá recepções e não constrói casas de luxo. Nem mesmo sua violência tem o prazer como objetivo. Drácula (ao contrário de Vlad, o Impalador, o Drácula histórico, e todos os vampiros antes dele) não gosta de derramar sangue; ele *precisa* de sangue. Suga somente o necessário e nunca desperdiça uma gota. Sua meta final não é destruir a vida dos outros por um capricho, desperdiçá-la, mas sim *usá*-la.[13] Drácula, em outras palavras, é um poupador, um asceta, um sustentáculo da ética protestante. E, na verdade, não tem corpo, ou melhor, não tem sombra. Seu corpo reconhecidamente existe, mas é "incorpóreo" — "sensivelmente supersensível", como escreveu Marx sobre a mercadoria, "impossível como fato físico", como Mary Shelley define o monstro nas primeiras linhas de seu prefácio. De fato é impossível, "fisicamente", afastar um homem de si mesmo, desumanizá-lo. Mas o trabalho alienado, como relação *social*, torna isso possível. Assim, realmente existe um produto social que não tem corpo, que tem valor de troca mas não valor de uso. Este produto, já sabemos, é o dinheiro.[14] E quando Harker explora o castelo, só encontra uma coisa: "Um enorme monte de ouro [...] — todo tipo de ouro, dinheiro romano e britânico, austríaco e húngaro, grego e turco, coberto por uma camada de poeira, como se tivesse ficado muito tempo no chão." O dinheiro que fora enterrado volta à vida, torna-se capital e embarca na conquista do mundo; esta e somente esta é a história de Drácula, o vampiro.

"O capital é trabalho morto que, como um vampiro, vive somente de sugar o trabalho vivo e, quanto mais vive, mais trabalho suga."[15] A analogia de Marx desvenda a metáfora do vampiro. Como todos sabem, o vampiro está morto mas ainda não está morto: é um morto-vivo, um "morto" que ainda assim consegue viver graças ao sangue que suga dos vivos. A força *destes* torna-se a sua força.[16] Quanto *mais forte* fica o vampiro, *mais fracos* ficam os vivos: "O capitalista enriquece, não como o pobre, na proporção de seu trabalho pessoal e consumo restrito, mas no mesmo ritmo em que extrai a força de trabalho dos outros e obriga o trabalhador a renunciar a todas as alegrias da vida."[17] Como o capital, Drácula é impelido a um crescimento contínuo, a uma expansão ilimitada de seu domínio; a acumulação é inerente à sua natureza. "Este", exclama Harker, "era o ser que eu estava ajudando a transferir para Londres onde, talvez durante séculos, poderia, entre seus milhões acumulados, saciar sua sede de sangue e criar um círculo *novo e cada vez maior* de semidemônios para viver dos indefesos" (itálico meu). "E assim o círculo vai *sempre crescendo*", diz Van Helsing mais tarde; e Seward descreve Drácula como "o pai ou promotor de uma *nova* ordem das coisas" (itálico meu). Todas as ações de Drácula têm, na verdade, como objetivo final, a criação desta "nova ordem das coisas", que, de modo bastante lógico, encontra seu solo mais fértil na Inglaterra. E, finalmente, assim como o capitalista é "capital personificado" e deve subordinar sua vida privada ao movimento abstrato e incessante da acumulação, Drácula não é impelido pelo *desejo* de poder mas pela *maldição* do poder, por uma obrigação da qual não pode fugir. "Quando eles (os mortos-vivos) se transformam nisso", explica Van Helsing, "vem com a mudança a maldição da imortalidade; não podem morrer, mas têm de continuar, de época em época, acrescentando novas vítimas e multiplicando os males do mundo." Mais tarde se diz do vampiro que ele "pode fazer todas essas coisas, *mas não é livre*" (itálico meu). Sua maldição o obriga a fazer cada vez mais vítimas, assim como o capitalista é compelido a acumular. Sua natureza força-o a lutar para ser ilimitado, para subjugar *toda a sociedade*. Por essa razão, não se pode "coexistir" com o vampiro. É preciso sucumbir a ele ou matá-lo, libertando assim o mundo de sua presença, e a ele, de sua maldição. Quando a faca mergulha no coração de Drácula, no momento anterior à sua dissolução, "havia no rosto um ar de paz, tal como jamais imaginei que ali poderia existir". Aqui reluz a idéia, à qual voltaremos, da *purificação* do capital.

Se o vampiro é uma metáfora do capital, então o vampiro de Stoker, que é de 1897, deve ser o capital de 1897. O capital que, depois de ficar "enterrado" durante vinte longos anos de recessão, volta a levantar-se para seguir na estrada irreversível da concentração e do monopólio. E Drácula é um verdadeiro monopolista: solitário e despótico, não tolerará competição. Como o capital monopolista, sua ambição é subjugar os últimos vestígios da época liberal e destruir todas as formas de independência econômica. Não se restringe mais a incorporar (em sentido literal) a força física e moral de suas vítimas. Pretende torná-las suas *para sempre.* Daí o horror, para a mente burguesa. Está-se agora preso a Drácula, como ao demônio, pela *vida* toda, não mais "por um período fixo", como o clássico contrato burguês estipulava, com a intenção de manter a liberdade das partes contratantes. O vampiro, como o monopólio, destrói a esperança de que algum dia a independência possa voltar. Ameaça a idéia da liberdade individual. Por essa razão, o burguês do século XIX só é capaz de imaginar o monopólio no disfarce do Conde Drácula, o aristocrata, a figura do passado, a relíquia das terras distantes e da idade das trevas. Pois o burguês do século XIX acredita no livre-comércio e sabe que, para se estabelecer, a livre competição teve de destruir a tirania do monopólio feudal. Para ele, então, o monopólio e a livre competição são conceitos inconciliáveis. O monopólio é o *passado* da competição, os tempos medievais. Não pode acreditar que possa ser seu *futuro*, que a própria competição possa *gerar* o monopólio em novas formas. Ainda assim, "o monopólio moderno é [...] a verdadeira síntese [...] a negação do monopólio feudal na medida em que envolve o sistema de competição, e negação da competição na medida em que é monopólio".[18]

Deste modo, Drácula é, ao mesmo tempo, o produto final do século burguês e a sua negação. No romance de Stoker, só esse segundo aspecto, o negativo e destrutivo, aparece. Há excelentes razões para isso. Na Grã-Bretanha, no final do século XIX, a concentração monopolista era muito menos desenvolvida (por várias razões econômicas e políticas) do que nas outras sociedades capitalistas avançadas. Assim, o monopólio podia ser percebido como coisa estranha à história britânica — como uma *ameaça externa*. É por isso que Drácula não é britânico, enquanto seus antagonistas (com uma exceção, como veremos, e com o acréscimo de Van Helsing, nascido em outra pátria clássica do livre comércio, a Holanda) são total e completamente britânicos. O nacionalismo, a defesa até a morte da civilização britânica, tem papel central em *Drácula*. A idéia da nação é básica porque é coletiva; coordena as energias individuais e permite-lhes resistir à ameaça. Por algum tempo Drácula ameaça a liberdade do indivíduo, e este, sozinho, não tem poder para resistir a ele ou derrotá-lo. Na verdade, os seguidores do individualismo econômico puro, aqueles que buscam seu próprio lucro, são, sem saber, os melhores aliados do vampiro.[19] O individualismo não é arma com que Drácula possa ser derrotado. São necessárias outras coisas; na verdade, duas: dinheiro e religião. São consideradas um só todo, que não deve ser separado; em outras palavras, dinheiro a serviço da religião e vice-versa. O dinheiro dos inimigos de Drácula é o dinheiro que *se recusa a tornar-se capital*, que não quer obedecer às profanas leis econômicas do capitalismo, mas ser usado para *fazer o bem*. Quase no fim do romance, Mina Harker pensa na dedicação financeira dos amigos: "Isso me faz pensar no poder maravilhoso do dinheiro! O que não consegue fazer quando é bem aplicado, e o que pode fazer quando é mal usado!" Esse é o ponto: o dinheiro deveria ser usado de acordo com a justiça. O dinheiro não deve ter seu fim em si mesmo, em sua acumulação contínua. Precisa ter, em vez disso, um fim antieconômico, *moral*, a ponto de despesas e prejuízos colossais serem calmamente aceitos. Essa idéia de dinheiro, para o capitalista, é coisa inadmissível. Mas é também a grande mentira ideológica do capitalismo vitoriano, capitalismo que se envergonha de si mesmo e esconde as fábricas e estações sob pesadas superestruturas góticas; que prolonga e exalta modelos de vida aristocráticos; que louva a santidade da família enquanto esta começa secretamente a desmoronar. Os inimigos de Drácula são exatamente os expoentes *deste* capitalismo. São a versão militante dos benfeitores de Dickens. Encontram sua consumação na superstição religiosa, enquanto o vampiro é paralisado por ela. Ainda assim, os crucifixos, águas bentas, dentes de alho, flores mágicas e assim por diante não são importantes por seu significado religioso *intrínseco*, mas por uma razão mais sutil. Sua verdadeira função consiste em estabelecer limites intransponíveis para a atividade do vampiro. Impedem-no de entrar nesta ou naquela casa, vencer esta ou aquela pessoa, realizar esta ou aquela metamorfose. Mas estabelecer limites para o vampiro-capital significa atacar sua própria razão de ser; por sua natureza, ele tem poder de expandir-se sem limites, destruir todas as restrições à sua ação. A superstição religiosa impõe a Drácula os mesmos limites que o capitalismo vitoriano declara aceitar espontaneamente. Mas Drácula, que é o capital que não se envergonha de si mesmo, fiel à própria natureza, um fim em si mesmo, não pode sobreviver nessas condições. E assim esse símbolo de uma evolução histórica cruel cai vítima de um punhado de sepulcros caiados, um monte de fanáticos que querem deter o curso da História. Eles é que são a relíquia da idade das trevas.

No final de *Drácula*, a derrota do vampiro é completa. Drácula e suas amantes são destruídos, Mina Harker é salva no último momento. Só uma nuvem obscurece o final feliz. Ao matar Drácula, Quincy P. Morris, o norte-americano que vinha ajudando seus amigos britânicos a salvar a nação, também morre, quase por acidente. A ocorrência parece inexplicável, estranha à lógica da narrativa, mas se ajusta perfeitamente ao plano sociológico de Stoker. O americano, Morris, tem de morrer porque Morris é um vampiro. Desde que surge, está envolto em mistério (um tipo de mistério amigável, é verdade, mas o próprio Conde Drácula não é adorável no início?). "É um camarada muito agradável, um americano do Texas, e parece tão jovem e novo [parece; como Drácula, que parece mas não é] que quase soa impossível que tenha estado em tantos lugares e vivido tantas aventuras." Que lugares? Que aventuras? De onde vem todo o seu dinheiro? O que faz Mr. Morris? Onde mora? Ninguém sabe nada disso. Mas ninguém suspeita. Ninguém suspeita, nem mesmo quando Lucy morre e depois vira vampiro — imediatamente depois de receber uma transfusão de sangue de Morris. Ninguém suspeita quando Morris, pouco depois, conta a história de sua égua, sugada até a última gota de sangue nos Pampas (como Drácula, Morris já deu a volta ao mundo) por "um daqueles grandes morcegos que chamam de vampiros". É a primeira vez que a palavra "vampiro" é mencionada no romance; mas não há nenhuma reação. E não há nenhuma reação algumas linhas adiante, quando Morris, "aproximando-se de mim, [...] falou num meio sussurro feroz: — O que foi que tirou [o sangue]?". Mas o Dr. Seward balança a cabeça; não tem a menor idéia. E Morris, tranqüilizado, promete ajudar. Finalmente, ninguém suspeita quando, durante a reunião para planejar a caçada ao vampiro, Morris deixa a sala para atirar — e errar, claro — no grande morcego pousado no parapeito da janela e ouvindo os preparativos; ou quando, depois que Drácula invade a casa, Morris se esconde entre as árvores e o único efeito é que perde Drácula de vista e sugere aos outros que dêem por finda a caçada naquela noite. Isso é praticamente tudo o que Morris faz em *Drácula*. Seria um personagem totalmente supérfluo se, ao contrário dos outros, não se caracterizasse pela conivência misteriosa com o mundo dos vampiros. Enquanto as coisas vão bem para Drácula, Morris age como um cúmplice. Assim que há um revertério da fortuna, transforma-se em seu mais fiel inimigo. Morris entra em competição com Drácula; gostaria de substituí-lo na conquista do Velho Mundo. Não tem sucesso no romance, mas terá, na história "real", dali a alguns anos.

Embora seja interessante entender que Morris está ligado aos vampiros — porque os Estados Unidos acabarão por subjugar a Grã-Bretanha na realidade e a Grã-Bretanha, embora inconscientemente, tem medo disso — o decisivo é entender por que Stoker *não* o retrata como vampiro. A resposta é o conceito burguês de monopólio descrito anteriormente. Para Stoker, o monopólio *tem de ser* feudal, oriental, tirânico. Não pode ser o produto daquela mesma sociedade que quer defender. E Morris, naturalmente, é, pelo contrário, um produto da civilização ocidental, assim como os Estados Unidos são a costela da Grã-Bretanha e o capitalismo norte-americano conseqüência do capitalismo britânico. Fazer de Morris um vampiro significaria acusar o capitalismo diretamente; ou melhor, acusar a Grã-Bretanha, admitir que foi a própria Grã-Bretanha que deu origem ao monstro. Isso não pode acontecer. Então, para o bem da Grã-Bretanha, Morris tem de ser sacrificado. Mas a Grã-Bretanha deve ficar de fora de um crime cuja legitimidade não pode reconhecer. Ele será morto pela faca atirada ao acaso por um cigano (que os britânicos deixarão escapar sem ser punido). E, no momento em que Morris morre e a ameaça desaparece, a velha Inglaterra concede sua bênção a esse financista excessivamente agressivo e inescrupuloso e eleva-o ao nível de um Lanceiro de Bengala: "E, para nossa amarga tristeza, com um sorriso e em silêncio, morreu, um *gentleman* perfeito" (a frase, de forma significativa, tem todos os clichês da literatura heróico-imperial inglesa). Essas, é bom notar, são as *últimas* palavras do romance, cujo verdadeiro fim não é, como fica claro agora, a morte do conde romeno, mas a morte do financista norte-americano.[20]

Um dos aspectos mais espantosos de *Drácula*, como, antes, de *Frankenstein*, é o seu sistema de emissores narrativos. Para começar, há o fato de que, nesta rede de cartas, diários, bilhetes, telegramas, avisos, gravações fonográficas e artigos, a função narrativa propriamente dita, ou seja, a descrição e o ordenamento dos eventos, é reservada apenas aos britânicos. Nunca temos acesso ao ponto de vista de Van Helsing nem de Morris, menos ainda ao de Drácula. A série de eventos só existe com a forma e o significado selados pela cultura britânica vitoriana. São essas categorias culturais, esses valores morais, essas formas de expressão que são ameaçados pelo vampiro; são essas mesmas categorias, formas e valores que se reafirmam e saem triunfantes. É uma vitória da convenção sobre a exceção, do presente sobre o futuro possível, do inglês britânico padrão sobre qualquer outro tipo de transgressão lingüística. Em *Drácula* temos, transparente, o inglês perfeito e imutável dos narradores, de um lado, e, do outro, o "dialeto" americano de Morris, o livro didático de inglês de Drácula e os tropeços de Van Helsing. Como Drácula é um perigo porque constitui uma variedade não prevista no código cultural britânico, a ameaça máxima no plano do conteúdo coincide com a inépcia e a interferência máximas no idioma inglês. No meio do romance, quando Drácula parece estar no controle da situação, a freqüência das falas de Van Helsing aumenta enormemente e seu inglês ruim domina o palco. Torna-se dominante porque, embora o idioma inglês possua a palavra "vampire", é incapaz de dar-lhe significado, da mesma forma que a sociedade britânica considera "monopólio capitalista" uma expressão sem sentido. Van Helsing tem de explicar, em seu inglês insuficiente e maltratado, o que é um vampiro. Só então, quando essas noções foram traduzidas para o código lingüístico e cultural do inglês e o código foi reorganizado e reforçado, a narrativa pode voltar à sua fluidez anterior, a caçada começa e a vitória parece garantida.[21] É inteiramente lógico que a última frase seja, como vimos, uma verdadeira procissão do inglês literário.

Em *Drácula*, não há narrador onisciente, somente pontos de vista individuais e mutuamente separados. O relato em primeira pessoa é uma expressão clara do desejo de manter o controle da individualidade que o vampiro ameaça subjugar. Mas enquanto o conflito é entre o "individualismo" humano e a "totalização" vampiresca, as coisas não vão nada bem para os seres humanos. Assim como um sistema de competição perfeita só pode abrir caminho para o monopólio, um punhado de indivíduos isolados não consegue se opor à força concentrada do vampiro. Já testemunhamos esse problema no plano do conteúdo; aqui ele ressurge no plano das formas narrativas. A individualidade da narração tem de ser preservada e, ao mesmo tempo, o seu aspecto negativo — a dúvida, a impotência, a ignorância e até a desconfiança e a hostilidade mútuas dos protagonistas — tem de ser eliminado.[22] A solução de Stoker é brilhante. É cotejar os diferentes pontos de vista para fazer uma integração sistemática deles. Na segunda metade de *Drácula*, aquela da caçada (que começa, deve-se notar, só *depois* do cotejo), é mais exato falar de um narrador "coletivo" do que de diversos narradores. Não há mais, como havia no princípio, versões *diferentes* de um único episódio, procedimento que exprimia a incerteza e o erro do relato individual. Agora a narrativa exprime o ponto de vista *geral*, a versão oficial dos acontecimentos. Até o estilo perde as suas idiossincrasias iniciais, sejam profissionais ou individuais, e é amalgamado no inglês britânico padrão. Esse cotejo, em outras palavras, é a acomodação vitoriana no campo da técnica narrativa. Unifica os diferentes interesses e paradigmas culturais da classe dominante (direito, comércio, terra, ciência) sob a bandeira do bem comum. Restaura o equilíbrio narrativo, dando a esse episódio sinistro uma forma e um significado que finalmente são claros, comunicáveis e universais.

## *O retorno do recalcado*

A análise sociológica de *Frankenstein* e *Drácula* revela que uma das instituições mais ameaçadas pelos monstros é a família. Mas esse medo não pode ser inteiramente explicado em termos históricos e econômicos. Pelo contrário, é muito provável que suas raízes mais profundas se encontrem em outro lugar: no eros, acima de tudo no sexo. "Drácula", escreveu David Pirie, "[...] pode ser visto como a grande força submersa da libido vitoriana irrompendo para punir a sociedade repressora que a aprisionou; uma das coisas mais chocantes que Drácula faz às mulheres matronais de seus inimigos vitorianos (tanto no romance quanto no filme) é torná-las sensuais."[23] É verdade. Para confirmar, basta reler o episódio de Lucy. Lucy é a única protagonista que é vítima de Drácula. É punida porque é a única que mostra algum tipo de *desejo*. Stoker é inflexível nesse ponto; todos os outros personagens são imunes às tentações da carne ou capazes de sublimações rigorosas. Van Helsing, Morris, Seward e Holmwood são todos solteiros. Mina e Jonathan casam-se no hospital, quando Jonathan se encontra num estado de prostração e impotência; e casam-se para corrigir, para esquecer a terrível experiência (que também foi sexual) sofrida por Jonathan na Transilvânia: "Compartilhe da minha ignorância" é o que pede à esposa. Não Lucy, que espera com impaciência o dia do seu casamento. É nessa inquietude — em seu "sonambulismo" — que Drácula se apóia para vencê-la. E quanto mais toma posse de Lucy, mais ele revela o lado sexual da moça. Poucos momentos antes de sua morte, "ela abriu os olhos, que estavam agora opacos e duros ao mesmo tempo, e disse com voz suave e voluptuosa, que eu nunca ouvira sair de seus lábios". E Lucy, como "vampiro", é ainda mais sedutora:

> A doçura transformou-se em crueldade fria e sem coração e a pureza em lubricidade voluptuosa. [...] o rosto contorcido num sorriso voluptuoso [...] ela avançou para ele com os braços estendidos e um sorriso lúbrico [...] e com graça langorosa e voluptuosa, disse: — Venha para mim, Arthur. Deixe esses outros e venha para mim. Meus braços têm fome de você. Venha, e descansaremos juntos. Venha, meu marido, venha!

A sedução está a ponto de funcionar, mas Van Helsing quebra o feitiço. Passam à execução de Lucy. Ela morre de forma muito incomum, nos estertores do que, para a mente "pública" dos vitorianos, deve ter-se parecido com um orgasmo: "A Coisa no caixão se contorceu; e um grito horrendo, de gelar o sangue, saiu dos lábios vermelhos e abertos. O corpo sacudiu-se, tremeu, enroscou-se em contorsões selvagens; os dentes brancos e agudos se entrechocaram até que os lábios foram cortados e a boca se cobriu de uma espuma púrpura." Cercado pelos amigos que o incitam com seus gritos, Arthur Holmwood, Lord Godalming, expurga o mundo dessa Coisa pavorosa; não sem tirar daí, de forma distorcida mas transparente, enorme satisfação sexual: "Parecia a figura de Thor quando seu braço trêmulo elevou-se e caiu, enfiando cada vez mais fundo a estaca misericordiosa, enquanto o sangue do coração perfurado jorrava e borbotava em volta."

Drácula, assim, libera e exalta o desejo sexual. E esse desejo *atrai* mas, ao mesmo tempo, assusta. Lucy é bela, mas perigosa. O medo e a atração são a mesma coisa; e não só em Stoker. Boa parte da alta cultura burguesa do século XIX já tratava eros e sexo como fenômenos *ambivalentes*. Sua figura de retórica é o oximoro, a contradição dos termos, com o qual Baudelaire canta a ambigüidade das relações amorosas. Entre os poemas condenados de *As flores do mal*, título que por si só já é um oximoro, está "As metamorfoses do vampiro", no qual a irresistível sedutora é descrita "a contorcer-se como uma serpente no carvão". E Stendhal anotou, à margem da primeira página de *Do Amor*: "Pretendo traçar com precisão matemática e (se conseguir) com verdade a história da doença chamada amor." O amor é uma doença; traz consigo a renúncia da *individualidade* e da *razão* do homem.[24] Para Stendhal, devoto do iluminismo, isso significa negar a própria razão de existir; o amor torna-se um perigo *mortal*, e somente um perigo *maior* (Drácula!) pode curar a pessoa que cai vítima dele: "O salto de Leucates foi uma bela imagem na Antigüidade. De fato, o remédio para o amor é quase impossível. Exige não só aquele perigo que chama violentamente a atenção do homem para a própria sobrevivência; exige também — coisa bem mais difícil — a continuidade de um perigo provocante."[25] *Um perigo provocante*, assim como o do amor, é uma *provocação perigosa*; medo e desejo transformam-se um no outro sem parar. São indivisíveis. Vemos isso confirmado em Sade, na Lamia de Keats, na Ligéia de Poe, nas mulheres de Baudelaire, na mulher-vampiro de Hoffmann. Por que isso?

O vampirismo é um exemplo excelente da identidade entre desejo e medo; vamos, portanto, colocá-lo no centro da análise. E vamos adotar a interpretação psicanalítica desse fenômeno, apresentado, por exemplo, por Marie Bonaparte em seu estudo de Poe. Ao comentar a observação de Baudelaire de que todas as mulheres de Poe são "delineadas de modo espantoso, como se por um adorador", Marie Bonaparte acrescenta: "Um adorador [...] que não ousa aproximar-se do objeto de sua adoração, já que o vê cercado por algum mistério assustador e perigoso."[26] Esse mistério não passa do vampirismo:

> O perigo da sexualidade, a punição que ameaça todos os que cedem, é mostrado, como em *Berenice*, pelo modo como Egaeus fica obcecado com seus dentes. E na verdade, na psicanálise, muitos casos de impotência masculina revelam, embora mais ou menos enterrada no inconsciente, por mais estranha que pareça a muitos leitores, a noção de que a vagina da mulher tem dentes e, assim, é uma fonte de perigo por ser capaz de morder e castrar. [...] A boca e a vagina são igualadas no inconsciente e, quando Egaeus cede ao impulso mórbido de arrancar os dentes de Berenice, cede tanto ao desejo pelo órgão da mãe quanto ao de vingar-se dele, já que os perigos que cercam este órgão fazem-no evitar sexualmente todas as mulheres como demasiado ameaçadoras. Seu ato, portanto, é um tipo de castração punitiva infligida à mãe que ama e, ao mesmo tempo, odeia, por não ceder ao seu amor sexual por ela na primeira infância. [...] Esta noção da *vagina dentata* e de sua conseqüente ameaça, contudo, é também um deslocamento (neste caso, para baixo) de um fator com raízes profundas na experiência infantil. Sabemos que os bebês, que quando não têm dentes contentam-se em sugar o seio, assim que os primeiros dentinhos rompem usam-nos para morder o mesmo seio. Esta, em cada um de nós, é a primeira manifestação do instinto agressivo, [...] mais tarde, quando o senso do que "não se deve fazer" já foi instilado por injunções morais ainda mais severas e numerosas [...] a lembrança, ou melhor, a fantasia de morder o seio da

> mãe deve ter-se impregnado, no inconsciente, de sentimentos antigos de crueldade. E a criança, depois de aprender com a experiência o que significa a lei da retaliação quando se infringe o código [...] começa, por sua vez, a temer que as mordidas que deseja dar na mãe lhe sejam impostas; ou seja, a retaliação por seu "canibalismo".[27]

Este trecho identifica com precisão a raiz *ambivalente* que entretece ódio e amor e está por trás do vampirismo. Uma ambivalência análoga já foi descrita por Freud em relação ao tabu dos mortos (e o vampiro, como sabemos, também é um morto que volta à vida para destruir os que ficaram):

> Esta hostilidade, sentida angustiadamente no inconsciente como compensação pela morte [...] [é deslocada] para o objeto da hostilidade, para os próprios mortos. Mais uma vez [...] descobrimos que o tabu cresceu com base numa atitude emocional ambivalente. O tabu dos mortos surge, como todos os outros, do contraste entre a dor consciente e a compensação inconsciente pela morte ocorrida. Por ser esta a origem do ressentimento do fantasma, segue-se naturalmente que os sobreviventes que têm mais a temer serão aqueles que antes lhe eram mais próximos e caros.[28]

O texto de Freud não deixa dúvidas: a ambivalência existe *dentro da psique da pessoa que sofre de medo*. Para curar esse estado de tensão, é-se obrigado a *recalcar*, inconscientemente, um dos dois estados afetivos em conflito, aquele que, em termos sociais, é mais ilícito. Do recalque surge o medo: "Todo afeto pertencente a um impulso emocional, seja de que tipo for, é transformado, quando recalcado, em angústia."[29] E o medo surge quando, por qualquer razão, esse impulso recalcado retorna e lança-se sobre a mente: "Ocorre uma experiência estranha quando os complexos infantis que foram recalcados são revividos mais uma vez por alguma impressão ou quando as crenças primitivas que foram dominadas parecem de novo confirmar-se."[30] O medo, em outras palavras, coincide com o "retorno do recalcado". E isso talvez nos leve ao âmago da questão.

A literatura de terror está cravejada de trechos nos quais os protagonistas resvalam pela percepção, descrita por Freud, de que o elemento perturbador está *dentro deles*; que são eles que produzem os monstros que temem. Seu primeiro medo, inevitavelmente, é de *enlouquecer*. "Lembre-se, não estou registrando a visão de um louco" (*Frankenstein*). "Que Deus preserve minha sanidade [...] há apenas uma coisa a esperar: que eu não enlouqueça, se é que eu, de fato, já não estou louco" (*Drácula*, palavras de Harker). "[O Dr. Seward] diz que, para ele, eu seria um estudo psicológico curioso" (*Drácula*, Lucy). "Cheguei à conclusão de que deve ser alguma coisa mental" (*Drácula*, Seward, que também é diretor de um hospital para doentes mentais). Jekyll tem de defender-se da suspeita de estar louco, assim como Aubrey, de Polidori, um século antes. Nesses romances, a realidade tende a funcionar segundo as leis que governam os sonhos — "Eu não estava sonhando", "como num sonho", "como se fosse um longo pesadelo".[31] Eis o retorno do recalcado. Mas *como* ele volta? Não como loucura, ou pelo menos só marginalmente. A lição que esses livros querem passar é que é preciso não ter medo de enlouquecer; que não é preciso temer os próprios recalques, a clivagem da própria psique. Não, deve-se ter medo do *monstro*, de algo *material*, algo *externo*: "— Dr. Van Helsing, o senhor está louco? [...] — Gostaria de estar — disse ele. — A loucura seria fácil de suportar, comparada com verdades assim." *Gostaria de estar*: eis a chave. A loucura não é nada em comparação com o vampiro. A loucura não é um problema. Ou melhor: a loucura, por si só, *não existe*; é o vampiro, o monstro, a poção que a cria.[32] *Drácula*, escrito no mesmo ano em que Freud começou sua auto-análise, é uma tentativa refinada da mente do século XIX de reconhecer-se. Isso é simbolizado pelo personagem que, já nas garras do medo, vê-se por acaso defronte de um espelho. Olha e dá um pulo: no espelho está o reflexo de seu rosto. Mas a atenção do leitor é imediatamente desviada; o medo não vem porque viu sua *própria* imagem, mas porque o *vampiro* não se reflete no espelho. Ao se ver frente a frente com a verdade simples e terrível, o autor — e, com ele, o personagem e o leitor — afasta-se horrorizado.

O recalcado retorna, portanto, mas disfarçado de monstro. Para um estudo psicanalítico, o fato principal é exatamente essa metamorfose. Como observou Francesco Orlando em sua análise da *Fedra* de Racine,

> a relação entre o inconsciente e a literatura não foi postulada de acordo com a presença de conteúdo, seja qual for a sua natureza, na obra literária [...] o desejo pervertido não poderia ser aceitável como conteúdo da obra literária sem que esta última também aceitasse *o modelo formal capaz de filtrá-lo*.[33]

Esse modelo formal é a metáfora do monstro, a metáfora do vampiro. Ela "filtra", torna suportável, para a mente consciente, aqueles desejos e temores[34] que esta julgou inaceitáveis e, portanto, foi forçada a recalcar e cuja existência, conseqüentemente, não consegue reconhecer. A formalização literária, a figura de retórica, tem, portanto, dupla função: *exprime* o conteúdo inconsciente e, ao mesmo tempo, *oculta*-o. A literatura sempre contém *ambas* as funções. Retirar uma ou outra seria eliminar o problema do inconsciente (ao afirmar que tudo na literatura é transparente ou manifesto) ou o problema da comunicação literária (ao afirmar que a literatura serve *apenas* para ocultar certos conteúdos). Mas, embora essas duas funções estejam sempre presentes na metáfora literária, ainda assim a relação entre elas pode mudar. Uma pode destacar-se mais que a outra e conquistar uma posição dominante no significado geral da obra. Estas observações têm influência direta sobre a nossa discussão, porque a metáfora do vampiro é um exemplo esplêndido de como o equilíbrio das funções literárias pode variar. O problema pode ser assim formulado: qual é o sexo — na literatura, naturalmente, não na realidade — dos vampiros? Os vampiros, diversamente dos anjos, têm sexo. Mas ele muda. Num grupo de obras (Poe, Hoffmann, Baudelaire: cultura de "elite"), são mulheres. Noutro (Polidori, Stoker, cinema: cultura de "massa"), são homens. A metamorfose não é de modo algum acidental. No fundo do vampirismo, como vimos, há um impulso ambivalente da criança em relação à mãe. Portanto, apresentar o vampiro como *mulher* significa fazer uma distorção relativamente pequena do conteúdo inconsciente. A figura literária ainda retém o elemento essencial — o sexo — daquilo que está na fonte da perturbação. As defesas que a literatura levanta para proteger a mente consciente são relativamente elásticas: D. H. Lawrence (como Baudelaire, implicitamente, antes dele) passa com facilidade do tema do vampiro para os desejos eróticos pervertidos de Poe.[35] Mas se o vampiro se torna homem, a fonte inconsciente da perturbação é escondida sob mais uma camada de significados. A ligação fica mais tênue. A mente consciente pode ficar tranqüila: tudo o que resta do medo original é uma palavra, "Drácula", aquele esplêndido e inexplicável nome feminino. A metamorfose, em outras palavras, serve para proteger a mente consciente ou, mais exatamente, mantê-la num estado de maior inconsciência. O vampiro é transformado num homem pela cultura de massa, que tem de promover certezas espontâneas e não pode permitir-se sondar o inconsciente com demasiada profundeza. Mas, ao mesmo tempo e exatamente por essa razão, o conteúdo recalcado, que permaneceu inconsciente, produz um medo irresistível. As certezas incertas e o terror sustentam-se um ao outro.

*A estratégia do terror*

A análise marxista e a análise psicanalítica nos permitiram isolar dois grupos predominantes de significados que se reúnem na literatura de terror e que a tornam, por assim dizer, necessária. São, claramente, significados diferentes e é difícil uni-los com harmonia. Não proponho aqui reconstruir os muitos vínculos que faltam e que podem ligar as estruturas socioeconômicas e as psicológico-sexuais numa única cadeia conceitual. Nem posso afirmar que esta realização, muitas vezes tentada de várias formas diferentes, seja mesmo possível; quer dizer, se é permissível "integrar" marxismo e psicanálise em uma ciência muito mais ampla e sólida da sociedade moderna. É um problema científico complicadíssimo e não pretendo abordar os seus aspectos gerais. Gostaria apenas de explicar as duas razões que, neste caso específico, me convenceram a usar duas metodologias tão diferentes. A primeira é bastante óbvia. Os personagens centrais dessa literatura, o monstro, o vampiro, são *metáforas*, figuras de retórica montadas sobre a analogia entre *campos semânticos diferentes*. Por querer encarnar assim o Medo, precisam necessariamente combinar medos *que têm causas diferentes*: econômicas, ideológicas, psíquicas, sexuais (e outras poderiam ser acrescentadas, a começar pelo medo religioso). A mim me parece que esse fato torna possível, para não dizer obrigatório, usar ferramentas diferentes para reconstruir as raízes multiformes da metáfora aterrorizante. Mas o monstro e o vampiro são metáforas também por outra razão. Não só para sintetizar fenômenos de natureza diferente, mas também para *transformá-los*, mudar sua forma e, com ela, seu significado. Em Drácula, há o capital monopolista e o medo da mãe; mas estes significados estão *subordinados* à presença literal do conde assassino. Só podem se exprimir se estiverem ocultos (ou pelo menos transformados) por sua capa preta. Somente desse modo a consciência social conseguirá admitir seus próprios medos sem se expor ao estigma. Assim, o marxismo e a psicanálise convergem ao definir a função dessa literatura: tomar a si determinados medos para apresentá-los *numa forma diferente da real*; transformá-los em *outros* medos, para que os leitores não tenham de enfrentar aquilo que realmente pode assustá-los. É uma função "negativa": distorce a realidade. É uma obra de "logro". Mas também é uma obra de "produção". Quanto mais esses grandes símbolos da cultura de massa se afastam da realidade, mais devem, necessariamente, expandir-se e enriquecer as estruturas da falsa consciência, que não passa da cultura dominante. Não estão confinados à distorção e à falsificação; formam, afirmam, convencem. E esse processo é automático e autopropulsado. Mary Shelley e Bram Stoker não têm a menor intenção de "lograr" a realidade; interpretam-na e exprimem-na de um modo espontaneamente falseado. Isso fica mais claro se voltarmos mais uma vez ao fato de que os monstros são metáforas. Agora, em geral, na literatura, as metáforas são construídas (pelo autor) e percebidas (pelo leitor) exatamente como metáforas. Mas na literatura de terror essa regra não se aplica mais. A metáfora não é mais uma metáfora: é um personagem, tão real quanto os outros. "O sobrenatural", escreveu Todorov, "costuma surgir porque entendemos literalmente um sentido figurado."[36] Entender literalmente o sentido figurado significa considerar a metáfora um *elemento da realidade*. Em outras palavras, significa que uma construção intelectual específica — a metáfora e a ideologia nela expressa — tornou-se na verdade uma "força concreta", uma entidade independente, que foge ao controle racional do seu usuário. O intelectual não constrói mais o universo cultural; em vez disso, esse universo fala pela boca do intelectual. Afinal de contas, esta é uma história conhecida: é a história do Dr. Frankenstein. No romance de Mary Shelley, o monstro, a metáfora, ainda surge, pelo menos em parte, como algo construído, como produto. O monstro, ela nos avisa, é algo "impossível como fato físico": é metafórico. Mas o monstro *vive*. O primeiro momento de terror de Frankenstein nasce exatamente diante deste fato: uma metáfora levanta-se e anda. Depois que isso aconteceu, ele sabe que jamais será capaz de recuperar o controle. A partir daí, a metáfora do monstro terá existência autônoma; não será mais um produto, uma conseqüência, mas a própria origem da literatura de terror. Na época de *Drácula*, que leva a lógica desta literatura às últimas conseqüências, o vampiro existia desde os tempos imemoriais, sem ter sido criado nem explicado.

Há outro ponto em que as obras de Shelley e Stoker divergem radicalmente uma da outra: o *efeito* que querem produzir no leitor. A diferença, parafraseando Benjamin, pode ser assim explicada: uma descrição do medo e uma descrição amedrontadora não são, de modo algum, a mesma coisa. *Frankenstein* (como *Jekyll e Hyde*) não quer *assustar* os leitores, mas *convencê-los*. Apela à sua razão. Quer fazê-los refletir sobre vários problemas importantes (o desenvolvimento da ciência, a ética da família, o respeito à tradição) e concordar, racionalmente, que são ameaçados por forças poderosas e ocultas. Em outras palavras, quer obter a concordância dos leitores aos argumentos "filosóficos" expostos em preto-e-branco pelo autor no decorrer da narrativa. O medo torna-se subordinado a este desígnio; é um dos meios usados para convencer, mas não o único nem o principal. A pessoa assustada não é o *leitor*, mas o *protagonista*. O medo é resolvido dentro do texto, sem penetrar na relação do texto com seu destinatário.[37] Mary Shelley usa dois expedientes estilísticos para obter esse efeito. Fixa a época da narrativa *no passado*; e o passado atenua todo o medo, porque o tempo interveniente permite não ser prisioneiro dos eventos. O acaso é substituído pela ordem, o choque pela reflexão, a dúvida pela certeza, de forma ainda mais completa porque o monstro (o segundo expediente) não tem em si nada de *desconhecido*; observamos Frankenstein montá-lo pedaço a pedaço, e sabemos desde o princípio que características terá. É ameaçador porque está vivo e é grande, não porque esteja além da compreensão racional. Para o medo surgir, a razão tem de ficar insegura. Como explica Barthes: "O 'suspense' nos pega pela 'mente', não pelas 'entranhas'."[38]

A estrutura narrativa de *Drácula*, verdadeira obra-prima da literatura de terror, é diferente. Aqui o tempo narrativo é sempre o presente e a ordem, sempre paratáctica, nunca estabelece conexões causais. Como os narradores, os leitores só têm pistas; vêem os efeitos mas não conhecem as causas. É exatamente essa situação que gera o suspense.[39] E isto, por sua vez, reforça a identificação dos leitores com a história que está sendo narrada. São arrastados à força para *dentro* do texto; o medo dos personagens é seu também. Entre texto e leitor não existe mais aquela distância que, em *Frankenstein*, estimulava a reflexão. Stoker não quer um leitor pensante, mas um leitor assustado. É claro que o medo não é um fim em si mesmo; é um meio de obter o consenso com os valores ideológicos que examinamos. Mas, desta vez, o medo é o *único* meio. Em outras palavras, a convicção não é mais nem um pouquinho racional; é tão inconsciente quanto o terror que produz.[40] E assim, enquanto professa salvar uma razão ameaçada por forças ocultas, a literatura de terror simplesmente escraviza-a de forma mais segura. A restauração da ordem lógica coincide com o apego inconsciente e irracional a um sistema de valores indisputável. Ao professar salvar o indivíduo, na verdade anula-o. Apresenta a sociedade, seja o idílio feudal de *Frankenstein* ou a Inglaterra vitoriana de *Drácula*, como uma grande corporação; quem romper seus laços está condenado. Pensar por si mesmo, perseguir os próprios interesses: eis os perigos reais que essa literatura quer exorcizar. Nada liberal num sentido profundo, espelha e promove o desejo de uma sociedade integrada, um capitalismo que consiga ser "orgânico". Esta é a literatura das relações *dialéticas*, na qual os opostos, em vez de se separarem e entrarem em conflito, existem um em função do outro, reforçam-se entre si. Para Marx, é esta a relação entre capital e trabalho assalariado. Para Freud, é esta a relação entre superego e inconsciente. Para Stendhal, é este o laço entre o amante e a "doença" que chama de "amor". É esta a relação que liga Frankenstein ao monstro e Lucy a Drácula. É este, finalmente, o laço entre o leitor e a literatura de terror. Quanto mais uma obra assusta, mais edifica. Quanto mais humilha, mais exalta. Quando mais esconde, mais dá a ilusão de revelar. É um medo de que se *precisa*; o preço que se paga por chegar a bons termos com um corpo social baseado na irracionalidade e na ameaça. Quem disse que é escapista?

# *Homo palpitans*

## OS ROMANCES DE BALZAC E A PERSONALIDADE URBANA

Este ensaio tentará demonstrar três hipóteses.[1] Primeira, que a metrópole (em nosso caso, Paris em meados do século XIX) exige uma mudança da percepção não tanto do espaço quanto do *fluxo do tempo*. Para se ajustar à experiência urbana, a literatura precisa excogitar uma nova retórica da temporalidade que vai alcançar sua manifestação mais completa não na poesia, mas na trama de suspense do romance e, especificamente, na obra de Balzac. Em segundo lugar, sustentarei que este arranjo retórico peculiar passa da literatura para a vida cotidiana dos habitantes urbanos, tornando-se um dos filtros intelectuais mais importantes que eles podem usar para atribuir significado ao seu mundo e aceitá-lo com bom volume de satisfação. A terceira hipótese, que está bem entrelaçada com as duas primeiras e depende inteiramente de sua validade, é que a conexão que Benjamin estabeleceu entre a experiência urbana e a produção literária em seus ensaios sobre Baudelaire (o *sancta sanctorum* da crítica literária na última década) provavelmente é muito menos convincente e exemplar do que se tenderia a acreditar e, portanto, tem de ser reexaminada.

### *Imagens da cidade*

Não é nada óbvio que a relação entre cidade e romance se manifeste, ainda mais no nível da trama. Pelo menos, não tem sido assim em várias ocasiões, todas elas importantes, cada uma a seu modo.

August Endell, "Die Schönkeit der grossen Stadt", 1908:

> A época que produziu o grande desenvolvimento das cidades também criou pintores e poetas que começaram a sentir sua beleza e a ser inspirados por elas. Mas foram vencidos por uma onda de suspeitas, mentiras e moralismo. São acusados de rebaixar-se na lama das ruas e ninguém sequer suspeita que sua glória está exatamente aí: encontram beleza e grandeza exatamente naqueles lugares por onde a maioria das pessoas passa com indiferença.[2]

Acerca disso, Robert E. Park, em "The City: Suggestions for the Investigation of Human Behaviour in the Urban Environment", 1925, acrescenta:

> Os mesmos métodos pacientes de observação que antropólogos como Boas e Lowie utilizaram no estudo da vida e dos costumes do índio norte-americano podem ser empregados de maneira ainda mais frutífera na investigação dos costumes, crenças, práticas sociais e conceitos gerais de vida predominantes em Little Italy ou no baixo North Side de Chicago, ou para registrar os costumes populares mais sofisticados dos habitantes de Greenwich Village e das vizinhanças da Washington Square, em Nova York.
>
> Devemos muito aos escritores de ficção por nosso conhecimento mais íntimo da vida urbana contemporânea. Mas nenhuma de nossas cidades exige um estudo mais aprofundado e desinteressado do que até Émile Zola nos deu em seus romances experimentais [...][3]

Ao passo que Erich Auerbach, em *Mimesis*, 1946, afirma:

> A descrição de Madame Vauquer é controlada por um motivo principal que se repete várias vezes: a harmonia entre a pessoa de Madame Vauquer [...] e a sala [...], a harmonia entre a sua pessoa e o que nós (e Balzac também, às vezes) chama de seu *milieu*. [...] O motivo da unidade do meio tomou posse dele com tanta força que as coisas e pessoas que compõem o meio costumam adquirir, para ele, um tipo de segundo significado [...] — um significado que pode ser mais bem definido pelo adjetivo demoníaco.

> [...] Em toda a sua obra [...] Balzac sente os seus meios, por mais diferentes que sejam, como unidades orgânicas e mesmo demoníacas e busca transmitir este sentimento ao leitor [...] para ele, cada meio torna-se uma atmosfera moral e física.[4]

A cultura e as intenções de Endell, Park e Auerbach não poderiam ser mais diferentes. A superposição do tratamento que dão à ligação entre a literatura e a cidade é, portanto, ainda mais espantosa; em essência, é através da *descrição* que a cidade penetra na literatura, e a literatura, em nossa percepção e compreensão da cidade. Para transmitir informações sobre a cidade, o texto precisa interromper a história, suspender temporariamente a ação e descrever lugares e espaços; Park prefacia suas observações com toda uma lista de bairros; o parágrafo de Endell intitula-se "A cidade como paisagem"; e o capítulo de Auerbach, "No Hôtel de la Mole".

Bairros, ruas, casas: lugares a descrever. A descrição literária, contudo, nunca é uma réplica de alguma coisa, mas sim um modo de construir e transmitir um significado e determinar uma *classificação* de alto e baixo, belo e feio, velho e novo e assim por diante. A classificação (conceito que será retomado em vários pontos) é útil enquanto o tempo não a altera; ao ordenar os elementos dados, postula a sua imobilidade. Não surpreende que a crítica literária tenha sempre atribuído um *status* específico à análise da descrição, seja apelidando-a de "interpretação simbólica", seja de "instituição de paradigmas". Segundo ambas as versões, a descrição interrompe o fluxo da trama e revela os significados fundamentais do texto. Melhor ainda, a descrição revela esses significados exatamente ao interromper aquela sucessão de acontecimentos que pode vir a confundi-los ou ocultá-los.

Fica-se tentado a admitir que essa atitude tem o bom senso ao seu lado. Parece inevitável ou até óbvio que, ao se envolver profundamente com a cidade, a literatura exaltasse a descrição; a cidade é, em última instância e acima de tudo, uma entidade espacial onde o valor e o significado de cada componente, humano ou não, cristalizam-se na forma de objetos, casas, entidades que podem ser descritas e classificadas de várias maneiras. Tudo isso é verdade. Mas isso também é verdade na aldeia, no campo ou em qualquer outra forma de residência humana. O que *distingue* a cidade, no entanto, e isso vai acabar entrando na técnica do romance, é que a sua estrutura espacial (basicamente, a sua *concentração*) é funcional na intensificação da *mobilidade*: mobilidade espacial, claro, mas principalmente mobilidade *social*. A rapidez ofuscante do sucesso e da ruína é o grande tema do romance do século XIX, de Balzac a Maupassant; com ele a cidade penetra na literatura moderna e torna-se, aliás, o seu contexto obrigatório. Mas isso acontece exatamente porque a cidade, como lugar físico e, portanto, como suporte para descrições e classificações, torna-se o mero pano de fundo da cidade como rede de relações sociais em evolução e, portanto, como adereço da temporalidade narrativa. O romance revela que o significado da cidade não será encontrado em nenhum lugar específico, mas só se manifesta através de uma trajetória temporal. Enquanto a grande aspiração da narração mítica obriga à metamorfose do tempo em espaço, o romance urbano vira o axioma de ponta-cabeça e busca resolver o espacial em termos do seqüencial.

A análise produz indícios de que a descrição tem um papel inteiramente secundário na Paris de Balzac. Não é difícil encontrar confirmação. Na verdade, Auerbach já observou, sem dar explicações, que quando Balzac tenta transformar o espaço numa

> atmosfera total que envolve todos os seus vários *milieux* [...] obtém seu melhor e mais fiel resultado com o círculo da média e baixa burguesia parisiense e com as províncias, enquanto sua representação da alta sociedade costuma ser melodramática, falsa e até involuntariamente cômica [...] é incapaz de criar a verdadeira atmosfera das altas esferas, inclusive as do intelecto.[5]

Esta é uma observação legítima e o seria ainda mais, digamos, no caso de Zola, com a devida modificação das referências sociológicas. O "melhor e mais fiel resultado", nesse sentido, vem do fato de que determinados personagens ou determinadas situações podem ser inteiramente elaborados através da descrição do ambiente, porque — e somente porque — o tempo de sua metamorfose irrevogavelmente já passou. Não é por acaso que a força descritiva chega ao ponto máximo com os "pobres" do naturalismo e com os memoráveis "velhos" de Balzac (Vauquer, Séchard, Goriot, Gobseck, Grandet, Hulot). Seu futuro só pode lhes duplicar o presente; sua essência é o que são, não o que podem se tornar. Jamais serão objetos de uma narrativa, já que esta última sempre e necessariamente envolve mudanças.

Tudo isso pode ser confirmado por seu contrário. Uma cena do início de *Ilusões perdidas* determina qual dos dois jovens amigos será o protagonista do romance. Davide Séchard, que foi convidado, através de Lucien, para uma noitada na casa dos Bargeton, passa para os bastidores: "[...] não foste classificado nem rotulado. Aproveita que não tens compromissos sociais. [...] És bem apessoado, tens uma figura graciosa, andas bem vestido. [...] Neste círculo, devo parecer um trabalhador. Ficaria sem graça, pouco à vontade. Falaria bobagens." Assim, Lucien pode, ou deve, tornar-se o protagonista exatamente porque não é descritível; sua beleza será o seu meio de ascensão social — não no sentido banal de beleza sedutora, mas porque isola-o como ser não marcado fisicamente ("virgem"); o homem sem sinais. Lucien não é "classificado nem rotulado". Sua beleza é sua polivalência, sua capacidade de transformação, sua predisposição intrínseca de passar de um papel a outro, de um apego a outro (e até de um sobrenome a outro).

Beleza é beleza, e pode visar ao sucesso porque não está acorrentada a nenhum conteúdo definido e, portanto, obrigatório; em regra, a beleza nunca é descrita, mas simplesmente afirmada e reiterada. A razão disso salta aos olhos durante o primeiro encontro de Lucien com aquele fenômeno que conecta a beleza, o sucesso e a cidade: a moda. Ao passear pelas Tulherias — é seu primeiro dia em Paris — Lucien, e Balzac, refletem sobre os transeuntes e suas roupas. Dividem-nos em duas categorias: aqueles cuja vestimenta indica algum tipo de *status* (social, geográfico, etário) e aqueles cuja vestimenta só revela a moda. No primeiro caso, a roupa é, nos termos de *Système de la mode* e *S/Z*, uma pista: determina, inexoravelmente, um lugar, uma idade, uma profissão, uma condição da qual o indivíduo não pode se desembaraçar nem mesmo fisicamente. Ela fixa, trai, confina. Gera uma classificação; ou melhor, indica que, neste caso, o princípio da classificação é válido. Mais uma vez, esse princípio é fixo no tempo: prediz e prescreve a imutabilidade de tudo o que cai sob sua jurisdição.

Na moda, o contrário é que é verdade. Neste caso, a percepção sensória não pode nos levar à classificação. A vestimenta da moda não é uma pista; em vez disso, é um signo tautológico. Por exemplo, há mais ou menos vinte anos os *jeans* desbotados eram uma pista de pelo menos três coisas: um emprego mal pago (o material é grosseiro e barato), um emprego que exigia muito movimento e desgaste (o material é forte) e realizado ao ar livre (daí, o desbotado). Mas esses mesmíssimos *jeans*, depois que entraram na moda, não fornecem mais pistas. Indicam um homem na moda não *porque sejam feitos de brim grosso e desbotado* (como era o caso do caubói), mas porque a moda, ao acaso e sem porquê, exige brim grosso e desbotado. Em outras palavras, denotam a moda porque estão na moda. É claro que as tautologias nunca são muito satisfatórias, ainda mais quando já implícitas num ensaio de 1895... Mas, em seu brilhante exame da moda, Simmel pulou um passo necessário. A expressão "este objeto está na moda porque está na moda" é incompleta. Teríamos de acrescentar sua restrição essencial: "Este objeto está na moda porque está na moda agora." "Descrever" um objeto da moda é inútil. Mas verificar se está na moda agora, no passado ou em algum futuro previsível, isso, pelo contrário, é essencial. A moda, como sugeriu Leopardi em seu *Diálogo entre moda e morte*, é a filha do tempo. *É apenas* tempo. O homem na moda não é "confinado" por suas roupas do mesmo modo que um caubói. Para manter-se no mesmo nicho — "homem na moda" — precisa refazer seu guarda-roupa sem cessar, sempre "acompanhando o tempo". Vamos, então, nos voltar de uma vez por todas para a questão da representação do tempo na literatura.

### *Trama, choque, surpresa, suspense*

Em seu esplêndido livro *Tempus*, Harald Weinrich observa que a narrativa deve aproveitar-se do que Goethe chamava "o inaudito". "Inaudito" é exatamente o nome certo, ainda mais porque sobrepõe dois conceitos distintos: a *novidade* de uma ocorrência específica e a *violação* de uma regra específica (que, com freqüência, constitui a premissa da própria novidade). Embora toda narrativa exija o inaudito, nem todos os sistemas culturais produzem-no da mesma forma. Parece que, durante toda uma fase do desenvolvimento do romance, o inaudito narrativo (novidade) baseou-se no inaudito moral (violação). Ou seja, o romance contava histórias que só podiam existir por causa da presença de algum tipo de supervilão ou monstro *tout court*. Tiremos Blifil, Lovelace, Heathcliff, Moby Dick e algumas das tramas mais envolventes dos romances dos séculos XVIII e XIX jamais seriam escritas. E sem esta alegre brigada de frades verdadeiros e falsos, marqueses abomináveis, cardeais melífluos, corcundas de grandes catedrais, morcegos horrendos, envenenadores, crianças insensíveis, canibais de três pernas, *nenhum* dos principais gêneros da literatura popular existiria.

Agora, a relação disso tudo com a cidade é que o ambiente narrativo urbano torna possível, pela primeira vez, criar uma trama cativante sem ter de recorrer ao anormal.[6] O monstro, com efeito, só é percebido como tal com base numa taxonomia, numa classificação extremamente rígida que separa distintamente o que é normal[7] do que não é. Mas a regra que está por trás da grande cidade do *laissez-faire* tem a peculiaridade de promover *uma mudança incessante da classificação*, principalmente naquela evolução tumultuada de formas heterogêneas de poder — financeiro, político e cultural, cada um dos quais dividido em grupos conflitantes — que caracterizava Paris em meados do século XIX.

Uma classificação que muda constantemente tem pelo menos duas conseqüências. Primeiro, torna-se quase impossível definir o monstruoso (no duplo sentido de excepcional e repugnante). Quem chega mais perto: Vautrin ou Nucingen, Rastignac ou Goriot? (Além disso, o conceito de "monstruoso" já fora questionado pela cultura romântica.) Mas a segunda conseqüência, de alcance muito maior, é que o que envolve o leitor não é mais o "estado de exceção" do sistema simbólico (o monstro indica uma taxonomia que não é mais obedecida: o desmoronamento de todas as "leis" simbólicas) e, portanto, da vida representada, mas sim a imprevisibilidade abrigada *na administração comum e na "vida cotidiana"*.

A invenção extraordinária de Balzac foi mostrar que a vida de um rapaz podia ser excitante sem que ele tivesse de naufragar numa ilha deserta, assinar um pacto com o demônio nem criar bonecos homicidas de tamanho real. Basta escrever uma resenha teatral, apaixonar-se por uma atriz leviana e não ter uma vontade de ferro. Um toque de especulação bastante banal com amigos não muito confiáveis, os regulamentos bancários sobre notas promissórias e o tribunal cuidam do resto. Na verdade, com Balzac a "prosa do mundo" deixa de ser tediosa. São exatamente as relações sociais bastante prosaicas do capitalismo incipiente que constituem suas tramas e lhes conferem suas envolventes características sintagmático-temporais. Para estimular o protagonista e o leitor, não é mais preciso embarcar numa viagem; é bem melhor ficar na cidade. Aqui, na verdade, a vida cotidiana pode e, em certo sentido, deve, transformar-se em uma aventura.

Essa conclusão exige um reexame da relação que Benjamin estabeleceu entre a vida urbana, o choque e a experiência individual. "Sobre alguns motivos em Baudelaire", infelizmente é ambíguo exatamente no ponto que o fez famoso, ou seja, não fica claro se a intenção objetiva da poesia de Baudelaire é "produzir" o choque ou "esquivar-se" dele.[8] "Esquiva" ou não, contudo, a poesia de Baudelaire nos confronta, sem dúvida, com uma série de choques. Ou melhor, reformulando o conceito de choque em termos mais consonantes com o objeto literário, propõe figuras de retórica especialmente audaciosas. Mesmo à parte da questão — que, aliás, não é nada secundária — de se essas figuras podem ser originárias da metáfora, da alegoria ou de alguma outra coisa, elas são, de qualquer modo e sem dúvida alguma, audaciosas. Por enquanto, vamos esquecer a famosa *passante* e recordar o cisne, os sete velhos, os demônios que despertam como empresários e as outras imagens aparentadas dos *Quadros parisienses*. Mas o que é, exatamente, uma figura audaciosa? É um ato de classificação peculiarmente contraditório. É o "estado de exceção" do sistema semântico. É, com efeito, o monstro, ainda mais perceptível quando obrigado a saltar do cenário sem falhas dos alexandrinos ou sonetos.

O monstro é o *sans pareil* do choque, disso não há dúvida. Isto parece combinar perfeitamente com *Além do princípio do prazer*. O trauma e a monstruosidade são a mesmíssima coisa. Mas há um problema. Não é por acaso que o texto de Freud aproveita a dica dos traumas sofridos na guerra; o conceito de choque só pode se originar da análise de experiências *excepcionais*. As figuras de Baudelaire também são excepcionais, é bem verdade. Mas a pergunta que temos de fazer é se a categoria do evento traumático e excepcional é, realmente, a mais apropriada para a análise das experiências da vida urbana.

Benjamin, implicitamente, responde que sim. Num trecho famoso, descreve a vida da cidade como "uma série de choques e colisões". Voltarei a esse aspecto específico da vida urbana mais tarde; aqui, basta dizer que Benjamin ampliou indevidamente o conceito freudiano de choque e, ao fazê-lo, deixou de entender o que é essencial na vivência urbana. O choque, como tal, pressupõe, de um lado, um sistema de expectativas rigidíssimo e paupérrimo e, do outro, um evento que o viole de modo clamoroso e essencialmente impossível de repetir. A vida da cidade, no entanto, modificou ambos os aspectos da relação: o aparelho de recepção e previsão tornou-se muito mais elástico e rico, enquanto os estímulos externos apresentam-se como "oportunidades" a serem aproveitadas (o extremo oposto de um crime em potencial) ou, quando ameaçadores, são sempre bem fáceis de prever, enquanto a total imprevisibilidade é essencial ao choque.

Estar suspenso entre hábitos imutáveis e catástrofe súbita é muito mais típico das sociedades, aldeias e províncias rurais tradicionais. Em comparação, a vida na cidade mitiga os extremos e amplia o alcance das possibilidades intermediárias; arma-se contra a catástrofe adotando atitudes cada vez mais flexíveis e provisórias. Não é por acaso que o morador da cidade sempre surgiu como animal tipicamente "adaptável". A separação rígida entre interno e externo, que está na base da teoria do choque, tende, na vida urbana, a transformar-se naquela linha contínua representada pelo perambular de Leopold Bloom. E outra linha contínua, a temporal, supera a partição rígida que separa vivência e tradição: na vida organizada mas efêmera da cidade, nenhum acontecimento possui todas as características da vivência integral, mas ela não falta inteiramente a nenhum acontecimento.

Embora, de fato, a dependência de cada indivíduo das atividades de todos os outros não se origine realmente na metrópole (Smith e Hegel já a tinham mencionado, com referência a outros contextos), Simmel não está errado ao colocar essa interdependência geral no centro da vivência urbana, onde não só é absolutamente inevitável como barulhenta, visível e inesquecível. Isso combina com o que já foi dito, já que a dependência mútua generalizada provoca um aumento constante das variáveis em jogo e isso significa, claramente, que nenhum resultado de nenhuma ação pode ser considerado certo ou descartado *a priori* como incapaz de promover a vivência. O evento isolado e impossível de repetir — as aparições de Baudelaire, que rompem o fluxo do tempo — perdem sua predominância, que é, pelo contrário, adotada por aqueles acontecimentos que, apesar de repetíveis e previsíveis em si, ao se *combinarem* sempre terminam gerando alguma coisa incomum.

Com efeito, as tramas de Balzac são combinações assim, com um acréscimo: em geral, a vida urbana esforça-se para reduzir e conter a imprevisibilidade, enquanto no romance acontece o oposto. Portanto, o mecanismo das relações sociais urbanas, embora condição *necessária*, não é por si só suficiente para responder pelo surgimento da trama do romance. O romance acrescenta a convenção do suspense. E, como é mesmo dificílimo imaginar a cultura do morador da cidade *sem* essa convenção, vale a pena especificar do que ela se constitui.

A retórica tende a opor *suspense* e *surpresa*, igualando o primeiro à ironia trágica e, portanto, até certo ponto, ao destino, e a segunda ao inesperado, ou seja, à evolução histórica e terrena. No entanto, depois de um certo ponto esta distinção não alcança mais o cerne do problema. Em regra, Balzac trabalha ao mesmo tempo nos dois planos. Perto do final de *Ilusões perdidas*, por exemplo, prevemos a ruína de Lucien. Mas há uma diferença substancial entre sua queda e, digamos, a de Édipo ou Macbeth. Na tragédia, tudo conspira coerentemente *para uma única direção*. Em Balzac, embora a tendência básica seja clara, o grande número de variáveis, inerente aos sistemas da cidade e do romance, traz a conclusão através de uma série contínua e altamente imprevisível de altos e baixos. Deste modo, o suspense e a surpresa encorajam os moradores da cidade a acreditar que só raramente "*tudo* está perdido". Até no meio da catástrofe são induzidos a perceber toda a potencialidade de sobrevivência e, portanto, rejubilar-se com ela. Não há necessidade de ilustrar como essa sensação é agradável.

Outro hiato separa a ironia trágica do suspense moderno. Na primeira, o tempo não tem destaque. Não faz diferença se o pastor de Cítera chega a Tebas um mês antes ou depois — nem quando chegará a madeira de Birnam. Mas em Balzac faz uma diferença enorme se uma determinada promissória vence hoje e não na semana que vem. Isso indica que o principal efeito do suspense consiste em aguçar nossa percepção da passagem do tempo. Devido à retórica do suspense, o tempo sempre parece rápido ou lento demais; em ambos os casos, o tempo *se move* e nos força a aceitar esse fato. Não é mais o tempo não perceptível da vida "classificada", incapaz de vivência, nem aquele concentrado e explodido no instante único do choque súbito.

Temos, finalmente, de esclarecer o que significa, para a "vida espiritual" ou a "economia psíquica" do morador da cidade, mergulhar de cabeça no fluxo do tempo. Em primeiro lugar, isso não tem *nada* a ver com aquela "angústia" que, segundo *Além do princípio do prazer*, nos prepara para "esquivar" o choque. A angústia sempre pressupõe que estamos no escuro em relação à ameaça que pende sobre nós e, com certeza, não é esse o caso nos romances de Balzac (é o caso de vários subgêneros específicos da literatura do século XIX, mas isso é outro assunto). Não é angústia, mas antes uma mistura doce e amarga — e altamente irracional[9] — de *curiosidade* e *pressa*. A vida do morador da cidade é dominada por um pesadelo — frívolo, é verdade — desconhecido dos outros seres humanos: o terror de "perder algo" e, especificamente, de perdê-lo por "chegar tarde demais". O suspense, com seu incitamento para prosseguir a todo o vapor porque há novidades à espera, confirma essa convicção; e, ao mesmo tempo, por permitir que seja vivida por procuração e com a certeza de sempre chegar na hora, dá proteção psíquica na corrida perdida com o tempo da cidade.

Isso pode não ser muito; e, com certeza, a "angústia" representa um modelo muito mais feroz da luta entre os seres humanos e o seu ambiente. Mas os leitores do século XIX, os bons cidadãos de sua época, logo aprenderam a moderar suas expectativas; além disso, quem quer perceber a vida ordinária como algo potencialmente excitante aceita, de modo implícito, que a excitação fique um pouquinho ordinária. Só raramente o leitor — "*hypocrite lecteur*" — fica quieto em sua poltrona, *fumant son houka* e sonhando com a forca. Com mais freqüência e simplicidade, deseja recuperar a sensação de que amanhã, se não exatamente outro dia, será, pelo menos, diferente de hoje.

*O Vermelho, o Negro e os Outros*

*Ilusões perdidas*: "Em Paris é, antes de tudo, o padrão geral que chama a atenção. [...] O contraste sempre presente entre o máximo de luxo e o máximo de indigência, tudo isso é extremamente notável." A cidade do *laissez-faire* não só se *baseia* na desigualdade social; seu principal objetivo é *intensificá-la*. A concentração somada à mobilidade faz exatamente com que o desequilíbrio esteja fadado a aguçar-se e num espaço relativamente restrito, ficando, assim, mais perceptível e mais manifesto. Em Paris, as diferenças imediatamente atingem os olhos...

A proximidade entre luxo e penúria, manifestação clangorosa de violência social, é tolerada pelo morador da cidade por razões completamente diferentes daquelas que a tornaram aceitável, digamos, na era feudal. Naquela época, foi legitimada pela *imutabilidade* das relações sociais; o senhor e o pedinte podiam caber no mesmo quadro porque o mundo sempre fora assim e sempre seria assim. De maneira diferente, na cidade burguesa a contigüidade espacial é aceita porque é automaticamente "traduzida" e legitimada em uma contigüidade cronológica, na idéia de uma reversão inesperada e súbita do destino: "— Assim gira a roda — disse Vautrin —, ontem à noite no baile da duquesa, hoje de manhã no escritório do agiota, no degrau mais baixo da escada — como um verdadeiro parisiense!" (*O Pai Goriot*). Como se dissesse: aqui na cidade, a mudança de posição social pode facilmente assumir formas extremas e violentas.

Este é um dos maiores mitos urbanos do século XIX: ontem na casa da duquesa, hoje no agiota. Esses são os parisienses; essa é Paris. Mais uma vez "mostrar"; é inútil "descrever"; é preciso *narrar* o que acontece ali — ontem, hoje, amanhã — porque só através desta sucessão surge o "significado" de Paris. Com freqüência, é um significado extremo — o "excesso" e o "melodrama" de Balzac. Mas isso não tem nada a ver com a produção do efeito de choque. O choque sempre pressupõe uma fratura irremediável no decorrer da experiência; a "recuperação" total é impossível. Balzac, pelo contrário, enfatiza a *ressurgência* perene dos seus personagens e sempre concentra a narrativa naqueles ainda capazes de recuperação, aqueles para quem o choque, se houve algum, foi só um *Augenblick*. Balzac não está interessado em Goriot, mas em Rastignac; não em Coralie, nem Eva, nem Davide Séchard, mas em Lucien; quando este último está a ponto de se matar, Balzac põe Vautrin-Herrera em seu caminho para levá-lo de volta a Paris mais rico e poderoso do que antes. O "definitivo" não tem lugar na grande construção ideológica de Balzac; só a alternância o encanta. Nem o triunfo *per se*, nem a derrota; somente a aparência perpétua de um na outra.

Em *Homo ludens*, Huizinga defende que as pessoas jogaram menos no século XIX do que em todos os outros. Talvez. Mas isso só pôde acontecer porque o gosto pelo risco nunca penetrou tão profundamente no próprio tecido da vida cotidiana. A expressão "jogar no mercado de ações" — para não mencionar a própria coisa — origina-se no século XIX; e a prontidão com que, nos romances de Balzac, os personagens tentam compensar os desastres de sua vida profissional através do jogo indica a confusão entre os dois terrenos.

Entre todos os jogos de azar, tanto em Balzac quanto em Baudelaire, o lugar de honra é, sem dúvida, da roleta. Pode ser que a roleta reflita melhor o potencial de rapidez da mudança social urbana, ou talvez fique isolada de todos os outros jogos por um detalhe decididamente intrigante. Os jogos costumam ter um esquema binário. Há dois lados: um ganha, o outro perde; um ganha *porque* o outro perde. É óbvio que na roleta isso também é verdadeiro; o vermelho ganha porque "derrotou" o negro; os dois movimentos são inseparáveis. Mas quem já jogou na roleta lembrará o clima geral de irresponsabilidade, de quase inocência, que paira sobre a mesa verde. Ninguém jamais tem a sensação de apostar contra outro jogador. Sempre se tem a impressão de ganhar ou perder da banca. A banca, na verdade, não tem dinheiro próprio; limita-se a distribuir as fichas, recebendo-as em consignação de x e repassando-as a y. Ainda assim, esta exígua passagem a mais, este leve desvio do modelo de conflito direto face a face, mascara a verdadeira natureza da relação que liga os jogadores. A *roleta* é um roubo mútuo, nu e cru, em que ninguém olha o outro nos olhos; em vez disso, todos voltam-se automaticamente para um intermediário impecavelmente vestido que, na posição da deusa vendada, nunca encara ninguém.

Essa situação parece-nos perfeitamente natural hoje. Mas é provável que, para a psicologia do jogador (e não só a dele), a roleta constituísse uma novidade enorme; talvez isto explique sua difusão espantosa e demoníaca. Para apreciar a natureza da mudança, é preciso apenas retroceder alguns anos até a *Rainha de Espadas* de Púchkin, em que se joga faraó. O faraó, juntamente com jogos como o bacará ou o *chemin de fer* e, até certo ponto, o pôquer, é o oposto exato da roleta. Os jogadores são adversários diretos, tão explícitos que o próprio Púchkin observa, pouco antes de narrar a última mão, que "parecia um duelo". A observação é exata e a naturalidade com que é feita revela como, para Púchkin (que, desta e de outras formas, foi um personagem de transição), a ligação entre o poder social, o jogo e o duelo era considerada óbvia. Com a roleta, a situação muda e, ao se afastar do modelo do duelo, já se percebe uma certa analogia com o mecanismo urbano, assim como com os romances de Balzac. Em ambos os casos, o sistema de relações de poder torna-se cada vez mais permeado pelo ato da *mediação*: pode-se arruinar ou ser arruinado por alguém sem sequer olhá-lo no rosto, até mesmo sem tomar conhecimento de sua existência. Ainda assim, a mediação do crupiê não é a única maneira, sequer a mais interessante, de a roleta substituir o modelo do duelo por um tipo de conflito totalmente diferente. Vamos voltar à situação básica: a "luta" entre vermelho e negro. Um número infinito de opções se superpõe a este conflito inicial. Por exemplo, quem aposta no vermelho é, implicitamente, inimigo de todos os que apostaram apenas em números negros e, por outro lado, aliado de todos os que só apostaram em números vermelhos. Depois há aqueles que apostaram numa combinação predominantemente negra ou vermelha e aqueles que preferiram combinações com base num equilíbrio absoluto entre vermelho e negro. Deste modo, surge um paralelogramo de forças complicadíssimo, uma combinação de "amigos", "inimigos" e "cúmplices" graduado em mil nuanças. Há até um tipo de irmandade universal (no entanto, nunca totalmente livre de exceções) contra o zero.

Assim, na roleta o modelo baseado na oposição binária — o modelo do "duelo" — não é exatamente descartado; na verdade, sofre um processo de multiplicação e sobredeterminação. Nunca fica inteiramente claro quem é o inimigo, até que ponto ou por quê. E aqui a analogia com o mecanismo dos romances de Balzac entra em ação. Sua narrativa também brota de várias oposições simples e irredutíveis (se são de sentimentos ou de interesses é secundário aqui), misturadas numa combinação tão densa e assimétrica que o momento de conflito direto — conclusivo exatamente porque aberto e direto — torna-se, inevitavelmente, cada vez mais marginal, seja ele um conflito entre campos sociais, políticos ou culturais ou um conflito entre indivíduos. É bem sabido que a última página de *O Pai Goriot* contém o famoso grito de Rastignac, das alturas do Père Lachaise: "— Vamos superar isso, tu e eu." Uma luva foi lançada com certeza ostensiva. Menos conhecidas, mas muito mais importantes, são as duas linhas que se seguem: "E, como primeiro passo do desafio que lançava à sociedade, voltou para jantar com Madame de Nucingen." *Finis*. O duelo nunca acontecerá. Quanto ao desafio, será um triângulo sentimental bastante tolerável.

As soberanias absolutas já tinham tentado proibir os duelos (com pouco resultado); mas só o romance foi realmente capaz de desmontar-lhes a ética.[10] O romance e a cidade. A legislação da cidade já colocara o duelo fora da lei; mas as pessoas simplesmente alugavam uma carruagem e iam até o Bois. Não, a cidade conseguiu banir a idéia de que o duelo constituía o ápice da existência humana, a ação que simbolizava todo o significado da vida, de um modo que com certeza não foi deliberado e era, à primeira vista, paradoxal. Ao expor o indivíduo a uma sucessão tão interminável de "duelos" pequenos e grandes, convenceu-o de uma vez por todas que deviam ser evitados para o bem da sobrevivência. Os "duelos" a que me refiro surgem diretamente do acoplamento da concentração com a mobilidade; para viver numa cidade populosa é preciso aprender a escapar a milhares de pequenas colisões físicas e sociais. Em particular, a vida urbana torna-se mais segura e, paradoxalmente, ainda mais rápida quando o indivíduo aprende a desistir do caminho mais curto (a linha reta, que também é a direção típica do duelo) e seguir um caminho tortuoso, um *slalom* contínuo entre objetos, pessoas e instituições. Isso fica extremamente evidente no trânsito, mas é igualmente verdadeiro no caso do movimento social.[11]

Assim, na cidade — a menos (nas palavras de Vautrin) que se tenha a força de uma bala de canhão ou se dedique ao martírio — é preciso aprender como contornar milhares de objetos inamovíveis. Contra Benjamin, contudo, o romance e toda a "educação" do morador da cidade não dependem da imagem chocante do impacto potencial, mas sim do *know-how* necessário para evitá-lo, da competência em todos os tipos de "caminhos alternativos" e da capacidade de aproveitar imediatamente possibilidades que eles revelam com tanta freqüência. Isto sugere outra consideração quanto à relação entre a trama do romance e o duelo. No duelo, o alvo está bem ali, bem à frente, e o terreno está limpo; não se deve, não se "pode" errar. No romance e na vida urbana, devido à miríade de desvios, mediações e ajustes, o alvo fica indistinto. O longo desvio realizado para alcançá-lo nos transforma, e quando chegamos lá não o reconhecemos mais. Já escolhemos outra meta que, por sua vez, será suplantada por outra ainda. O duelo tende para a solução; aspira a concluir-se o mais cedo possível, e o resultado, seja qual for, sempre parecerá correto. Doloroso, talvez, mas exato; um veredito, como o destino, que não permite apelação. O romance tende na direção oposta: está todo no processo; só pode fazer "digressões" e a conclusão, seja qual for, sempre será percebida como insatisfatória. Os finais mais característicos de Balzac, aqueles que deixam o leitor de queixo caído, são *prelúdios* de narrativas sucessivas. O romance, como a cidade, não pára nunca.

## *A caminho*

Pela última vez, vamos retomar a conexão entre a variedade e a complexidade da vida urbana e o suspense da trama. Até agora, vimos como uma dada forma de relacionamento social e de agregação espacial se transforma, para adquirir significado e ser aceita com prazer, na estrutura estritamente temporal da trama. É necessário elaborar nosso caminho de trás para a frente e entender como quem está tão completamente mergulhado no fluxo do tempo "vê" a cidade e as suas relações sociais; ou seja, entender que tipo de visão do todo está implícita no romance com trama de suspense.

Vou tentar esclarecer com dois exemplos, um relativo à dimensão social da cidade moderna e o outro às suas características espaciais. Lukács escreveu que *Ilusões perdidas* narra uma história situada num período de expansão rapidíssima de relações sociais capitalistas, que invadem e subjugam até o campo da "produção espiritual". Em segundo lugar, quando Lucien tenta vender o manuscrito do seu romance histórico é obrigado a dirigir-se a vários editores e, assim, forçado a percorrer todo o meio intelectual de Paris e a observar suas peculiaridades urbanas e arquitetônicas, a gíria local, os indivíduos representativos e assim por diante. Essas duas afirmativas, uma "sobre" e outra "de" *Ilusões perdidas*, são, sem dúvida, verdadeiras. Mas aí pareceria que o que dissemos até agora precisa ser corrigido. Pareceria que a trama de suspense, como depositária do significado do texto, cede à história social de um lado e, do outro, a alguma forma de descrição e classificação. Somos levados a acreditar que a trama é simplesmente um *instrumento*, o meio necessário para o surgimento de realidades muito mais substanciais.

Mas não é assim. No romance balzaquiano, as relações sociais e a paisagem urbana, longe de disputarem a primazia da trama, só têm direito de cidadania dentro dos limites *ditados pela própria trama*. Só são evocadas para reforçar a trama enquanto *trama*; para intensificar sua complexidade e imprevisibilidade. Assim, a trama não está a seu serviço, mas elas a serviço da trama. O eixo sintagmático não é útil para a instituição ou a explicação de paradigmas (como no caso do mito); em vez disso, os paradigmas são o trampolim da história. Não é uma "história" a serviço de uma "moral" capaz de resumi-la, mas milhares de "morais" que visam a desenvolver o gosto pelo suspense, ou seja, pelo fluxo temporal abstraído do conteúdo dos episódios individuais, em si mesmos e por si mesmos.

Se agora traduzirmos essas observações em termos da psicologia urbana, percebemos que o romance nos acostuma a "ver" a cidade num vislumbre — não tanto "desligado" quanto intermitente. Vemos a cidade até onde ela atrapalha uma ação específica, se interpõe entre nós e a coisa, e nos faz "perder *tempo*". Essa situação chega ao ponto máximo em alguns filmes de Hitchcock; mas é vivida todos os dias por todos os que moram na cidade. É exatamente este entrelaçar entre tempo e espaço que explica uma das perversões mais bizarras do morador da cidade: sua *ignorância* inabalável, arrogante e deliberada do lugar onde vive. O morador urbano parece fazer questão de saber o mínimo possível sobre a sua cidade e é capaz de passar cem vezes por uma igreja de Borromini sem jamais entrar. Por quê? Porque, queixa-se o morador da cidade, não tem tempo. Ele mente; ninguém jamais teve tanto tempo livre. Não é que não tenha tempo, mas que a vida da cidade não deixa tempo para a contemplação. Só deixa tempo para a *atividade*, seja ela qual for. Deixa um tempo sempre dedicado a tecer relacionamentos, obter coisas e cumprir deveres. Concebe o fluxo do tempo e a organização da vida como a história mais envolvente possível, comparada à qual a cidade não pode destacar-se como objeto digno de atenção em si e por si. É apenas cenário; talvez percebido com clareza e violência, mas sempre emoldurado e definido por exigências de ordem temporal.

A cidade não deixa tempo para a contemplação. Fica claro que a questão também vai contra as reflexões de Benjamin e, mais ainda, de Simmel.[12] Na busca das características específicas e distintivas da personalidade, ambos citam os atos de atravessar a rua e (com extensão injustificada, como veremos) de passear a pé como eventos emblemáticos. Nessas ocasiões, a estrutura profunda da situação urbana supostamente emerge com maior evidência na forma de uma sucessão caótica e incessante de estímulos; e é nesta mesmíssima esfera que se presume que a psique individual reaja engendrando o *flâneur* — que "viciou-se [...] na fantasmagoria do espaço"[13] — e seu sucessor, o "tipo *blasé*", para quem "o significado e o valor das distinções entre as coisas e, portanto, das próprias coisas são vividos como sem significado. Surgem [...] numa cor homogênea, sem vida e cinzenta, e nenhuma delas merece ser preferida à outra".[14]

Está claro que ambos os personagens, embora de forma diferente, se caracterizam por uma hipertrofia do sentido da visão. Seja para gozar da fantasmagoria urbana, seja para desdenhá-la, definem-se pelo ato de olhar. Observar torna-se um fim em si mesmo, compêndio emblemático da existência moderna. E isto, obviamente, é realizado onde a visão mais pode ser posta à prova, ou seja, no caminho. Assim, caminhar pela rua torna-se o ato metropolitano por excelência, no qual o sentido de toda uma estrutura ambiental e social surge de forma exemplar.

Esta tipologia está errada. Já expliquei anteriormente em parte o porquê, ao sustentar que a dimensão espacial, no romance e na vivência urbana ordinária, é sempre um instrumento: pode ser percebida como obstáculo a algo, mas não em si nem por si. Esta objeção, entretanto, pode ser reformulada de forma mais substancial e enfática: a rua é, com bastante clareza, a dimensão pública por excelência. Na rua, ficamos visíveis para os outros e eles para nós; a própria rua (e muitos meios de transporte que nela estão) é propriedade pública; e ao usá-la temos todos de respeitar um conjunto público de regras ou mesmo leis — o "código" da rua. A rua, portanto, faz parte da "esfera pública". Nosso problema, então, consiste em determinar a importância desta esfera na vida do morador da cidade e, em particular, o grau em que a "esfera pública" pode traduzir-se para ele na ação de "estar na rua". Eu diria que, se compararmos a vida na cidade a outros tipos de comunidade, o significado desta situação pública parece ter *diminuído* enormemente. A estrada da aldeia era, com certeza, mil vezes mais pobre de estímulos que a rua da cidade. Por outro lado, contudo — e é esta a questão —, a quase totalidade da vida acontecia na estrada, nos locais de trabalho ou até em lares que, normalmente, ficavam expostos aos olhos do passante (e, portanto, a toda a estrutura social. Balzac escreveu muitas páginas convincentes sobre a "visibilidade" da vida na província). Mas aí, comparada à aldeia, a cidade deu, com certeza, todo o valor à rua como canal de comunicação (e também de comunicação de informações, ou seja, de estímulos), mas desvalorizou-a de forma drástica e irreparável como *lugar de vivência social*. Não porque na cidade a "vivência", em seu sentido mais forte, se torne impossível (como afirmam Simmel e Benjamin); mais simplesmente, é que na cidade a vivência foi *para outro lugar*.

A grande novidade da vida urbana, de fato, não consiste em ter lançado o povo às ruas, mas em tê-lo varrido e trancado nos escritórios e casas. Não consiste em ter intensificado a dimensão pública, mas em ter inventado a dimensão privada — e, especialmente, em ter transferido o significado da vida individual, e assim também o padrão para avaliar o que constitui a vivência, para este novo domínio.

Esta, portanto, é a razão pela qual a cidade, em sua dimensão pública, da qual a rua é um dos símbolos mais adequados, surge no romance apenas e inevitavelmente como cenário. É também a razão pela qual foi difícil para *o Estado* obter destaque na narrativa dos últimos séculos; a cultura burguesa é, fundamentalmente, uma cultura da vida privada, que reluta em identificar e resolver-se por inteiro em grandes instituições coletivas. É óbvio que não tenho a intenção de sustentar que a vida privada é subtraída das leis sociais e estranha a elas, nem que o significado a ela atribuído seja algo totalmente pessoal e impossível de repetir. Mas para entender o significado e a função social da esfera privada não faz sentido usar atalhos e tentar resolvê-la em instâncias explicitamente públicas. Em vez disso, seria possível analisar mais o significado intrínseco da seqüência de ações da trama; aqui, limitei-me a formular a necessidade desta análise e a algumas premissas. Uma semântica da trama (ou melhor, das tramas, já que dificilmente são todas do mesmo tipo) talvez seja a melhor maneira de determinar como a literatura contribuiu para formar a imagem que o homem moderno tem de sua vida.

Uma última observação. Está claro que todas as minhas hipóteses funcionam principalmente na cidade do *laissez-faire*. A literatura e o romance mudaram consideravelmente desde então. Mas isto não aconteceu porque as cidades mudaram. O elemento realmente novo é a mudança do sistema de expectativas relativas à vida privada. Citei o passeio de Leopold Bloom. Joyce já intuíra que o ato urbano exemplar não consistia mais em atravessar a rua — ação sempre indicativa de uma meta individual e da temporalidade irreversível de "voltar as costas" a um lado, ainda que seja somente uma calçada — mas em passear sem objetivo específico. O próprio Joyce viu a origem desta metamorfose em algo que não tinha nada a ver com a estrutura da cidade: o ressurgimento daquela cultura "mítica" que caracteriza o nosso século exatamente em relação à vida privada, a percepção que se tem dela e o que dela espera o indivíduo.[15]

As coisas mudaram, não há dúvida. Mas devemos indagar se essa mudança produziu uma forma tão robusta de perceber o contexto urbano quanto a delineada neste ensaio e, portanto, capaz de substituí-la de forma duradoura. Não acredito que isso tenha acontecido, pelo menos na literatura. As tentativas mais explícitas nesta direção — de Döblin e Dos Passos — tiveram poucos seguidores; ou, no caso de alguns movimentos de vanguarda, evoluíram e terminaram fora do domínio literário. Quanto à cultura de massa, todos os seus gêneros principais mantiveram o modelo do século XIX com pequenos ajustes. Mas até em Joyce, Proust ou Musil, ou na tendência da "história policial" da "alta" literatura do século XX (Borges, Gadda, Robbe-Grillet, Pynchon), ou mesmo Kafka, não encontramos convenções novas, e sim um esvaziamento das convenções anteriores. É como se a evolução da imagem literária da cidade tivesse um caráter estritamente negativo e crítico; existe um modelo que tem de ser mutilado e debilitado, tratado com ironia, cada vez mais distante, mas nunca abandonado de uma vez por todas. É uma atitude ambivalente frente à antiga imagem da vida da cidade que, talvez, tenha algo em comum com o que, num terreno completamente diferente e com metas completamente diferentes, produziu o semi-êxodo para os subúrbios. Isto, obviamente, não significa que a literatura do século XX seja apenas um parasita culto e cético dos modelos do século XIX; mas que suas principais inovações, que são muitas, encontram-se em áreas substancialmente estranhas ou indiferentes às mudanças do contexto urbano.

Mas, então, todas as formas de existência social passam por um momento em que sua potencialidade e seu significado surgem de forma exemplar e, de fato, definitiva. Por que não aceitar a idéia de que, até onde vai a vivência da cidade, esse momento nos escapou pela ótima razão de que aconteceu há mais de cem anos?

# Pistas

*Métodos de análise*

> Uma noção pode ser definida de duas maneiras: em termos de sua organização interna ou em termos de sua função. No primeiro caso, lida-se com um sistema do qual esta noção é o limite externo; no segundo, ela é elemento constitutivo de outro sistema [...] chamemos o primeiro tipo de definição estrutural e o segundo de funcional. Devemos dizer que a descrição estrutural dos fatos lingüísticos depende da lingüística e de sua descrição funcional, de uma antropologia lingüística (que mal existe). Notemos que não há correlação necessária entre os dois domínios, o estrutural e o funcional.[1]

A sociologia da literatura, análise funcional de um sistema estruturado, só faz sentido se demonstrar que a correlação negada por Todorov realmente existe. O que está em questão é a *correlação*, não necessariamente a *homologia*. Não é, portanto, uma questão de *igualar* as análises estrutural e funcional, que são e permanecem distintas. (E também não se trata de ser teoricamente indiferente; podemos domar nosso medo assobiando no escuro, mas isso não nos faz ver com mais clareza.) A mudança de um campo de investigação a outro envolve uma relação entre métodos diferentes e, assim, constitui um *problema*.

Contra a posição teórica de Todorov pode-se dizer que uma estrutura executa uma função específica num sistema maior porque é *aquela* estrutura e não outra. Do mesmo modo, a função realizada por uma estrutura é uma função *específica*, determinada e delimitada pela estrutura da qual depende. Estrutura e função definem-se uma à outra; constituem suas identidades específicas através do seu relacionamento. A sociologia da literatura tem de reproduzir conceitualmente estas duas identidades e sua conexão. Ou seja, deve cotejar entre si as hipóteses estrutural e funcional, usando cada uma delas como "refutação potencial" da outra. Por exemplo, certas premissas sociológicas levam à postulação de uma hipótese funcional ("a ficção policial promove os valores da democracia liberal porque personifica o ideal do *habeas corpus*"); se esta é contradita pela análise estrutural dos textos (como é o caso), é refutada *tanto* como hipótese literária quanto como sociológica. O mesmo acontece no caso das hipóteses estruturais. Dentro deste contexto, a sociologia da literatura não surge como *método crítico*, mas como forma de *relacionar* metodologias independentes; não somando-as, mas verificando e determinando sua validade.

As hipóteses estruturais não podem ser *deduzidas* das hipóteses funcionais e vice-versa. Precisam ser elaboradas separadamente pelo desenvolvimento de duas linhas independentes de raciocínio e constantemente verificadas uma em relação à outra na esperança de que, no final, tudo dê certo. O atrativo do empreendimento está em sua divaricação, que é a sua única razão de ser e explica a sua distância da crítica sociológica atual. Mesmo quando esta tendência crítica usa a análise estrutural (o que raramente acontece, mas pelo bem da discussão vamos supô-lo), só o faz para *confirmar* as suas premissas sociológicas, que foram construídas e verificadas com base em disciplinas *diferentes*.[2] A pesquisa literária *nada acrescenta* ao que já se sabe sobre a sociedade. Meramente admite o que é costumeiro: "*Também* em Mallarmé descobre-se o mecanismo da alienação." A crítica literária torna-se um adorno parasitário. A própria literatura, sob essa luz, também parece supérflua: parece apenas existir para exprimir, de um jeito tortuoso, conceitos expressos noutros lugares com maior exatidão. Com efeito, o desejo mais profundo da atual sociologia da literatura é "esquecer" a literatura; um exemplo claro é a obra inicial de Asor Rosa. Se assim é, então a crítica literária só pode alimentar esperanças de ser o substituto novelesco de disciplinas mais substanciais. Isso, então, reconfirmaria o papel de preenchimento cultural atribuído aos estudos literários, que sempre visavam a ser bem subversivos, pelos ministérios de educação pública do século passado. Naquele momento, seria mais lógico e mais honesto escolher outra profissão. Hoje, só se pode estudar literatura com metas mais elevadas. Especificamente, a hipótese deste estudo é que o entrelaçamento das análises funcional e estrutural, quando realizado de maneira adequada, *aumenta* o nosso conhecimento da sociedade; portanto, pode contribuir para *mudar* e *especificar* o arcabouço conceitual daquelas disciplinas das quais a crítica literária é, há muito tempo, tributária passiva. Isso é uma hipótese; o que se segue ainda não é uma aplicação satisfatória. No entanto, o importante é prefixar uma meta teórica, pois este é o sangue que dá vida a toda pesquisa verdadeira. *On s'engage*; depois, veremos.

Surge um problema semelhante, até nas análises mais rigorosas da estrutura narrativa, com a oposição entre os modelos sintagmático e paradigmático, cujos principais expoentes são, respectivamente, Propp e Lévi-Strauss. Essas duas hipóteses críticas, das quais a primeira visa a estabelecer a sintaxe de uma obra e a sucessão formal de seus elementos e a segunda, a definir os valores culturais que determinam seu significado, desenvolveram-se, em essência, de forma separada e até oposta, como demonstrou o esplêndido ataque de Lévi-Strauss à *Morfologia da fábula*. A idéia de tentar conectá-las só tomou forma nos últimos anos:

> Postula-se que a estrutura subjacente de todas as narrativas consiste em duas subestruturas, às quais nos referiremos aqui como a sintagmática e a paradigmática. Aquela refere-se à trama, esta ao personagem (e ao tema). A estrutura paradigmática consiste em dois elementos em oposição. [...] Os dois elementos constituem, com efeito, conjuntos ou grupamentos de todas as *dramatis personae* que surgem na narrativa (com as possíveis exceções de alguns personagens "mediadores").[3]

Mas essa proposta de síntese simplifica demais o problema. Em primeiro lugar, a unificação das duas "subestruturas" não é, ao contrário das aparências, uma soma total de entidades independentes, mas o resultado de um processo. A escolha dos paradigmas altera a seleção e a ordem das "funções" narrativas e, assim, a sintaxe. (Narcejac, por exemplo, ao colocar a oposição escrever/ler na raiz da ficção policial atribui ao criminoso, inevitavelmente, um papel insignificante na trama.) Por outro lado, a construção de uma sintaxe influencia a escolha de paradigmas; como uma função obrigatória da história policial é um "crime *misterioso*", todos os crimes "óbvios" são excluídos e as oposições elementares, como vida/morte e legalidade/ilegalidade, tornam-se inaceitáveis. Assim como na relação entre as hipóteses funcional e estrutural, o único procedimento exato parece consistir numa transposição e verificação contínuas das hipóteses elaboradas pelo eixo sintagmático para a área paradigmática e vice-versa.[4] Os dois devem ser aproximados pelo eixo sintagmático. Este processo só pode ser considerado completo quando os dados coligidos nas duas esferas integram-se entre si e se chega à descrição mais completa possível do texto.

Mas há outro problema. Segundo a linha de raciocínio de Hendrick, que é a mais comum, o "significado cultural da narrativa" reside apenas na "subestrutura paradigmática". A trama e a sintaxe são consideradas fenômenos puramente formais e totalmente sem significado. A análise semântica — a pesquisa cultural — parece capaz de dar-se ao luxo de deixá-las de lado. Neste ensaio tentarei demonstrar o oposto; a sintaxe da história policial, mesmo em seu aspecto mais abstrato, ou seja, na relação entre *sjužet* e *fabula*, vai se mostrar *essencial* para definir o seu significado.

Assim, os dois lados dessas observações preliminares convergem. As análises funcionais da literatura sempre enfatizaram o paradigmático. Em certo sentido, isso é óbvio: os paradigmas referem-se ao universo cultural *fora* da obra e esse é o campo de ação natural da crítica funcional. E mais: os paradigmas são instituídos *in absentia* por meio de um processo de "seleção e substituição" (para usar os termos de Jakobson), que envolve "as entidades associadas no código mas não na mensagem".[5] Portanto, a instituição de paradigmas pode facilmente fugir à verificação no "eixo da concatenação", ou seja, na verdadeira estrutura *in praesentia* da mensagem. Em outras palavras, ao enfatizar os paradigmas, a análise funcional evita tratar inteiramente da verdadeira estruturação do texto. A conexão destes dois aspectos da análise *estrutural* — paradigmas e sintaxe — é, portanto, o fator decisivo para garantir a exatidão da análise *funcional*. Isso também resolve a suposta antítese entre "descrição" e "interpretação". A interpretação não é um ato arbitrário sujeito aos "valores" do intérprete; significa verificar a possibilidade de inserir uma descrição estrutural num sistema maior (que, por sua vez, pressupõe uma descrição). "Dar significado" é realizar uma *correlação*. "Descrição" e "interpretação", portanto, não são *em princípio* modos cognitivos *diferentes*, mas duas "direções" — com metas diferentes e metodologias específicas — às quais o processo cognitivo pode tender. O fato de estarem ambas unidas e distintas significa que a prova precisa sofrer uma *dupla* análise: a estrutura do texto e a sua função, ou seja, a estrutura do sistema mais amplo no qual está integrada. O maior mérito da sociologia da literatura é que permite a multiplicação dos mecanismos de controle.

Então, vamos às hipóteses deste ensaio. As hipóteses sociológicas são que a história policial dissipa da consciência das massas a ética individualista da cultura burguesa "clássica" (ou seja, a cultura descrita por Locke, Kant, Marx e Weber); a ficção policial cria um modelo estético que leva à *impossibilidade de verificar* as formas culturais e, assim, invalida a suposição experimental que configurou a primeira "opinião pública" burguesa. As hipóteses estruturais são que as oposições culturais dominantes da ficção policial são entre o indivíduo (disfarçado de criminoso) e o organismo social (disfarçado de detetive); sua sintaxe consiste em combinar os mesmos elementos de duas maneiras diferentes, de modo que a combinação encenada na *fabula* (ou seja, a solução) retira todo o valor da combinação proposta pelo *sjužet*; deste modo, a ficção policial abandona a forma narrativa do romance a favor daquela do conto. Finalmente, a ficção policial baseia-se num *duplo sistema de significados*, superficial e profundo: o primeiro é, ao mesmo tempo, manifestação e cobertura do segundo. A seguir, passarei de uma destas hipóteses à outra e, assim, de um campo de investigação e metodologia a outro. Resulta uma discussão inquieta e desarmônica; mas é o único modo de representar essa interseção de planos diferentes, que é o foco deste ensaio.

## *Baker Street e arredores*

### *O criminoso*

Uma boa regra na ficção policial é ter apenas um criminoso. Não porque a culpa isole mas, pelo contrário, porque o isolamento gera culpa. O criminoso só se apega aos outros instrumentalmente; para ele, a associação é apenas um expediente que lhe permite atingir os seus próprios interesses. A metafísica do "pacto social" torna-se sua e ele a adota pelo que é: forma pura, simulação contínua, que não é difícil de encenar porque o mundo da ficção policial está apinhado de estereótipos. A diferença entre inocência e culpa volta como oposição entre estereótipo e indivíduo. Inocência é conformidade; individualidade, culpa. Na verdade, é algo irredutivelmente pessoal que trai o indivíduo: rastros, sinais que só ele poderia deixar para trás. O crime perfeito, pesadelo da ficção policial, é o crime sem características e desindividualizado[6] que qualquer um poderia ter cometido, porque neste ponto todos são a mesma coisa. É esse o caso de *Les Gommes*, de Robbe-Grillet, em que todos têm a mesma pistola, as mesmas roupas, as mesmas palavras; no final, é o detetive que comete o crime. A ficção policial, contudo, existe expressamente para dissipar a dúvida de que a culpa possa ser impessoal e, portanto, coletiva e social. "Uma máquina de escrever", diz Holmes, "tem na verdade tanta individualidade quanto a letra de um homem" ("Um caso de identidade"). Como se dissesse: sempre se pode encontrar um culpado.[7] O culpado: o crime é sempre apresentado como uma exceção, o que, até aqui, o indivíduo já é. Sua derrota é a vitória e a purga de uma sociedade não mais concebida como um "contrato" entre *entidades independentes*, mas como um organismo ou *corpo* social. O melhor ajudante de detetive que se conhece, Watson, é médico. E, como veremos, Sherlock Holmes também.

Holmes: "O homem, ou pelo menos o homem criminoso, perdeu toda a iniciativa e originalidade" ("As faias cor de cobre"). Espírito de iniciativa (empreendimento, especificamente empreendimento econômico) e individualidade: eis o que Holmes quer eliminar. Não é movido por piedade pela vítima, pelo horror moral ou concreto ao crime, mas por sua *qualidade cultural*: por sua *unicidade* e seu *mistério*. Na ficção policial, tudo o que é *óbvio* e *passível de repetição* deixa de ser criminoso e é, portanto, indigno de "investigação"; o primeiro livro de Agatha Christie é ambientado na mesma época dos massacres da Grande Guerra, mas o único assassinato que interessa acontece no segundo andar de Styles Court. Unicidade e mistério: a ficção policial trata cada elemento do comportamento individual que deseja o segredo como uma ofensa, ainda que não haja vestígio de crime (por exemplo, "O homem do lábio torcido", "A face amarela", "Um escândalo da Boêmia").[8] A idéia de que tudo o que o indivíduo deseja proteger da interferência da sociedade — o "estar livre de" liberal — favorece o crime ou até coincide com ele é insinuada, aos poucos, e é a fonte do fascínio pelos "mistérios do quarto trancado". O assassino e a vítima estão do lado de dentro; a sociedade, inocente e fraca, do lado de fora. A vítima busca refúgio numa esfera privada e exatamente ali encontra a morte, que não a teria atingido no meio da multidão. A porta foi inventada pela burguesia para proteger o indivíduo; agora, torna-se uma ameaça; aconselha-se nunca girar a chave. (Eliot, *A terra desolada*: "Ouvi a chave,/ Girar na porta uma vez, uma só vez/ Pensamos na chave, cada um em sua prisão/ Pensando na chave, cada um confirma uma prisão.") Esta é a aspiração totalitária a uma sociedade *transparente*: "Meu caro amigo", diz Holmes a Watson, "se pudéssemos voar por aquela janela grande de mãos dadas, sobrevoar esta grande cidade, remover suavemente os telhados e espiar as coisas estranhas que acontecem [...]" ("Um caso de identidade"). Holmes existe porque Peter Pan não existe; ainda não é possível voar pela fechadura.

Assassino e vítima se encontram no quarto trancado porque, fundamentalmente, são parecidos. Em pelo menos um terço das histórias de Conan Doyle, o criminoso foi vítima de um crime anterior e vice-versa. Quer dizer, a vítima *pediu aquilo*, devido ao seu passado sombrio e porque queria manter segredo, impedindo assim a "ajuda" da sociedade; e, finalmente, porque, exatamente como o criminoso, ainda é devota da idéia de *propriedade individual*. A ficção policial nasce na mesma época que os trustes, os grandes bancos e os monopólios, mecanismos que tornam a riqueza impessoal e separam o capital do capitalista. A vítima, por outro lado, ainda está apegada ao seu capitalzinho, como o criminoso que o cobiça. São traídos pela independência econômica. A ficção policial encena a antítese entre vida e propriedade e entre vida e individualidade; para ter uma, é necessário abrir mão da outra. A lei inexorável de Kafka já está em vigor, mas a ficção policial não consegue ver o Castelo que a promulga.

O percentual de homicídios nas histórias de Conan Doyle aumenta com o passar dos anos. Depois dele, tornam-se a norma. A ficção policial *precisa* da morte, à qual confere características *arcaicas*.[9] Nunca é um evento natural e universal. Pelo contrário; é sempre *voluntária*, sempre *individualizada*. É sempre uma luta (agonia, antagonismo). É sempre a *punição* de quem, querendo ou não, ultrapassou os limites da normalidade. Aquele que se destaca tem seu destino marcado. Para evitar a morte (e quem não quer?) sugere-se que a pessoa se ajuste ao estereótipo; deste modo, jamais será vítima nem criminoso. Na verdade, sugere-se que nunca se chegue ao mundo, em vez de ceder ao que Freud chamou de instinto da morte: "A expressão da inércia inerente à vida orgânica."[10] E os personagens da ficção policial são mesmo inertes; eles não crescem. Deste modo, a ficção policial é radicalmente anti-romântica; a meta da narrativa não é mais a evolução do personagem rumo à autonomia, a mudança de uma situação inicial nem a apresentação de uma trama como conflito e espiral evolucionária, imagem de um mundo em desenvolvimento, que é difícil levar a um final. Pelo contrário: o objetivo da ficção policial é *voltar ao princípio*. O indivíduo inicia a narração não porque vive, mas porque *morre*. A ficção policial baseia-se num ritual de sacrifício. Para que os estereótipos vivam, o indivíduo deve morrer e depois morrer uma segunda vez disfarçado de criminoso. Para que a história comece e os estereótipos ganhem vida, é necessária uma vítima; se não for assim, não haverá *nada a dizer*. Os personagens "inocentes", de fato, demonstram somente que realmente são, foram e serão os estereótipos que parecem ser; ou seja, que *não conhecem história*: "*Parece, então, que um instinto é uma ânsia inerente à vida orgânica para restaurar um estado de coisas anterior* que a entidade viva foi obrigada a abandonar sob a pressão de forças externas perturbadoras."[11] Reinstituir uma situação precedente, voltar ao princípio, provar um álibi; declarar-se *em outro lugar*, exterior ao lugar onde as forças perturbadoras se libertaram; demonstrar, mais uma vez, que sempre se foi o mesmo; a regressão sintática da ficção policial (de *sjužet* a *fabula*, de crime a prelúdio) duplica a compulsão dos "bonzinhos" a se repetirem. E assim é também com o leitor que, atraído *exatamente* pelo esquema de obsessiva repetição, é "incapaz" de parar até que o ciclo se feche e ele volte ao ponto de partida. A *Bildung*, expulsa da narrativa, evapora então pela sua relação com o leitor. Só se lê com o objetivo de continuar sendo o que já se é: inocente. A ficção policial deve seu sucesso ao fato de não ensinar nada.

> O criminoso que simplesmente dá valor absoluto à autopreservação na verdade tem a personalidade mais fraca; o criminoso habitual é um indivíduo desajustado. [...] A capacidade de manter-se, como indivíduo, à parte do ambiente e, ao mesmo tempo, entrar em contato com esse ambiente — e conseguir apoio nele — por meio das formas aprovadas de comunicação, foi corroída no criminoso. Ele representou uma tendência profundamente enraizada nos seres vivos e cuja eliminação é sinal de toda evolução: a tendência a entregar-se ao ambiente em vez de ter nele um papel ativo; a tendência a deixar-se ir e afundar de volta na natureza. Freud chamou-a de instinto de morte. [...] Há negação no criminoso que não contém resistência.[12]

A ficção policial vira esta imagem de ponta-cabeça. É o inocente (e não o criminoso) que está indefeso e que cede. O criminoso é o oposto de Raskolhnikov, que *tem* de confessar sua ação, desnudar-se para o mundo e demolir seu escudo individual *sozinho*; daí a irrelevância do trabalho de detetive em *Crime e castigo*. Pelo contrário, a ficção policial sempre apresenta o criminoso como uma consciência impermeável e auto-suficiente, totalmente voltada para uma meta. Para que o sacrifício do indivíduo seja eficaz e "educacional", ele precisa estar dotado de todos os atributos. Isto reflete uma nova relação com a punição legal; em meados do século XIX, o foco da atenção passa da *execução* para o *julgamento*. Enquanto a primeira ressalta a *fraqueza* do indivíduo ao destruir o seu corpo, o julgamento *exalta* a individualidade: condenam-na exatamente porque ela demonstrou sua grandeza fatal. O criminoso é a pessoa que sempre age *conscientemente*. Com essa premissa, a ficção policial separa a narrativa em prosa da historiografia e relaciona-a com o mundo da Lei: "A lei moderna volta-se contra o agente, não contra a ação [... e] indaga sobre a 'culpa' subjetiva, enquanto a história, contanto que busque permanecer uma ciência empírica, investiga a base 'objetiva' dos acontecimentos concretos e a conseqüência das 'ações' concretas; não tenta julgar o agente."[13] Na ficção policial, como na lei, a história só assume importância como *violação* e, como tal, tem de acabar sendo reprimida. Mais uma vez, o ideal é que nada aconteça. Mas este é um ideal *negativo*, baseado numa *falta* (como no caso dos estereótipos e da inocência) e, para parecer real, tem necessidade obsessiva do seu oposto.

Insisti na ética individualista que a ficção policial atribui ao criminoso. No entanto, quem lê Conan Doyle descobre que os criminosos *nunca* são membros da burguesia. A ficção policial separa individualidade e burguesia. A burguesia não é mais a defensora do risco, da novidade e do desequilíbrio, mas da prudência, da conservação e da estase. A ideologia econômica da ficção policial baseia-se inteiramente na idéia de que a oferta e a procura tendem de forma bastante natural ao equilíbrio. A suspeita costuma originar-se da violação da lei da troca entre valores equivalentes: quem paga mais que o preço do mercado ou aceita um salário baixo só pode estar agindo por motivo criminoso.[14] Essas despesas "excessivas" — que recordam claramente os investimentos de risco — ressaltam e desconcertam um mundo que afirma que a distribuição de renda já aconteceu de uma vez por todas e que as possibilidades de escalada social desapareceram (a Inglaterra no final do século XIX, que começa seu declínio parasitário sobre os dividendos do império). Na verdade, o que é o roubo senão uma redistribuição violenta da riqueza social? E será mesmo por acidente que se torna um grande símbolo cultural no primeiro país a vivenciar um forte movimento sindicalista? Mas o roubo é fundamental também por outra razão. O dinheiro é sempre o motivo do crime na ficção policial, mas o gênero cala-se inteiramente sobre a *produção*, essa troca desigual entre a força de trabalho e o salário que é a verdadeira fonte da riqueza social. Assim como a economia popular, a ficção policial incita as pessoas a buscarem o segredo do lucro na esfera da circulação, onde não pode ser encontrado; mas, em compensação, encontram roubos, estelionato, fraudes, falsas intenções e assim por diante. A indignação contra o que é podre e imoral na economia tem de concentrar-se nesses fenômenos. Quanto à fábrica, ela é inocente e, assim, livre para continuar existindo.

Vamos voltar ao criminoso que, em geral, pertence a um dos dois tipos sociológicos principais: o *nobre* e o *novo-rico*. No primeiro caso, tenta reagir ao escasseamento de sua riqueza, opor-se ao curso *natural* da história. A intervenção do detetive visa exatamente a garantir que a economia siga a sua própria lógica e não seja violada pelo que se parece com um renascer da vontade feudal arbitrária. O novo-rico, por outro lado, aspira a um salto social súbito. O espectro da acumulação primitiva materializa-se através dele: o capital como roubo e até como assassinato. Quando o pega, o detetive aniquila uma lembrança dolorosa para o seu público filisteu: o pecado original da "legalidade" do século XIX. Assim como este mundo não tem futuro, suas raízes infectadas no passado também têm de ser erradicadas.

Há também um terceiro criminoso vitalício: o padrasto, o pai adotivo, que surge para tomar a herança. Talvez esta seja a maior obsessão da ficção policial, como seria de esperar numa imaginação econômica interessada apenas em *perpetuar* a ordem existente, que é também um estado de coisas *legítimo*, baseado na autoridade do pai verdadeiro e sancionado pelo laço familiar, que modera e espiritualiza o egoísmo individual. O padrasto se intromete neste idílio vitoriano para romper e degradar todos os laços para o seu lucro exclusivo. Está ali para ilustrar a diferença entre o "pai" (movido pelo bem-estar dos filhos) e o "cidadão privado" (que quer roubá-los). Ao observar a sua crueldade, somos levamos a dizer: "Um pai jamais faria isso." Pelo contrário, esse pobre homem faz exatamente o que o pai verdadeiro faria de forma mais elegante. Quer suprimir os filhos, que são demasiados, que os pais verdadeiros da média burguesia inglesa da época, segundo estudos demográficos, tentavam a todo custo não trazer ao mundo. Essa economia específica era conquistada pela abstenção sexual e pelo *coitus interruptus*, presumivelmente à custa de uma profunda frustração erótica e de tensões emocionais dilacerantes, que eram então projetadas sobre a relação com os filhos e, em particular, com as *filhas*. Os pais adotivos de Conan Doyle escondem suas enteadas dos olhos do mundo, aprisionam-nas e até seduzem-nas com falsas intenções; todas manifestações transparentes de ciúme sexual. Ou seja, o pobre padrasto é meio parecido com o famoso "tio" citado pela psicanálise em seu início: uma máscara para o pai. Não é preciso dizer que Conan Doyle, diversamente de Freud, não tentava tornar "aceitável" um tema complicado; caso suspeitasse disso, a pena ficaria congelada em sua mão. A ideologia — a falsa consciência — não é uma mentira, que sempre pressupõe a consciência da verdade. Ou melhor, não é uma mentira *a parte subjecti*, ainda que o seja de fato. Voltarei a este ponto.

Essas considerações nos levam a um novo problema: o fato de que, nas histórias de Conan Doyle, o criminoso possui ou elimina atributos culturais específicos, o que significa que não é simplesmente o "portador" da "função narrativa do crime". Não é definido apenas por sua posição sintática; é também limitado por várias características paradigmáticas. Portanto, pareceria que o ataque de Lévi-Strauss a Propp é totalmente justificado: "Para seu grande crédito, Propp descobriu que o conteúdo dos contos é *permutável*. Mas também concluiu com freqüência demasiada que era *arbitrário*, e é esta a razão das dificuldades que encontrou, já que até as permutações obedecem a regras."[15] Mas, se voltarmos a Agatha Christie, a situação se inverte. Seus cerca de cem livros têm apenas uma mensagem: o criminoso pode ser *qualquer um*; o narrador, "o detetive", todo o grupo de suspeitos, o mais suspeitável, o menos suspeitável, o mais meloso dos amantes, o mais infame dos canalhas. Ou seja, Agatha Christie abole todas as restrições paradigmáticas. O conteúdo torna-se irrelevante; só permanece a função especificada pelo mecanismo formal da sintaxe. Lévi-Strauss está errado; Propp está certo. Ou melhor, a morfologia de Propp constitui a melhor abordagem da narrativa serializada moderna, que se alimenta do paradoxo. Precisa contar histórias sempre novas porque se move dentro da cultura do romance, que exige sempre conteúdo novo,[16] e, ao mesmo tempo, tem de reproduzir um esquema que é sempre o mesmo, não só devido às necessidades "produtivas" (a produção em série de obras) mas, de forma mais profunda, porque encarna uma paralisia e uma regressão do modelo cultural do romance. É por isso que a ficção policial vincula uma novidade contínua de conteúdo a uma fixidez perene da sintaxe. Mas isso nos leva muito além de Propp. A irrelevância do conteúdo não é uma "suposição", mas um dado problemático, um fato que exige explicação. E é um fato *cultural*, não sintático, que trai a aspiração a uma humanidade completamente *formalizada* e, portanto, *intercambiável*, na qual o que se "é" é totalmente irrelevante, porque a única coisa que conta é o que a sintaxe social obriga cada um a fazer.[17]

### *O detetive*

Holmes: "Se exijo total justiça à minha arte, é porque ela é algo impessoal, algo além de mim mesmo" ("As faias cor de cobre"). Holmes vive para servir a esse algo impessoal, a detecção. Não a usa para seu ganho pessoal: "Quanto à recompensa, minha profissão é a sua própria recompensa" ("A faixa malhada"). Sacrifica a individualidade ao seu trabalho; sua série interminável de disfarces, as noites insones e a incapacidade de comer durante uma investigação são todas metáforas disso. Esse Holmes prefigura e legitima os sacrifícios da outra individualidade, a do criminoso. O detetive abandona voluntariamente a ética individualista, mas ainda a mantém na lembrança. Por essa razão, pode "entender" o criminoso (e, quando necessário, realizar façanhas criminosas); em termos potenciais, seria também um criminoso. Nos personagens do detetive e do criminoso, uma única renúncia, um único sacrifício é encenado, de modos diferentes. Isto se vê em "O problema final", quando Holmes e Moriarty, "presos um nos braços do outro", mergulham nas Cachoeiras de Reichenbach.

Essa repressão voluntária do eu combina com o diletantismo de Holmes (e de todos os outros detetives clássicos). Diletantismo não é superficialidade, mas trabalho feito pelo prazer do trabalho: "Para o homem que ama a arte pela arte [...] costuma ser de suas manifestações inferiores e menos importantes que tira o mais agudo prazer" ("As faias cor de cobre"). Assim, Holmes não é um policial, mas um intelectual decadente (como fica gritantemente óbvio em sua fuga para a música e a cocaína). É o intelectual que não é mais uma pessoa, mas um produto: "[Este caso] me salvou do tédio. [...] *'L'homme c'est rien, l'œuvre c'est tout'*, como Gustave Flaubert escreveu a Georges Sand" ("A Liga dos Cabeças Vermelhas"). Ele é o intelectual que Max Weber e T. S. Eliot discutem:

> No campo da ciência, só aquele que se dedica unicamente ao trabalho mais à mão tem "personalidade". E isso não vale só para o campo da ciência; não conhecemos nenhum grande artista que tenha feito outra coisa senão servir à sua obra e somente à sua obra.[18]

> O progresso de um artista é um sacrifício contínuo de si mesmo, uma extinção contínua da personalidade [...] quanto mais perfeito o artista, mais completamente separados serão em si o homem que sofre e o homem que cria. [...] A poesia não é um liberar da emoção, mas uma fuga da emoção; não é a expressão da personalidade, mas a fuga da personalidade. [...] A emoção da arte é impessoal. E o poeta não consegue atingir esta impessoalidade sem se entregar inteiramente ao trabalho a ser feito.[19]

Estas palavras exigem uma redefinição do conceito de decadentismo, para separá-lo da noção vaga de "decadência" e uni-lo à de "desenvolvimento capitalista". A cultura decadente descreve-se como um processo de trabalho alienado (Eliot: "Se entregar inteiramente ao trabalho a ser feito"; Weber: "Servir à sua obra e somente à sua obra"). A arte pela arte tem suas raízes na produção pela produção.

Voltando a Holmes. Ele não é policial, é detetive particular; nele, a detecção está desengajada dos objetivos da lei. Sua meta é *puramente cultural*. É preferível que o criminoso fuja (o que de fato acontece) e a detecção se complete do que ter o criminoso capturado e impedir a reconstrução lógica. Mas o corolário disso é que o universo cultural é o meio mais eficaz de policiamento. A ficção policial é um hino à capacidade coercitiva da cultura, que se mostra mais eficaz que a pura e simples repressão institucional. A cultura de Holmes, assim como a cultura de massa que a ficção policial ajudou a criar, nos atinge em qualquer lugar. Esta cultura conhece, organiza e define todos os dados importantes da existência individual como parte da existência social. Cada história reitera o ideal do Panóptico de Bentham: a prisão-modelo, que assinala a metamorfose do liberalismo em total legibilidade.[20] Além disso, a cultura de Holmes resolve a profunda ansiedade de uma sociedade em expansão: o medo de que o desenvolvimento libere energias centrífugas e assim torne impossível o controle social eficaz. Este problema surge totalmente na *metrópole*, onde o anonimato — ou seja, a impunidade — reina em potencial e vem se transformando bem depressa num esconderijo emaranhado e inacessível. Vimos a ficção policial responder ao primeiro problema: o culpado nunca consegue se ocultar na multidão. Seus rastros o traem como ser individual e, portanto, vulnerável. Mas a ficção policial também restitui a confiança no caso do segundo ponto. Todas as investigações de Holmes são acompanhadas e sustentadas pelos mecanismos novos e perfeitos de transportes e comunicações. No mundo de Conan Doyle, carruagens, trens, cartas, telegramas são todos fundamentais e *sempre* atendem às expectativas. São o apoio tácito e indispensável da prisão. A sociedade se expande e fica mais complicada; mas cria um arcabouço de controle, uma rede de relacionamentos, que a mantém unida com mais firmeza do que nunca.

No entanto, vamos olhar mais de perto a imagem da cultura transmitida pela ficção policial. Desde Poe, o detetive encarnou um ideal *científico*: ele descobre os vínculos causais entre os eventos, e desvelar o mistério é ligá-los a uma *lei*. O ponto é que, na virada do século, a cultura da alta burguesia vacila em sua convicção de que seja possível determinar o funcionamento da sociedade dentro do arcabouço das leis científicas, ou seja, objetivas. De acordo com Max Weber:

> Perguntamos [...] como é, em geral, a atribuição de um efeito concreto a uma "causa" individual possível e realizável em princípio, em vista do fato de que, na verdade, uma *infinidade* de fatores causais condicionaram a ocorrência daquele "evento" individual e que, de fato, absolutamente todos esses fatores causais individuais foram indispensáveis para a ocorrência do evento em sua forma concreta. A possibilidade de selecionar dentre a infinidade de determinantes é condicionada, em primeiro lugar, pelo modo do nosso *interesse* histórico.[21]

Assim, segundo Weber, a ciência social não pode mais produzir um *acordo geral*. Assim como não há "interesse geral" na vida econômica e política, um sistema comum de valor não pode existir. Há apenas valores no plural, cada um deles em luta perene com outros ideais que são "tão sagrados para os outros quanto os nossos são para nós".[22] Esse quadro não é totalmente convincente; há uma relação complexa e surpreendente entre a parcialidade conflituosa do moderno sistema de valor e o seu potencial de nivelamento e integração. Mas devemos voltar à ficção policial, que visa a manter *não problemática* a relação entre ciência e sociedade. Com efeito, o que a ficção policial faz? Cria um problema, um "efeito concreto" — o crime — e declara relevante uma única causa: o criminoso. Desdenha as outras causas (por que o criminoso o é?) e desfaz a dúvida de que toda escolha é parcial e subjetiva. Mas, então, descobrir aquela única causa significa reunificar causalidade e objetividade e reafirmar a idéia de um interesse geral da sociedade, que consiste em resolver *aquele* mistério e prender *aquele* indivíduo, e mais ninguém. Ao encontrar uma solução que é válida para todos — a ficção policial não permite leituras alternativas —, a sociedade afirma sua unidade e, mais uma vez, declara-se inocente. Se, de fato, a ficção policial brota de um mistério, isso se deve à ausência da *fabula*, o evento principal, que só dois personagens podem fornecer: o criminoso e a vítima. Os que não percebem a *fabula* — todos os outros personagens da história policial e, no mesmo plano, o leitor — não podem, portanto, ser ativa ou passivamente responsáveis pelo crime. Como o crime é apresentado sob a forma de um mistério, a sociedade é absolvida desde o princípio; a solução do mistério prova sua inocência.

Como vimos com os estereótipos, a inocência, no mundo da ficção policial, é a falta de experiência: estase. A "ciência" de Holmes também é estática. Suas características mais notáveis — as "revelações" gratuitas a clientes e amigos ("Percebo que o senhor esteve no Afeganistão", em *Um estudo em vermelho*, são suas primeiras palavras ao pobre Watson) — devem sua existência ao fato de que Holmes conhece todas as causas possíveis de cada acontecimento. Assim, as causas relevantes são sempre um conjunto *finito*. Também são fixas: sempre produzem o mesmo efeito.[23] Holmes não pode errar, porque possui o código estável que está na raiz de todas as mensagens misteriosas — quer dizer, misteriosas para o leitor, que é mantido na ignorância do código, enquanto Holmes percebe à primeira vista o único significado possível das várias pistas. Talvez "sintomas" seja melhor que "pistas", pois são efeitos sistemática e absolutamente correlacionados com causas unívocas e estáveis, enquanto Eco escreve: "Na verdade, as pistas raramente são codificadas e com freqüência sua interpretação é uma questão de complexa inferência em vez de reconhecimento signo-função, o que torna os romances policiais mais interessantes do que a detecção da pneumonia."[24] Isso não é verdade no caso do detetive arquetípico. Mas não reduz em nada o seu fascínio; para quem está doente, o diagnóstico do médico será sempre espetacular, ainda mais se tranqüilizador. E Holmes é exatamente isso: o grande *médico* dos últimos vitorianos, que os convence de que a sociedade ainda é um grande *organismo*, um corpo unitário, que pode vir a ser conhecido. Sua "ciência" é simplesmente a ideologia deste organismo; louva o seu triunfo ligando instantaneamente *trabalho* e *aparência externa* (corpo, roupa), reafirmando a idéia da *sociedade hierárquica* que é externalizada, tradicionalista e fácil de controlar. Com efeito, Holmes personifica a ciência como bom senso ideológico, "bom senso sistematizado". Degrada a ciência, assim como ela foi humilhada tanto pela estrutura produtiva inglesa quanto pelo sistema educacional na virada do século. Mas, ao mesmo tempo, exalta-a. A necessidade do mito da ciência foi sentida exatamente pelo mundo que *menos* o produziu. A Inglaterra não chegou à segunda Revolução Industrial, mas inventou a ficção científica.

As pistas, quer sejam definidas como tais, quer como "sintomas" ou "rastros", não são fatos, mas procedimentos verbais — mais exatamente, *figuras de retórica*. Assim, a famosa "faixa" de uma história de Holmes, uma metáfora excelente, é decifrada gradualmente como "faixa", "cachecol" e, finalmente, "serpente". Como era de se esperar, com mais freqüência as pistas são metonímias: associações por contigüidade (relacionadas ao passado), às quais o detetive tem de fornecer o termo que falta. A pista é, portanto, aquele elemento específico da história no qual o vínculo entre significante e significado se altera. É um significante que sempre tem vários significados e, assim, produz *numerosas* suspeitas. "Isto é significativo", Poirot nunca se cansa de repetir; querendo dizer que ele se encontra diante de algo que transcende o significado literal e costumeiro. Isso também faz parte da culpa do criminoso: ele criou uma situação de ambigüidade semântica, questionando assim as formas costumeiras de comunicação e interação humana. Deste modo, compôs uma audaciosa *obra poética*. O detetive, por outro lado, deve desfazer a entropia, a eqüiprobabilidade cultural produzida pelo crime e que é um aspecto relevante dele; terá de reinstaurar os vínculos unívocos entre significantes e significados. Deste modo, precisa realizar uma operação científica. Nos termos dos formalistas russos, o criminoso produz o *sjužet*, o detetive a *fabula*. Mais uma vez, o primeiro personifica o pólo literário; o segundo, o científico. *A ficção policial* — tentarei explicar por quê na conclusão — *é a literatura que deseja exorcizar a literatura.*

### *Watson*

Watson, pobre tolo. No sistema opositivo da ficção policial, Watson tem um papel indefinido. Não é um dos "inocentes" a serem absolvidos. Quando está ao lado de Holmes, este o transforma num títere. Quando, raramente, faz alguma coisa por conta própria ("O ciclista solitário"), acaba sendo manipulado pelo criminoso. Ainda assim, Watson (e todas as suas reencarnações: os amigos e ajudantes dos vários detetives) é essencial, em primeiro lugar, como *função literária*. Enquanto o criminoso inicia a ação e o detetive a encerra, Watson a prolonga. Sua função específica é puramente quantitativa. Uma história policial pode durar dez ou duzentas páginas e nada muda; a ficção policial tem sempre a estrutura do conto (segundo a definição dos formalistas russos, que parece ser a mais exata). Quando assume as dimensões e o nome de romance, só é romance no número de páginas que ocupa — ou seja, em termos físicos e não estruturais. Mas a função de Watson é quantitativa de uma forma mais profunda: ele *acumula detalhes inúteis*. Suas descrições fornecem tudo, menos o essencial. Ele entra num quarto (em "A faixa malhada") e, ao longo de duas páginas, descreve sua mobília; mas sequer menciona o falso cordão de campainha que é a única pista. Assim, por meio da figura de Watson a ficção policial ataca o naturalismo. "Você vê", repete Holmes continuamente, "mas não observa" ("Um escândalo da Boêmia"). A realidade criminosa não tem mais uma acepção unívoca e transparente. Com a alteração de significante/significado, vínculo superficial/profundo, a poética baseada na imagem especular será sempre inadequada; Watson jamais descobrirá um único criminoso. Finalmente, com sua crítica implícita do naturalismo, a ficção policial reitera a imagem do criminoso que tenta difundir: o sujeito que *escolhe livre e conscientemente*, e não a vítima daquele "meio social" naturalista que poderia explicar e, pior ainda, até justificar seus crimes.

*Watson, c'est moi* é o que todo leitor de ficção de detetive poderia dizer. Além de narrador, Watson é o *espectador* das aventuras de Holmes. O próprio Holmes lhe atribui este papel: "Aí vem ele [o cliente]. Sente-se naquela poltrona, doutor, e nos dê o máximo de atenção" ("Um escândalo da Boêmia"). A ficção policial precisa criar o seu leitor. Para isso, precisa arrancá-lo do "mundo dos negócios" e, nas palavras de Poe, "aprisioná-lo" em sua trama. Assim faz Holmes com Watson: arranca-o da cama, afasta-o da esposa e do trabalho. "Um caso profissional de grande atividade ocupava a minha própria atenção na época, e durante todo o dia seguinte fiquei ocupado à cabeceira do paciente. Só perto das seis da tarde *vi-me livre*, e fui capaz de *pular num cabriolé* e ir até a Baker Street, meio temeroso de ser tarde demais para assistir ao *desenlace* daquele *pequeno* mistério" ("Um caso de identidade"). Esta frase anuncia a desvalorização do trabalho que caracterizará a nova ética burguesa e da qual a cultura de massa se alimentará, tanto em seu conteúdo quanto em sua justificativa de si mesma.

Assim como no nível estilístico, a descrição naturalista é condenada como interpretação errada, de modo que, no sistema dos personagens, é

Watson que apresenta as soluções erradas. Nisso, é novamente a imagem do leitor que, na verdade, compete com ele e nisto se gratifica: embora nunca seja tão esperto quanto o detetive, jamais será tão estúpido quanto Watson. A ficção policial, deste modo, dá ao leitor o papel intermediário entre os extremos de *leitura passiva* (Watson registra automaticamente acontecimentos que não compreende) e da *escrita* (Holmes, que narra a *fabula*, surge como o verdadeiro autor da obra; Poe afirmava que, ao escrever contos, é preciso sempre começar pela solução). Esta transformação potencial do leitor em co-autor é o "desafio" de que se gaba a ficção policial, com base na bem conhecida fórmula: "O autor está para o leitor como o criminoso para o detetive." Assim como o detetive "reescreve" a história produzida pelo criminoso, o leitor, suprido com todas as pistas necessárias, pode resolver o mistério e, deste modo, "escrever" sozinho a história que está lendo. Mas na verdade este não é um desafio à sua inteligência. Como leitor, só se pode descobrir o que, de qualquer modo, já se descobriu. Tentar "adivinhar" é apenas esconder de si mesmo o fato de que as regras estão dadas e aceitar uma situação na qual o cérebro do indivíduo também pode parar de funcionar. A ficção policial criou o seu leitor.

### *Conclusão*

Na ficção policial, como no conto, o peso gravita em direção ao final. O final da ficção policial é realmente o seu fim: é a sua solução em seu sentido literal. A *fabula* narrada pelo detetive em sua reconstrução dos fatos nos leva de volta ao princípio, ou seja, abole a narrativa. Entre o princípio e o fim da narrativa, entre a ausência e a presença da *fabula*, não há "viagem", somente uma longa *espera*. Nesse sentido, a ficção policial é antiliterária. Declara que a narrativa é um mero desvio, uma máscara daquele significado unívoco que é a sua razão de ser. Ainda assim, a soberba científica da ficção policial *necessita* do "desvio" literário, ainda que somente para destruí-lo; uma solução sem mistério, uma *fabula* sem um *sjužet*, não teria nenhum interesse.[25] Não apenas antiliterária, portanto, a ficção de detetive exprime um desejo ambivalente pelo literário; a literatura ainda é desejada, mas somente para ser ridicularizada e relegada às lembranças inúteis.[26] Ou melhor: ainda é desejada, mas somente se o próprio texto contiver um mecanismo explícito para desambigüizar o significado. A "solução" da ficção policial tem função análoga à "moral" da fábula. Abole a "finalidade sem meta" kantiana e apresenta um caminho obrigatório para a nossa leitura da obra. A função original de "arte autônoma" — a auto-educação, a *Bildung* que sua fruição provoca — também se reduz. Na ficção policial, ler não é mais investimento, escolha, experiência e esforço intelectual; é desperdício, erro, é "ceder às aparências"; é apenas *distância* e *retardo* em relação à *solução revelada*. Mas é preciso acrescentar mais uma coisa. Defini a ficção policial como "científica" e, com certeza, ela imita a univocidade da linguagem científica. Mas, diversamente das asserções das ciências empíricas, as soluções da ficção policial são literárias e, assim, não referenciais. A ficção policial, portanto, só dá a sensação de conhecimento científico. Satisfaz com perfeição a aspiração de certeza, porque evita com rigor a prova da realidade externa. É a ciência transformada em mito e, assim, auto-suficiente. A ficção policial esvazia o ideal protoburguês de cultura experimental ao subordiná-lo a uma estrutura literária que é tudo, menos experimental. O modelo cultural que promulga precisa não ser coerente com a realidade externa, somente consigo mesmo. Esta auto-referencialidade perfeita acaba por definir a ficção policial como fenômeno hiperliterário. E permite apreender a verdadeira relação entre comunicação literária e ideologia.

Este ensaio se baseia na hipótese de que haja dois sistemas de significado na ficção policial. O primeiro é evidente e literal: Dr. Roylott tenta matar a sobrinha fazendo uma cobra descer pelo falso cordão de campainha... Tentei reconstruir o segundo: o tio, pai substituto e nobre decaído, viola os laços familiares por dinheiro, deixando pistas que o investigador decodifica... É claro que todo texto literário é construído sobre vários níveis de significado e a primeira tarefa da crítica consiste sempre em determinar o sistema básico e mais abstrato que, através de uma série de transformações — cujos procedimentos, aliás, estão longe de serem claros —, "gera" o texto como ele se apresenta. A característica distintiva da ficção policial é a *distância* entre o significado profundo e o significado superficial. É difícil ler *Hamlet* ou *Eugene Onegin* sem perceber a existência de uma miríade de significados que se tornam mais claros a cada leitura; mas é possível (e comum) ler Agatha Christie na certeza de que só o nome do assassino é que conta (com efeito, quem é que "relê" uma história policial?). Quando se lêem histórias policiais, nunca se pensa nos significados tratados neste ensaio. Ainda assim eles existem, a ponto de motivarem todas as leis de funcionamento da estrutura superficial — um culpado, vestígios, o conflito entre o detetive e a polícia, o "ajudante", deduções científicas e objetivas e assim por diante, regras que os próprios escritores de mistério sempre reconheceram (e até codificaram) sem jamais entender a sua "necessidade". Em outras palavras, a construção superficial da ficção policial depende das regras culturais que formam a sua estrutura profunda. É só através delas que a ficção policial adquire significado e desperta interesse. Mas essa dependência está mascarada. Além disso, o apuro da técnica superficial está a par com o do ocultamento: mais completo em Christie, Van Dine e Queen do que em Poe e Conan Doyle (cuja obra se presta melhor à análise). O sucesso de massa é inseparável do apuro do ocultamento, por tornar inescrutável o significado cultural profundo. Este continua a existir e agir, mas hoje autores e leitores estão totalmente inconscientes dele. A cultura de massa é a cultura da inconsciência. Baseia-se em premissas pétreas e só toma forma através de suas conseqüências e efeitos, mas as premissas nunca aparecem no quadro nem se tornam objeto de discussão. Assim, a cultura de massa evita a forma mais comum de expressão ideológica — o "juízo do mundo", seja de que natureza for — para difundir outra muito mais eficiente: a construção do mundo. Este mundo não mais parece "verdadeiro" em relação com o pano de fundo do mundo externo ou comparado a ele, mas com base em sua coerência com suas próprias leis internas. Isso nos leva de volta ao argumento do parágrafo anterior e à ligação entre a literatura "pela literatura" e a cultura de massa. O mundo não referencial da cultura de massa não passa da extensão do universo literário. Portanto, a literatura é a forma mais perfeita de comunicação ideológica. Se a ideologia é, objetivamente, um conhecimento falso percebido como subjetivamente verdadeiro,[27] a literatura, por definição, atende a ambas as condições: escapa a toda verificação externa e, ao mesmo tempo, apresenta-se ao sujeito com todas as características da experiência real.[28]

O processo de ocultamento do significado profundo da ficção policial também é o processo de manifestação do seu significado superficial. Este processo bilateral, emaranhado na estrutura literária específica da ficção policial, apresenta uma analogia extraordinária com o mecanismo da produção capitalista, como Marx, numa de suas muitas descrições da ideologia, o descreve:

> Esta forma *capital-juro* é, exatamente, a forma em que toda mediação desaparece e o capital se reduz à sua fórmula mais geral, mas por esta razão também é uma forma absurda e inexplicável em seus próprios termos. [...] Se o capital aparecia originalmente na superfície da circulação como fetiche de capital, valor criador de valor, agora apresenta-se novamente na figura do capital gerador de juros, como sua forma mais afastada e peculiar [...] já que o lucro ainda retém a lembrança da sua origem, que no juro não só é obliterada como, na verdade, colocada numa forma *diametralmente oposta à sua origem*.[29]

Ao comentar este e outros trechos análogos, Nikolas Rose observou como Marx discute "duas realidades e a distância entre elas. Afinal, as formas fenomênicas não são aparências ilusórias; são realidades. *São a forma da realidade que as relações capitalistas de produção* produzem, uma realidade que é, ao mesmo tempo, a forma de manifestação dessas relações e a forma de seu ocultamento".[30] Este conceito de dois níveis da realidade, um superficial e óbvio, o outro profundo e oculto, um efeito, o outro causa, também foi postulado por Lucio Colletti:

> Há duas realidades no capitalismo: a realidade expressa por Marx e a realidade expressa pelos autores que ele critica. [...] O olho capitalista, acostumado à síntese e à visão geral, não se digna a distinguir entre as várias coisas que comprou. Do seu ponto de vista, o trabalho assalariado é *separado* do capital. [...] Mas o que é importante entender é que está envolvido mais do que um ponto de vista subjetivo; é um ponto de vista que corresponde, em certo sentido, ao verdadeiro curso das coisas. [...] O

> capital é produzido pelo trabalho; o trabalho é a causa, o capital o efeito; um a origem, o outro o resultado. Ainda assim, não só na contabilidade da empresa como no mecanismo real, a classe trabalhadora surge apenas como "capital variável" e como fundo salarial; o "todo" tornou-se a "parte" e a parte, o todo.[31]

Esta discussão revela que o traço mais característico e a função principal da ideologia consiste em apagar o processo social que produz esses efeitos — aquela realidade superficial — que coloca no centro do mundo; em tornar alguns fenômenos *absolutos*. Todos os grandes símbolos e procedimentos formais da cultura de massa surgem exatamente da mesma maneira. Há um processo cultural que, através de suas estruturas profundas, gera leis e símbolos superficiais que, então, rescindem de forma autônoma o vínculo com suas raízes. O efeito profundo e confuso que sempre provocam — o vampiro como a *vamp*, o suspense como a caça — depende, exatamente, do fato de que os valores culturais básicos estão ao mesmo tempo presentes e ausentes, ativos e irreconhecíveis neles. Deste modo, a cultura de massa é um exemplo perfeito de *fetichismo cultural*. Isso cria a sua capacidade de funcionar e multiplicar a inconsciência de produtores e consumidores. O fetichismo é a transformação de uma capacidade humana num atributo de "coisas": leis da composição, procedimentos retóricos que hoje parecem *obrigatórios, naturais e forçosos*. Seu significado não pode mais ser compreendido, exatamente porque esses procedimentos não podem mais ser *controlados*.

A autonomização da cultura, sua transformação numa forma objetiva, capaz de produzir significados basicamente independentes da consciência e da vontade de seus produtores, é o verdadeiro âmago da ideologia; o seu conteúdo pode mudar com o tempo, mas a sua natureza formal permanece. Além do mais, é por isso que a ideologia, estritamente falando, só existe no capitalismo; só ali, com efeito, o vínculo entre as pessoas — o relacionamento social — é verdadeiramente impessoal, abstrato e formal. Assim, voltamos à imagem do trabalho intelectual esboçada por Weber e Eliot; e, antes e de forma mais rigorosa, por Simmel. Num ensaio de 1911 — "Sobre o conceito e a tragédia da cultura"[32] — Simmel já escrevia sobre "a dedicação apaixonada à causa com suas leis imanentes que exigem perfeição, de modo que o indivíduo criativo torna-se indiferente a si mesmo e se extingue [...] negando totalmente a si mesmo a devoção a uma tarefa objetiva". Deste modo, tanto na produção quanto no consumo da obra cultural, a relação entre sujeito e objeto é virada pelo avesso: "Todas essas seqüências [de produtos culturais] funcionam dentro dos limites de leis puramente internas. Se e até que ponto podem ser incluídas no desenvolvimento da alma subjetiva não tem nada a ver com a sua importância." A divisão do trabalho intelectual confirma de forma radical a tendência da cultura à autonomia:

> Assim, por meio do esforço cooperativo de pessoas diferentes é comum passar a existir um objeto cultural que, como unidade total, *não tem produtor*, já que não brotou do eu total de nenhum indivíduo. [...] Se examinado mais de perto, parece um caso extremamente radical de um destino humano-espiritual que, fora isso, seria geral. A maioria dos produtos de nossa criação intelectual contém uma certa cota que não é produzida por nós. [...] O feito terminado contém ênfases, relações, valores não pretendidos pelo trabalhador.

E, finalmente: "O 'fetichismo' que Marx atribuiu às mercadorias econômicas constitui apenas um caso especial deste destino geral do conteúdo da cultura." Vou deixar de lado as sugestões e objeções despertadas por estes trechos e prender-me ao ponto central. Tudo parece coincidir: o fetichismo das mercadorias duplica-se no fetichismo da cultura. O processo de alienação governa todo o arcabouço social. A inversão entre sujeito e objeto determina até a inspiração poética. Tudo parece combinar — mas o problema se origina exatamente aí. A obtenção de autonomia pelas formas culturais indica — se as palavras têm significado — que elas se desenvolvem de acordo com sua própria lógica específica e, portanto, não podem ser previstas e deduzidas pela análise de outras esferas sociais. Se são verdadeiramente autônomas, não podem mais ser oriundas de uma "causa-meta" central e única que, em Marx, é o processo de acumulação capitalista baseado na abstração do trabalho. Não podem mais ser deduzidas dela nem a reproduzem. Não são construídas nem podem ser explicadas pelo princípio da homologia ou do isomorfismo. No entanto, isso não significa necessariamente que as formas culturais se desenvolvam como uma constelação de "discursos" inteiramente independentes e conflituosos, como uma hierarquia de "poderes" sempre instável e imprevisível e totalmente privada de um centro e uma meta. O centro — o processo de acumulação — não esgota mais a inteireza da produção cultural e social, no sentido em que não a *assimila* mais; ainda assim, pode sempre controlá-la com base no princípio da *funcionalidade*, que nada tem a ver com o princípio da homologia. A funcionalidade permite tanto a *especialização* de atividades sociais diferentes quanto o seu elevado índice de *autonomia*. Por enquanto, contudo, esta é apenas uma hipótese; tanto porque a existência e o modo de operação do princípio da funcionalidade ainda está por ser inteiramente demonstrado, quanto porque ele não pode ser concebido como algo programado, mas sim como resultado puramente objetivo de um processo de ajuste e integração de estruturas distintas. Mas é claro que o argumento inicial deste ensaio não é meramente metodológico; a correlação teórica problemática entre metodologias distintas reflete a correlação entre estruturas diversas, que se tornou problemática na realidade.

Essa linha de raciocínio nos leva além do arcabouço marxista clássico no qual a ênfase sempre cai sobre o nivelamento radical, a *reductio ad unum* que está implícita não na "estrutura econômica" como tal, mas nas formas específicas de acumulação capitalista. Isso dá origem a questões difíceis: até que ponto esse arcabouço funcional, que surge no final do século XIX como produto do desenvolvimento capitalista, é realmente *compatível* com ele? Será teoricamente concebível que um processo de acumulação e nivelamento possa coexistir com domínios que resistem e questionam o seu "movimento incessante" e até criá-los e fortalecê-los? Qual é o peso *simbólico* atual da acumulação capitalista naquelas sociedades que continuamos a chamar de "capitalistas"? Será que talvez seja percebida como o *meio* de existência da sociedade, em vez de sua *meta*? Mas aí como devemos redefinir o sistema de valores desta sociedade e reconsiderar a sua relação com a esfera econômica?

Esses problemas vão muito além do nosso tema e ainda não encontraram explicação satisfatória. Até que esta época chegue, qualquer reflexão sobre a cultura de massa, que é parte constituinte deste processo contraditório, será construída sobre pés de barro. O caso da ficção policial não ajuda muito, já que desempenhou um papel ambivalente na formação do nosso admirável mundo novo. De um lado, é um exemplo extremado da ideologia burguesa liberal segundo a qual a sociedade deve se "auto-regular" com base nos mecanismos impessoais e automáticos da economia de mercado. Quem quiser submeter estes mecanismos a sua vontade arbitrária será culpado de querer que a sociedade civil regrida ao estado natural. O detetive é a imagem do estado disfarçado de "vigia noturno", que se limita a assegurar o respeito às leis — em particular, às leis econômicas. Isso se reflete numa imagem da cultura (o "sistema científico" do detetive) como *extrema ratio*, acumulação de dados a ser usada somente em casos de emergência, como instrumento de defesa e não de *desenvolvimento* social. Sob essa luz, a ficção policial é o canto do cisne dos ideais de Manchester. Mas, por outro lado, é o carrasco do liberalismo em todos os seus significados fundamentais, e principalmente porque promulga uma cultura que já é um sistema fechado e auto-referencial. Neste sentido, embora a idéia possa parecer ofensiva a alguns, é uma afirmação radical da autonomia da cultura. Com a autonomia vem o desencanto. Quem lê um conto policial lê um conto policial. Ele não ajuda ninguém "na vida"; não há *Bildung*. A vida agora também *consiste em* ler ficção policial. Quanto menos a forma cultural "ajuda", quanto menos é traduzível, transformável e usável, mais ela *se impõe*. Embora "inútil", a ficção policial, como vimos, tem um significado. Mas o significado está oculto; age pelas costas do leitor; tornou-se incontrolável. A ficção policial, através do detetive, louva o homem que dá significado ao mundo. Mas, estruturalmente, incorpora o princípio oposto, que é desdobrar-se por inteiro na cultura de massa: um processo que institui um significado — uma cultura — que deixa de lado o consenso ativo e consciente de seus integrantes. É o totalitarismo *sui generis* do capitalismo contemporâneo, que, no entanto, permanece, na ficção policial, mais como promessa, por assim dizer, do que como realidade. As datas são ilustrativas: a ficção policial clássica tem seu ponto alto entre 1890 e 1935. Nos anos 30, quando o capitalismo keynesiano decola e, ao mesmo tempo, a cultura de massa moderna se impõe, a ficção policial torna-se acadêmica e maneirista. O seu significado profundo esgotou a sua função histórica, que é eminentemente destrutiva, assim como sua pedagogia é estritamente negativa: inocência como inexperiência, história ideal como ausência de história, equilíbrio econômico como renúncia ao desenvolvimento, segurança individual como desindividuação. A ficção policial não criou a cultura de massa; preparou-a, ao apagar a cultura hegemônica precedente. É aí, e não na cultura de massa, que a "dialética do iluminismo" se cumpre ao destruir a sensibilidade romântica, na poda da civilização européia que abre espaço para o modo de vida norte-americano. Com certeza a cultura de massa não viria a existir sem essa hecatombe, mas ela não consiste, como parecem acreditar Horkheimer e Adorno, apenas na reencenação contínua desse "sacrifício". Em vez disso, deve-se buscar sua verdadeira base na reavaliação e reformulação modernas do mecanismo do "pensamento mítico".

# Jardim-de-infância

Felizes os tempos em que Diderot podia admitir, sem se sentir nem um pouco aviltado, que chorara profusamente enquanto lia um romance — tempos felizes e, a seu próprio modo, sem recato. Afinal, há mais de um século os intelectuais europeus têm vergonha de falar em lágrimas. O riso, sim; essa pura demonstração de poder na qual, como disse Canetti, "mostram-se os dentes" a alguém, era permitido e útil discutir. Mas não as lágrimas.

Mas, como costuma acontecer, continuaram a ser escritos romances projetados para fazer chorar e todos continuaram a lê-los para chorar. Quem diz a si mesmo que esse é um fenômeno curioso que vale a pena examinar mais de perto logo descobre que, embora haja numerosas teorias sobre o cômico, muitas delas geradas por nomes de prestígio, reina o silêncio sobre o comovente. Neste ponto, há uma hesitação. Se quase todo mundo estuda o riso e ninguém estuda o choro, deve haver alguma razão... Mas, ao ser inspecionado, esse estado de coisas não prova absolutamente nada por si só. Pode-se afirmar que o cômico foi analisado e o comovente ignorado porque o primeiro é importante (por razões lingüísticas, narrativas, psicológicas, estéticas ou outras) e o segundo, não. Ou podemos inverter os termos com elegância e afirmar que o que está coberto de silêncio é mais importante — por secreto e indizível — do que o que se discute com conforto.

A segunda destas hipóteses pareceria mais adequada a um estudo voltado exatamente para a literatura comovente. Mas prefiro deixá-la em segundo plano. As hierarquias só me interessam até certo ponto e, de qualquer modo, não há como supor que o cômico e o comovente sejam fenômenos simétricos. Vamos reconhecer, em vez disso, que a ausência de tradição teórica torna o ponto de partida de uma investigação ainda mais discutível e escorregadio que de costume. Um conjunto de teorias, ainda que rivais e bastante errôneas, constitui pelo menos uma base sobre a qual a reflexão crítica pode se apoiar e depois até abandonar-lhe as hipóteses iniciais. Podem-se considerar totalmente erradas todas as teorias existentes da tragédia ou do romance, mas pelo menos elas costumam permitir que duas pessoas concordem em classificar um texto como tragédia ou como romance. E esta operação inicial, embora obviamente aproximada, é, por si só, um julgamento, um ato que leva ao resultado final da investigação.

No caso da literatura comovente, a pré-seleção permitida pela existência de um contexto teórico não é possível. Vemo-nos defronte de uma série contínua de textos na qual é preciso fazer dois cortes: daqui até ali, isso é literatura comovente. Mas por que exatamente este grupo de textos e não outros? Porque — e que os viciados em teoria tentem se acalmar agora — só esses textos me fizeram chorar.

Não há outro modo. Quando se quer apresentar um novo "objeto" de discussão, é preciso começar das premissas mais empíricas, subjetivas e grosseiras. Só se pode começar afirmando que comovente é o que faz alguém chorar. (Para ser rigoroso: o que me faz chorar, a mim e à maioria, embora não a todas as pessoas que consultei com esse propósito.) Depois de dizer isso, é preciso tentar explicar *como* se produz o choro e qual é a possível *função* dos textos capazes de gerar esse efeito. O conteúdo da literatura comovente fica mais rico, seus limites mais claros; seus procedimentos demonstram uma regularidade que pode ser apresentada como um modesto sistema de leis. Se, no fim da pesquisa, soubermos *mais* e *melhor* sobre os textos de onde partimos e se nossa percepção do sistema cultural a que pertencem também se modificar, então houve sentido na operação — foi até, a seu modo, "necessária". Neste ponto é bom lembrar que a justificativa real de *toda* interpretação não é ser "possível" ("podemos interpretar o texto *x* da seguinte maneira..."), mas ser *necessária* para entender melhor coisas que, sem a interpretação, pareceriam obscuras ou contraditórias. Caso não cumpra este fim nem, mais modestamente, seja motivada por esta exigência, então a atividade de interpretação é perfeitamente inútil. E no campo da teoria não há acusação mais condenatória do que esta.

Mas vamos aos textos. Aqueles em que vou me concentrar — *Coração*, *Os meninos da Rua Paulo* e, em menor grau, *Misunderstood* [Incompreendido][1] — não esgotam o campo da "literatura comovente", mas constituem claramente um grupo. São textos com "meninos" como protagonistas e como seus leitores ideais. Este fato permite — na verdade, obriga — a lê-los contra o pano de fundo de uma das principais correntes narrativas da nossa civilização: aquela que envolve o ideal (embora difícil de definir, como veremos) da *Bildung* e as estruturas narrativas capazes de representá-lo e promovê-lo. Descobre-se, assim, que o elemento comovente como tal interage com uma das aspirações pedagógicas mais elevadas expressas pelo mundo burguês, e isso talvez nos permita lançar uma luz incomum sobre ambos os aspectos da questão.

*A retórica do "tarde demais"*

> Mas Ferruccio não disse mais nada. O heroizinho, salvador da mãe de sua mãe, atingido pelas costas, entregara a Deus sua alma bela e corajosa. ("Sangue romanhês", em *Coração*)

> E János Bóka, o general, rompeu, desesperado, em lágrimas amargas e desconsoladas. (*Os meninos da Rua Paulo*)

> — No *seu*, pai? O senhor sempre pegou Miles no colo. Nunca a *mim*. (*Incompreendido*)

É óbvio que se começa a chorar num ponto específico e é bem provável que, ao chegar nas três frases citadas acima, a grande maioria dos leitores caia em lágrimas. Mas é quase certo que nenhum leitor chorará ao vê-las impressas aqui. A situação é paradoxal: exatamente *aquela* frase, construída com as mesmíssimas palavras, é necessária para fazer chorar; mas sozinha a frase não basta.

Vamos colocá-las de volta no contexto. Descobrimos, então, que nos três casos adotou-se o mesmo procedimento: a frase comovente modifica o ponto de vista que conduziu a nossa leitura, organizando as suas expectativas e avaliações, nas páginas imediatamente precedentes. Antes do desconsolado "No *seu*, pai?", com que explode a subjetividade do pequeno Humphrey, a narrativa se concentrava nos pensamentos do pai, Sir Everard, convencido de que Humphrey não está muito interessado em sua atenção. János Bóka, no inesquecível episódio da batalha, foi mesmo apresentado como "general"; e generais não choram. Quanto a Ferruccio, sabe-se bem que De Amicis, pela boca da avó, acumula páginas e páginas de censuras contra ele antes de santificá-lo na apoteose final.

A mudança de ponto de vista é súbita, mas isso não a torna nova para o leitor. O ponto de vista restabelecido na frase comovente não retira o que predominou na parte imediatamente anterior, mas recorda um ponto de vista localizado ainda mais para trás no texto e que é, de fato e por definição, o principal e inquestionável, porque depende da avaliação "neutra" e "impessoal" do narrador, não das avaliações "limitadas" e "subjetivas" dos personagens. Embora Sir Everard esteja convencido do contrário, sabemos desde as primeiras páginas de *Incompreendido* que Humphrey quer a afeição do pai. A frase comovente dissipa a percepção errada de Sir Everard (que, durante algumas páginas, também é aquela com a qual o leitor é forçado a acompanhar os acontecimentos) com um curto-circuito que restabelece de modo definitivo a "verdade" original. O mesmo se aplica a Ferruccio ("Não era um menino de mau coração, muito pelo contrário", como De Amicis logo nos diz) e a Bóka, que é um menino como os outros, obrigado pelas expectativas dos amigos a adotar prematuramente uma casca dura de adulto.[2]

Demos mais um passo à frente mas ainda não chegamos lá. Esse mecanismo de recuo e restabelecimento de pontos de vista na verdade sempre foi conhecido pela teoria literária com o nome de "agnição". E a agnição, por si só, é um procedimento retórico neutro; serve do mesmo modo para fazer o mundo desmoronar em torno de Otelo e para levar *Tom Jones* a um final perfeitamente feliz. O que a faz produzir um efeito comovente não é o jogo de pontos de vista por si só, mas o *momento* em que ela acontece. A agnição é um mecanismo comovente quando acontece *tarde demais*. E para exprimir a sensação de ser "tarde demais", a rota mais fácil é, obviamente, preparar a agnição para o momento em que o personagem está a ponto de morrer.[3]

A morte é um acontecimento com uma classe só sua e voltarei em breve à sua função bastante específica na série de eventos que constitui a narrativa. Primeiro, é necessário decifrar quais elementos estão envolvidos na "agnição" retardada e que reações provocam no leitor. E como a agnição foi definida como solução de um choque entre pontos de vista opostos, vamos pegar uma declaração já clássica do problema dos pontos de vista, *The Structure of the Artistic Text* [A estrutura do texto artístico], de Lotman:

> Há pouquíssimos elementos da estrutura artística tão diretamente ligados à tarefa geral de construir uma imagem do mundo quanto o elemento "ponto de vista". [...] O modelo da cultura tem a sua própria orientação, expressa numa determinada escala de valores com relação ao que é verdadeiro e falso, elevado e inferior. Se imaginamos a imagem de mundo de uma dada cultura como um texto de nível suficientemente abstrato, essa orientação encontra sua expressão no ponto de vista do texto. [...] A relação entre criador e criatura é sempre uma relação entre o texto e o ponto de vista.[4]

O ponto de vista baseia-se numa hierarquia simbólica e, portanto, exprime sempre um juízo de *valor*. Mas os produtos artísticos, como bem se sabe, gozam do privilégio incomum de construírem eles mesmos os "fatos" contra os quais os "valores" selecionados em cada caso serão medidos. O que um "criador" tem de fazer para corroborar um sistema de pensamento e uma escala de valores não é mostrar como se adequam aos fatos já dados, mas realmente construir os fatos que melhor combinam com eles. Esta operação não é "mais fácil" do que a outra, mas é diferente, e isso significa que a distinção entre juízos de fato e de valor — extremamente problemática em qualquer ocasião — torna-se institucionalmente impossível no caso da comunicação estética.[5] Esta situação faz da literatura o veículo privilegiado de qualquer ideologia, se é que a meta da ideologia é fazer com que se aceitem os postulados de valor como fatos e, inversamente, invistam de valor o que já existe.

Mas se tudo isso é verdade, o que aconteceu na literatura comovente? Partimos de um primeiro ponto de vista, um "mais elevado", no qual os juízos de fato e de valor se fundem. Depois de certo momento, *outros* pontos de vista, de acordo com a pluralidade de pontos de vista que Bakhtin e mais tarde Lotman reconheceram como específica da ficção moderna, intervêm na estrutura do texto. Os fatos e os valores não coincidem mais. Na verdade, a diversificação dos valores dispara um mecanismo de ações e reações que logo chega a um ponto sem volta. Só então a verdade-moralidade original é restaurada e a discrepância de pontos de vista resolvida. Mas é tarde demais. O consenso universal foi restabelecido à toa. Ainda que todos estejam agora em condições de partilhar os mesmos valores, nada mais garante que possam se materializar no mundo, que possam se transformar em fatos. Este estado de coisas surge do que chamamos de "tarde demais" e que poderia ser chamado simplesmente de *tempo*. Com efeito, todos os sistemas de valores, enquanto sistemas, são inevitavelmente impelidos a querer que o fluxo do tempo pare ou (o que, na realidade, vem a ser a mesma coisa) a seguir sempre segundo ritmos previsíveis. Mas o tempo não pára e não obedece a ninguém. Menos ainda volta atrás nem nos permite usá-lo de forma diferente. É para isso que serve a morte do protagonista: para mostrar que o tempo é *irreversível*. E esta irreversibilidade é percebida com muito mais clareza quando não há dúvidas sobre o *sentido diferente* que se gostaria de dar ao curso dos acontecimentos.

É isso o que faz chorar. As lágrimas são sempre produto da *impotência*. Pressupõem dois fatos mutuamente opostos: que seja claro o modo como o estado atual das coisas deveria mudar[6] e que esta mudança seja *impossível*. Pressupõem um afastamento definitivo entre fatos e valores e, assim, o fim de toda relação entre a idéia de *teleologia* e a de *causalidade*. Nisto jaz a segunda razão pela qual a morte tem papel indispensável na literatura comovente. A pessoa que morre nunca aparece como aquela que executa uma intenção (esses textos, por questão de princípios, não permitem o suicídio), mas como submetida a uma série de *causas* além do seu controle; não como artífice de seus próprios desejos, mas como vítima da "realidade" em sua forma mais radical.[7] E já que há poucas coisas tão importantes para a formação dos seres humanos quanto o que lhes é proposto como "realidade" quando são crianças, vale a pena dar uma olhada no sistema de conexões causais que governa o mundo da literatura comovente.

## *Crimes e castigos*

Quando tentamos reconstruir por que os protagonistas dos nossos romances morrem, chegamos ao mesmo procedimento. Ferruccio é morto pelo terrível ladrão Mozzoni. Mas se não tivesse chegado em casa "às onze horas, depois de ficar muitas horas na rua", à meia-noite ele e a avó já estariam dormindo há muito tempo, o ladrão teria feito o seu trabalho em paz e terminaria sem nenhuma necessidade de facas lançadas nas costas. No fundo de tudo isso, portanto, há um elemento de "culpa" por parte de Ferruccio, que, contudo, recebe um castigo decididamente desproporcional. Quanto a Nemecsek, ele morre de pneumonia contraída depois de espionar um "conselho de guerra" dos seus inimigos, a Gangue do Jardim Botânico. Ao ser descoberto, é jogado num laguinho (onde já caíra algum tempo antes por descuido e pegara um "resfriado horroroso"). Poderia ter sobrevivido. Mas no dia da batalha foge à vigilância da mãe, corre para o campo e assina a sua própria sentença de morte. Outra transgressão "punida" com medidas extremas: Humphrey morre depois de cair de uma árvore na qual lhe disseram expressamente, e mais de uma vez, que não subisse. A moral é a mesma dos dois casos anteriores. Podem-se multiplicar os exemplos. Assim, em *Love Story*, quando Oliver e Jenny desobedecem às leis não escritas da família Barrett, sentimos que alguma coisa tem de acontecer; mas leucemia realmente parece demais. Novamente, numa esplêndida história de ficção científica de Tom Godwin, "The Cold Equations" ["As equações frias"], uma mocinha se esconde numa nave espacial. Quando é descoberta, sai-se com um ingênuo "Tá bem, desisto. Sou culpada, e o que vai acontecer agora? Pago uma multa ou o quê?" — e em vez disso, devido a proporções complicadas de combustível, peso e destino (as "equações frias" que constituem uma "lei física inexorável"), terá de ser lançada ao espaço de calça *jeans* e camiseta.

Agora, em si e por si, a seqüência transgressão-castigo é comuníssima. Pode-se dizer que não há um único texto de ficção em que não surja de uma forma ou de outra. Assim, não é a seqüência como tal mas o elemento de *desproporção* que é específico da literatura comovente — e, podemos acrescentar, do mundo moderno, da democracia burguesa ocidental. Embora a idéia de que o castigo deva ser proporcional ao crime seja encontrada aqui e ali também em épocas mais remotas, só se estabeleceu definitivamente nos últimos duzentos anos. Somente neste contexto histórico-intelectual a desproporcionalidade tornou-se claramente visível e sentida como coisa injusta e dolorosa, que "não devia acontecer" (mas acontece assim mesmo; é o mesmo contraste entre fatos e ideais que ocorre na agnição da hora da morte).

Culpa, castigo, falta de proporção: vamos prosseguir na investigação destes três elementos. Vemos que os dois primeiros são fortemente distintos do terceiro. Os representantes da culpa e do castigo na história são sempre personagens humanos: Ferruccio e a avó, Humphrey e Sir Everard, Nemecsek e Ferenc Ács, Oliver-Jenny e Mr. Barrett, a garota e o piloto em "As equações frias". Mas o elemento de desproporção não deriva deste primeiro conflito. Na verdade, duas formas ou graus de castigo estão presentes no texto. O primeiro vem inteiramente da autoridade "humana": as censuras da avó de Ferruccio, do pai de Humphrey e do piloto da espaçonave, o riso e o banho decretados por Ferenc Ács, o corte financeiro de Mr. Barrett. Mas o segundo tipo de castigo, o excessivo, sempre se deve a outras causas. Há sempre um terceiro elemento (ou agente) que entra em ação e que, em geral, não possui características "humanas": um resfriado que vira pneumonia, um galho que se quebra, a leucemia, as "leis" técnicas da astronáutica. Uma exceção a esta regra é Mozzoni em "Sangue Romanhês", mas De Amicis apresenta-o como supremamente desumano,[8] fato que nos permite apresentar uma nova distinção. O terceiro elemento é sempre aquele com o qual *é impossível conviver*: uma doença fatal, a natureza enganosa, as leis férreas da física, Vito Mozzoni, os austríacos que matam o pequeno batedor lombardo. Numa palavra, o *inimigo*. Os dois primeiros elementos, por outro lado, sempre aparecem como uma *comunidade em potencial* que não funcionou: a família, no caso de *Coração*, *Incompreendido* e *Love Story*; o grupo de colegas ou a tripulação, em Molnár e Godwin.

Portanto, em seu nível mais alto de abstração, a literatura comovente nos convida a *mudar* o nosso olhar, a ver o conflito não nas instituições (família, escola, grupo de colegas) que são o produto direto dos equilíbrios sócio-históricos, mas nas oposições que pendem sobre elas em nome de uma ameaça mais primitiva e elementar: a oposição entre "amigo" e "inimigo" e aquela realmente definitiva entre "humano" e "natural". Estamos em presença do que Beniamino Placido chamou, em relação a *A cabana do Pai Tomás*, de "estratégia do pára-raios": tudo o que é negativo e desprezível se junta num só pólo, para refletir a inocência e encantar o mundo como ele é. Voltarei a esse procedimento como ele se apresenta na literatura comovente. Agora, a tarefa principal é evitar a armadilha e concentrar a nossa indagação crítica exatamente naqueles elementos para os quais o texto exige absolvição (erradamente, como veremos) com base na falta de provas.

### *Pais e filhos*

No início de *Coração,* a oposição entre amigo e inimigo volta à mente outra vez. Desfiles, medalhas, prefeitos, bandeiras, pequenos mártires da Independência italiana e reis bondosos piscam para nós em todas as páginas. O patriotismo de De Amicis é explícito, direto e, acima de tudo, vigilante. Sua meta não é a persuasão nem o entusiasmo, mas a vigilância. Quer manter os olhos abertos e constranger, não convencer. Como patriotismo introvertido, não aspira à criação da pátria mas, mais modestamente, à da escola, seu tema principal e principal meio de difusão. Sendo por definição uma instituição estatal compulsória, a escola é o lugar onde se aprende a assimilar os valores apresentados não por alguma convicção íntima (que pode até estar presente, mas é supérflua e não essencial), mas pelo puro medo da autoridade.[9]

Na verdade, o arcabouço de diário de *Coração* é um grande panóptico exposto ao olhar rigoroso da autoridade.[10] Enrico Bottini, o Dr. Watson das crianças em sua mediocridade irredimível, não pode sequer mover-se sem esbarrar em alguém que o coloca na trilha reta e estreita com uma boa repreensão. A verdadeira meta do livro é enfatizar impiedosamente o senso de inferioridade moral do protagonista e não me surpreenderia se o infame Franti e o odioso Nobis só estivessem ali para mostrar que Enrico não é a pior criatura da face da Terra. Ainda assim, Enrico se dá mal, pela simples razão de que *Coração* é um livro em que os pais (e professores) nunca morrem. A mãe de Garrone morre, assim como a ex-professora de Enrico; tanto na escola quanto na família, mostra-se que o pólo da "afeição" é vulnerável ao tempo. Mas não o pólo do "dever": o professor do *pai* de Enrico (a quem é dedicado um dos capítulos mais longos do livro) ainda está vivo e dotado de grande autoridade moral. Além disso, o pai de Enrico é, também e acima de tudo, um "professor" de vida e o professor, inversamente, um "pai" para seus pupilos. A família e a escola se superpõem numa única estrutura disciplinar à prova de fuga. Até os jogos quase sempre acontecem sob a supervisão dos adultos. Tudo isso pode parecer estranho e um tanto irreal, mas torna-se claríssimo caso se veja *Coração* como um livro que, contrariamente às aparências, não visa a descrever e estimular o crescimento, mas a exorcizá-lo.[11] No fim do ano, Enrico não mudou nada; em vez disso, o que se exige dele é que permaneça como um menor eterno.

A organização narrativa do diário de Enrico confirma isso. É inteiramente formado de anedotas — forma de contar histórias cuja brevidade epigramática impõe uma moral clara e irrefutável — e de personagens todos resumidos numa *característica única* (os punhos cerrados de Stardi, o riso de Franti, o pão mastigado por Garrone) e que nunca se desviam da identidade a eles atribuída desde o princípio. *Coração* é uma galeria de caricaturas e membros atrofiados; e embora De Amicis diga o tempo todo que no menino (na *fixidez* do menino seria mais exato) já se pode "ler o homem", isso significa, evidentemente, que, entre o menino e o homem, não haverá mudança nem crescimento.

Oposta a esta em quase todos os pontos e cem vezes mais inteligente é a estratégia de Molnár em *Os meninos da Rua Paulo*. Aqui os ideais coletivos não são mais um dever ao qual se é chamado pela fanfarra das autoridades da pátria, mas uma *escolha*. O lugar onde os valores se formam e entram em conflito não é a escola, mas o *jogo*: a coisa mais "livre" e "privada" de um menino, um jogo, a guerra entre duas gangues, tão inervada de regras, cavalheirismos e lealdades que se torna a única medida verdadeira do comportamento humano. Pode, se necessário, derrubar o veredito dos professores: o Franti de *Os meninos da Rua Paulo* (expulso da escola com a ficha suja) é Ferenc Ács, e é um exemplo brilhante de coragem e honestidade, enquanto o CDF Geréb é um pilantrinha. Além disso, o verdadeiro prêmio do jogo não é conquistar o campo da rua Paulo, mas sim — como exige a ética do duelo — mostrar o próprio brio (primeiramente a si mesmo), provar que se é fiel ao próprio padrão, ao próprio ideal, que se é capaz, literalmente, de "crescer".

Isso nos leva ao âmago da questão. Ao contrário de *Coração*, *Os meninos da Rua Paulo* é um *romance*: narra, ao lado da morte de Nemecsek, a história do amadurecimento de Bóka. É um crescimento real porque aqui ninguém prescreve o caminho a seguir. As relações entre pais e filhos em *Os meninos da Rua Paulo* são o inverso daquelas de *Coração*. Neste último, o mundo adulto representava aqueles ideais morais que tinham de ser constantemente lembrados ao egoísmo narcísico do filho. No entanto, em Molnár os meninos são guiados por valores além de seus interesses diretos, enquanto os adultos ou os outros personagens substitutos nos quais às vezes se incorpora a autoridade têm olhos apenas para os seus próprios interesses. Molnár reúne uma pequena galeria desses adultos egocêntricos: o vendedor de doces na frente da escola, cujo único objetivo é ganhar dinheiro; o enfermeiro János, disposto a qualquer tipo de corrupção por um maço de cigarros; os professores, bons apenas para passar uma descompostura por qualquer bobagem; o pai de Geréb, estúpido, pomposo e pronto a descompor Nemecsek em sua ausência; o freguês do velho alfaiate Nemecsek que, diante de uma criança moribunda, só consegue se irritar porque seu paletó ainda não está pronto. E, finalmente, há a inesquecível penúltima página do livro:

> — Na segunda-feira os operários vão chegar; vão cavar o campo todo para lançar os alicerces [...] e construir os porões [...]
> — O quê? — gritou Bóka desta vez. — Vão construir uma casa aqui?
> — Uma casa, uma casa... — respondeu, impassível, o eslovaco. — Um prédio de apartamentos [...] três andares [...] É o dono do terreno [...] Ele mandou construir.

Este, então, é o mundo adulto. É preciso perceber que, fora o caso extremo do freguês de Nemecsek, eles não são monstros. São apenas adultos, alguns piores e alguns (os vizinhos de Nemecsek, o médico) melhores. A questão, em vez disso, é que, quer sejam maus, bons ou indiferentes, *não têm nada mais a ensinar* aos meninos. Isso porque sua vida não tem outra meta senão conservar o que existe simplesmente porque *existe*, e não porque tenha algum significado,[12] em outras palavras, não podem mais indicar metas e promover ideais. Não resta ao adulto nada a dizer ao menino, nem este ao adulto. Esse desmoronamento do diálogo constitui um passo essencial para a catástrofe. Vamos voltar rapidamente ao início da seqüência narrativa, ao "crime" (de desobediência, desatenção ou falta de cuidado) cometido pelos jovens protagonistas — e acrescentar que o texto sempre deixa bem entendido que esse crime pode ser facilmente remediado. Ferruccio chega em casa tarde; mas se fizesse alguma coisa para a avó parar de repreendê-lo, iriam dormir e estariam em segurança. Nemecsek revela-se à Gangue do Jardim Botânico e mais tarde desobedece às ordens do Clube do Betume; mas também tem um meio seguro de evitar que o joguem na água gelada ou o rebaixem. Humphrey poderia vencer facilmente a severidade do pai e assim não precisaria mais dissipar sua amargura subindo em árvores, se apenas...

Se apenas falasse. Os três se condenam porque, numa virada fundamental da história, ficaram quietos; ou melhor, é exatamente o seu silêncio e apenas ele que torna este momento decisivo. Só precisavam dizer: "Peguei um resfriado"; "Me deixem ir, estou atrás de um traidor"; "Mas papai, não é verdade que eu não o ame"; "Sim, vovó, errei ao chegar tão tarde, perdoe-me" e tudo ficaria bem. Mas os três mantêm a boca fechada. Podem ser "generosos, bons, ousados, pacientes, corajosos" mas também são "inflexíveis, ressentidos, teimosos, orgulhosos, cabeças-duras". Talvez o orgulho silencioso seja o seu verdadeiro crime. Mas onde se originam esse orgulho e esse silêncio? Um trecho de Walter Benjamin ajudará a tornar mais nítido o problema em questão:

> Na tragédia, o homem pagão percebe que é melhor que o seu deus, mas esta percepção lhe rouba a fala, fica sem ser dita. Sem se declarar, busca secretamente juntar forças. Não mede a culpa e a reconciliação com justeza na balança, mas mistura-as indiscriminadamente. Não se discute a restauração da "ordem moral mundial"; em vez disso o herói moral, ainda mudo, que ainda não atingiu a maioridade — como tal é chamado de herói —, quer elevar-se abalando aquele mundo atormentado. O paradoxo do nascimento do gênio na mudez moral, na infantilidade moral, é a sublimidade da tragédia.[13]

É claro que Nemecsek não é Orestes, nem Humphrey é Édipo. Mas aquela descoberta apavorante — de que se é melhor que os próprios deuses — volta praticamente idêntica nesses heróis meninos. São melhores que os próprios pais, ou do que os personagens que substituem o pai como autoridade constituída. É por isso que ficam em silêncio; falar, admitir um mau comportamento ou uma fraqueza sem importância, significaria devolver à mesquinhez dos adultos uma superioridade que não merecem mais.

Mas talvez haja uma razão ainda mais substancial para o silêncio: ficou impossível comunicar-se porque agora os meninos e os adultos falam, lá no fundo, línguas diferentes. Se os meninos de Molnár são melhores que os pais, não é porque sejam "mais jovens", mas porque, ao contrário dos adultos, não são guiados pelo "interesse" e sim pela "consciência". Não organizam a vida de acordo com o "princípio da realidade", mas de acordo com o superego. Bóka e Nemecsek seguem o código moral da gangue da Rua Paulo não porque possam obter alguma vantagem com isso, mas porque isso os deixa satisfeitos consigo mesmos — satisfação que nasce da criação de uma norma, um ideal de vida, e de provar que a seguem.

O que os leva a isso não é o medo de punição, como no mundo autoritário de Enrico Bottini. É algo que lança raízes muito mais fundo, no desmoronamento do que Weber chamou de "sociedades baseadas na tradição", cujas conseqüências podem ser assim explicadas resumidamente: a sociedade não determina mais aos indivíduos, com a sua autoridade, qual será o seu papel e, assim, o *significado* da sua vida. Esse significado não será mais reconhecido nem aceito; em vez disso, terá de ser criado por uma arriscada opção individual. Daí a necessidade de "valores" (inevitavelmente no plural) e, durante um certo período, da "formação e autoformação" do indivíduo; e assim o surgimento do ideal da *Bildung*.[14] Os meninos da Rua Paulo mal podem esperar para sair da escola ou de casa e encontrar-se em *seu* campo, para jogar segundo as *suas* regras. Só ali, para eles, a vida consegue ter significado. Ninguém tem nada a lhes ensinar. Estão sozinhos. Eles mesmos têm de construir uma hierarquia, um mundo possível, e responsabilizar-se por ele.

E o fazem, com resultados traumáticos. E o trauma não está apenas no fato de que Nemecsek (como Humphrey ou Ferruccio) morre. Está, acima de tudo, na descoberta de que, entre o superego — as leis, os valores que regulam a existência individual — e as leis sobre cuja base funciona a realidade *não há relação*, assim como não há relação entre o pai sobre o qual se forma o nosso ideal e os pais de carne e osso. Quando a teoria psicanalítica tratou do "mal-estar da civilização", dos sacrifícios que impõe ao indivíduo, concentrou-se sempre e exclusivamente no abandono do princípio do "prazer", acontecimento que ela situa nos primeiríssimos estágios da vida humana. Mas há um segundo sacrifício, talvez ainda mais doloroso que o primeiro, já que acontece em idade consciente, que é *abrir mão do próprio superego* (ou pelo menos silenciá-lo), que é como abrir mão do que chegou mais perto, em todo o decorrer da história humana, do ideal de *autonomia individual*. É claro que, embora o superego não esteja realmente "livre" (ele mesmo é produto de uma imposição violenta e tira sua força do fato de, em essência, permanecer inconsciente), ainda assim é em seu processo de formação e desenvolvimento que Riesman, Marcuse e, melhor do que ninguém, Adorno reconheceram aquele brilho leve e efêmero do indivíduo livre, capaz de formular leis de modo autônomo e esforçar-se para obedecê-las:

> A psicanálise, que já se dispôs a romper o poder da imagem do pai, adota firmemente o lado dos pais, que sorriem com as idéias pomposas dos filhos, com a baba escorrendo da boca, ou confiam na vida para ensinar-lhes o que é o quê, e que acham mais importante ganhar dinheiro do que formar idéias bobas na cabeça. A atitude mental que se distancia do terreno dos fins e meios imediatos e que tem a possibilidade de fazê-lo durante os poucos anos em que é sua própria senhora, antes de ser absorvida e ofuscada pela necessidade de ganhar a vida, é caluniada como mero narcisismo. A impotência e a falibilidade daqueles que ainda acreditam em outras possibilidades são tidas como o seu próprio erro vão; o que se imputa à sua própria inadequação é muito mais culpa de uma ordem social que lhes nega constantemente o possível e alquebra qualquer potencial que as pessoas tenham.[15]

É sintomático que Adorno fale aqui do adolescente, palavra raramente encontrada na literatura da psicanálise, mas que está no centro do grande romance europeu do século XIX. O tema obsessivo do escritor é, sempre, se é possível conciliar as exigências do superego com as da realidade e, em caso positivo, como. Em *Os meninos da Rua Paulo* (não em *Coração*; um mundo de pais-professores não precisa de superego), o eco final dessa questão ainda reverbera, simplificado e tornado mais drástico pela idade tão obviamente "prematura" de seus protagonistas; é inevitável que os valores "levados a sério demais", vividos engenhosamente "no limite máximo", tornem-se *perigosos*. Crescer, como veremos, significa livrar-se desse senso excessivo de "obrigação", que precisa ser banido como ilusão arriscada. Tudo bem; mas pelo menos houve uma época em que se podia agir com a convicção de que se buscava um objetivo, em que o mundo parecia permeável aos valores. Quem leu *Os meninos da Rua Paulo* em criança percebeu que teria de abrir mão das próprias esperanças. Mas quem leu *Coração* nunca soube o que significa esperança.

*Fenomenologia da resignação*

Vamos partir novamente da relação entre meninos e adultos. Podemos agora acrescentar que estes últimos, sem exceção, são sempre caracterizados por algum tipo de cegueira. Sir Everard não entende nada a respeito de Humphrey, a avó não entende nada sobre Ferruccio, os professores da escola de Budapeste não entendem nada do que pretendem os seus alunos, sem mencionar o pai do pequeno escriba florentino ou o capitão do tamborileiro sardenho que, ao ver o menino atingido pelas balas que lhe custarão uma perna amputada, só consegue gritar: "Ah, o infame poltrão sentou-se!" Sempre que o menino insiste, teimoso, em ser fiel à própria personalidade, o adulto, cego, vê apenas uma zombaria deliberada contra ele. Assim, reage e só consegue intensificar a obstinação do outro, numa espiral que termina, necessariamente, com a morte da parte mais fraca. E por que isso chega a esse ponto? Porque de ambos os lados a obstinação e a cegueira triunfaram. Para explicar em termos mais clássicos, *Orgulho e preconceito*.

É claro: para entender o lugar da literatura comovente na tipologia da ficção moderna, não há melhor contraposição que o romance de Jane Austen. Se Lukács conhecesse a literatura inglesa, não há dúvida de que *Orgulho e preconceito* estaria ao lado de *O aprendizado de Wilhelm Meister* como exemplo sem igual de *Bildungsroman*. Ao lê-lo, testemunhamos o total sucesso de uma "acomodação" como entendida por Lukács na *Teoria do romance*: a criação de um relacionamento, uma comunidade, que não esgota nem modifica radicalmente a realidade mas, ainda assim, é investido de um sentido intersubjetivo: a família, formada com base no senso de complementaridade, de solidariedade, do século XVIII. E isso é possível porque orgulho e preconceito foram dissipados, porque os dois protagonistas dispuseram-se a explicar-se e a entender-se; a falar e a ouvir. A *conversa* é a parte mais bem cuidada, como se fosse o ápice da obra de Jane Austen. A atenção à linguagem e a capacidade de usá-la e decodificá-la com *propriedade* são, em seu trabalho, a mais alta garantia de ética. Indica respeito e domínio da *mediação social por excelência*, um senso perfeito da comunidade e de suas múltiplas nuanças.

É bem o contrário na literatura comovente, na qual a catástrofe germina na interrupção da comunicação, no colapso daquela dimensão que poderia ligar os antagonistas e, portanto, neutralizar o seu antagonismo. Na seção anterior tentei mostrar que há razões profundas para essa interrupção. O silêncio do menino surge da descoberta de que o mundo não dá importância às exigências do superego. A cegueira loquaz do adulto é o contrário disso; surge do fato de que os que perdem seu próprio superego pelo caminho não podem mais "enxugá-lo" nos outros. Aqui há dois modos de existência cujo choque é inevitável: o tema recorrente da "incompreensão" — de não falar a mesma língua — é conseqüência deste estado de coisas.

No entanto, a literatura comovente inverte essa seqüência de causa e efeito. Não apresenta a obstinação e a cegueira como simples manifestações de duas formas de vida opostas, mas como fonte inescrutável da qual brota tudo o mais. O objetivo da insistência repetida e obsessiva nesses traços de "caráter" não é fazer com que compreendamos melhor, mas impedir nossa tentativa de compreender, apresentando a tentativa como totalmente supérflua. Com efeito, no fundo a meta é fazer com que o próprio conflito pareça supérfluo. É apresentado como um simples desentendimento que, por não ser resolvido a tempo, como o de *Orgulho e preconceito*, com uma profusão de cartas e conversas, termina apodrecendo e literalmente *degenerando* em tragédia. As grandes "admissões" finais demonstram exatamente que, se o entendimento viesse antes, a tragédia seria facilmente evitada.

A incompreensão, conseqüentemente, não é apresentada como *manifestação* de um conflito específico, mas como sua verdadeira *causa*; se esta causa fosse descoberta, a divisão jamais teria acontecido. A imagem do conflito interpessoal apresentada pela literatura comovente é, assim, muito diversa tanto daquela implícita na tragédia clássica quanto na que é típica do melodrama do século XVIII. Em *Antígona* ou *Emilia Galotti*, por exemplo, não há nenhum mal-entendido. Tudo é claro como o dia. A catástrofe é precipitada porque nessas obras dois sistemas de valores, ou leis, coexistem sem possibilidade de conciliação. Os textos deixam claro que um deles tem de sucumbir. Assim, ninguém se comove com o destino de Antígona ou de Emilia; fica-se *enraivecido* (ou então — tudo é questão de ponto de vista — contente). O desenrolar da história acentua a divisão, aprofunda e legitima a unilateralidade das partes em disputa. Pode-se — deve-se — estar de um lado ou do outro. Não há possibilidade de encontrar um terreno comum nem de provocar uma mediação ou uma acomodação.

Nas obras de que tratamos aqui esse padrão é virado de ponta-cabeça. Estar comovido — e chorar, que é a sua manifestação mais completa — é exatamente o contrário de estar zangado. A zanga divide; as lágrimas *unem*. Mas *a quem* elas nos unem? Não à vítima-protagonista. Não é de Nemecsek nem de Humphrey que nossas lágrimas nos aproximam. Nossa identificação desloca-se, de forma imperceptível mas inexorável, para os outros, os sobreviventes. Como num funeral, a morte do protagonista consegue reconstruir a comunidade dos que ficam. Através do choro comunitário, todo rancor, toda injustiça, toda culpa são abolidos. É um ritual de absolvição coletiva recíproca. Nisto, exprime uma aspiração que faz parte do mundo moderno e da forma narrativa do romance: a aspiração à *acomodação*. Comover-se até às lágrimas é uma reação tipicamente *romântica* a uma situação trágica. É neste entrelaçar de níveis — e não na própria situação trágica, na qual na verdade, desde o Renascimento, não será mais encontrada — que se deve buscar a única forma possível de catarse no mundo moderno. No entanto, é uma catarse que envolve o *repúdio* definitivo do trágico; o entendimento tão completo conseguido no leito de morte desfaz a legitimidade do comportamento que levou até ali. Isso não traz a tragédia para mais perto, mas distancia-a de forma irrevogável, brandindo-a como exagero incongruente.

Este mecanismo, pelo qual a unilateralidade é rebaixada pela superposição da capacidade de conciliação do romance, parece feito para inculcar, em tenra idade, o maior respeito possível pelas reflexões cínicas de Hegel sobre o destino da subjetividade livre que se quer fiel apenas a si mesma. Embora os atributos dos "tipos" histórico-ideais construídos por Hegel tenham a desagradável tendência de tornar-se reciprocamente superpostos e confusos, os momentos que se destacam naquela viagem da *Fenomenologia* e da *Estética* podem ser razoavelmente reconstruídos assim:

> Mas uma vez que [a consciência isolada] chegou a esta idéia [de ser uma individualidade pura por conta própria], como deve, esta unidade *imediata* com o Espírito [em outras palavras, a comunidade original], o [mero] *ser* de si mesmo em Espírito, sua confiança, se perde. Isolado e sozinho, é ele que é agora a essência e não mais o Espírito universal. [...]
>
> Ao estabelecer-se assim [...] o indivíduo colocou-se, portanto, em oposição às leis e aos costumes. Estes são considerados meras idéias, sem nenhuma essencialidade absoluta, teoria abstrata sem nenhuma realidade, enquanto ele, como este "eu" específico, é a sua própria verdade viva. [...]
>
> [Para a consciência racional de si, este] é o início da substância ética [...] A substância ética afundou até o nível de um predicado vazio de eu, cujos sujeitos vivos são indivíduos que têm de prover eles mesmos o preenchimento de sua universalidade e consumar a sua natureza essencial através do próprio esforço. [...]
>
> A lei, portanto, que é imediatamente a própria lei da autoconsciência, ou um coração que, contudo, tem dentro de si uma lei, é o *Fim* que a autoconsciência busca perceber. [...] [Mas] este coração é confrontado por um mundo real [...], uma lei pela qual a individualidade específica é oprimida, um ordenamento violento do mundo que contradiz a lei do coração.[16]

Até agora seguimos a divisão cada vez maior entre "indivíduo" e "modo de ser do mundo". Agora, essas duas entidades devem medir-se num confronto direto. E nesse ponto, continua Hegel, descobre-se que "a lei do coração" é, nada mais nada menos, que o "delírio do conceito de si mesmo": põe em julgamento o "modo de ser do mundo", atribuindo, nas "vociferações de um conceito insano de si mesmo", toda a responsabilidade por ele às maquinações de "padres fanáticos, déspotas glutões". Já na realidade, o contrário é que acontece: é a lei do coração que é "algo meramente *pretendido* que, diversamente da ordem estabelecida, não suportou a prova do tempo e, em vez disso, quando assim testada é derrubada".[17] E, postos de lado da mesma maneira, numa seção famosa da *Estética*, estão os conceitos de "amor"[18] e de "honra".[19] Em cada um desses casos, Hegel critica e desdenha o que lhe parece ser mero *exagero da imaginação* surda e cega ao verdadeiro formato da ordem existente.

No entanto, esse realismo não significa *conhecer melhor a realidade*, mas sim — e há bastante diferença — *reconhecer nela uma racionalidade e uma eticalidade intrínsecas*; assim, não há a menor razão para o indivíduo "entender", menos ainda para tentar mudar, a ordem existente das coisas. O realismo a que aspira Hegel não consiste em esclarecer o conhecimento e as metas subjetivas de alguém, mas sim em livrar-se deles como meras *ilusões*. No final, descobrimos que a viagem solitária da "subjetividade livre" foi totalmente inútil e Hegel não esconde que a trata como pouco mais que um mal necessário, um transtorno infantil:

> A consciência abandona, como uma capa despida, sua idéia de um bem que existe [somente] em princípio, mas de que ainda não se tem vivência real. Em seu conflito, aprendeu pela experiência que o "modo de ser do mundo" não é tão ruim quanto parecia; pois a sua realidade é a realidade do universal. [...] A individualidade [reintroduzida no] "modo de ser do mundo" pode muito bem imaginar que age somente por *si mesma* ou em seu próprio interesse. É melhor do que pensa, já que sua ação é, ao mesmo tempo, uma ação implicitamente universal. Quando age em seu próprio interesse, simplesmente não sabe o que está fazendo; e quando assevera que todo mundo age em seu próprio interesse simplesmente afirma que ninguém sabe o que é ação.[20]

Mas no mundo moderno essas lutas não passam de "aprendizado", de educação do indivíduo quanto às realidades do presente, e desse modo adquirem seu verdadeiro significado. Pois o fim desse aprendizado consiste nisso, que o sujeito cometa seus excessos juvenis, construa-se com os seus desejos e opiniões em harmonia com as relações subsistentes e a sua racionalidade, penetre na concatenação do mundo e adquira para si uma atitude adequada diante dela. Por mais que possa ter brigado com o mundo ou sido nele empurrado de um lado a outro, na maior parte dos casos encontra a sua garota e algum tipo de emprego, casa-se com ela e torna-se um filisteu tão bom quanto os outros. A mulher se encarrega da administração da casa, chegam os filhos; a esposa adorada, de início sem igual, um anjo, comporta-se mais ou menos como todas as outras; a profissão do homem traz trabalho e preocupações, o casamento traz sofrimento doméstico — e assim temos todas as dores de cabeça do restante dos casados. Vemos aqui caráter igual ao aventureirismo, só que agora ele encontra a sua correta importância, em que o elemento fantástico tem de sofrer o corretivo necessário.[21]

Esta digressão não deveria ser considerada supérflua. O comovente me interessa porque é uma estrutura literária que intervém a seu próprio modo no processo de formação e autoformação da consciência, porque é um dos vários pontos em que o problema da teoria do romance se cruza com o da *Bildung*. A obra de Hegel é a base inexorável destas duas questões.[22] O leitor sempre terá feito algumas correlações óbvias entre a discussão da última seção e os textos examinados. *Os meninos da Rua Paulo*, *Incompreendido* e as histórias mensais de *Coração* falam daqueles cuja queda é causada pela dedicação excessiva a sua própria e ainda incerta lei do coração, em outras palavras, por um desejo excessivo de *unilateralidade* — pecado dos pecados no sistema hegeliano.[23] Recusaram-se a reconhecer no mundo como ele é (o "positivismo acrítico" que Marx destacou em Hegel) não tanto uma realidade com a qual todos acabarão inevitavelmente fazendo as pazes mas a *realidade propriamente dita*, única e inquestionável; não tanto o fato de que, com certeza, tem sua própria racionalidade, mas o fato de ser movida por uma racionalidade *universal* e *objetiva*, diante da qual é estúpido ou suicida exprimir dúvidas ou exigências.

Se a *Bildung* consiste em, finalmente, abandonar os próprios valores como quimeras enganosas para inserir-se alegre no mundo existente e encontrar ali a completude do significado, então a literatura comovente conta a história de uma *Bildung* que deixou de acontecer. Mas precisamos ir com cuidado. Não é preciso supor que a educação (inevitável) do indivíduo nas leis da realidade deva seguir todos os três momentos da idílica valsa hegeliana, que tenha de tentar nos convencer de que o mundo está *bem* do jeito que é. Só tem de dizer que é *assim* e que é *forte* o bastante para derrubar quem tenta se opor a ele. Esse também parece ser o significado de um trecho de *O mal-estar na civilização*:

> Outro procedimento funciona de forma mais enérgica e completa [do que a busca, na arte, da realização dos desejos difíceis de cumprir]. Vê a realidade como o único inimigo e como fonte de todo sofrimento, com a qual é impossível viver, de modo que é preciso romper todas as relações com ela caso ainda assim se queira ser feliz [...] Pode[-se] tentar recriar o mundo, construir em seu lugar outro mundo cujas características mais insuportáveis sejam eliminadas e substituídas por outras de acordo com os próprios desejos. Mas quem, num enfrentamento desesperado, segue este caminho para a felicidade, em regra nada conseguirá. A realidade é forte demais. Ficará louco quem, na maior parte do tempo, não encontrar ninguém que o ajude a superar sua ilusão.[24]

Parece que estamos de volta ao mundo da *Fenomenologia*. Mas há uma diferença básica: Freud diz que o mundo é *mais forte* e não mais moral nem mais racional que o "delírio" do indivíduo. Encontramos coisa muito parecida no arcabouço conceitual da psicologia penal do início do século XIX, reconstruída por Foucault em *História da loucura*:

> Essa região de loucura e frenesi na qual surge o gesto criminoso não o declara inocente, a não ser na medida em que não tenha uma neutralidade moral rigorosa, mas assuma uma função precisa: exaltar um valor que a sociedade reconhece sem permitir a sua concretização. Recomenda-se o casamento, mas é preciso fechar os olhos à infidelidade. A loucura terá poder de justificativa se revelar o ciúme, a obstinação, a fidelidade, mesmo à custa da vingança. A psicologia precisa instalar-se numa consciência culpada, na relação entre valores admitidos e valores declarados. Então, e só então, pode dissolver a realidade do crime e declará-lo impunível, por um tipo de quixotismo de virtudes impraticáveis. [...] É-se inocente na transição imediata e violenta de uma moralidade a outra, de uma moralidade prescrita que mal se ousa reconhecer a uma moralidade exaltada que, para o maior bem comum, recusa-se a praticar.[25]

Tanto em Freud quanto em Foucault fica claro que o "delírio do conceito de si mesmo" não é — como era para Hegel — a causa da queda do indivíduo, mas a sua *conseqüência*. É só *depois de ser derrotada* que a aspiração do indivíduo torna-se um "delírio". Sua "loucura" está na fraqueza de suas forças, não no esforço moral como tal. O jogo é inteiramente jogado no campo moralmente "neutro" das relações de poder. Crescer não significa mais aprender a reconhecer no mundo a inteligência sem rival do espírito hegeliano, mas aprender a temer o poder do mundo. E é realmente este o tipo de *Bildung* (se é legítimo chamá-la assim) de que um mundo baseado em relações de poder e dedicado a elas, e não a fins morais ou modelos racionais, precisa para funcionar. Mas esta civilização, se quer ser coerente, também precisa abrir mão do consolo hegeliano que reintroduz de forma sub-reptícia os valores no mundo. Isto não acontece porque estes valores não existam — até o mundo mais prosaico está cheio deles. É porque *a sua legitimidade não depende de sua presença*, mas sim, em primeiro lugar, da pura força do que existe.

É a esta descoberta a que o segundo personagem principal de *Os meninos da Rua Paulo*, János Bóka, é levado:

> E, no dia seguinte, na escola, quando todos estavam sentados em seus lugares e o professor Rácz, em meio a um silêncio religioso, andou até a sua mesa com passos lentos e graves para recordar com voz baixa Ernest Nemecsek, depois do que convidou a turma toda para reunir-se às três horas do dia seguinte, vestindo preto ou, pelo menos, roupas escuras na rua Rakós, János Bóka olhou para a frente pensativo. E pela primeira vez em sua alma pura e simples brilhou a idéia de o que é realmente esta vida. Uma vida que nos obriga a lutar como se estivéssemos sob seu comando, às vezes placidamente, é verdade, mas às vezes com grande tristeza.

Esse é o último parágrafo do romance de Molnár. Pela primeira vez, Bóka formula um juízo do mundo. E tudo o que aconteceu não o capacitou em nada a *entender melhor* o que é "esta vida" nem a encontrar nela um *significado mais elevado*. Em vez disso, destruiu as poucas certezas que tinha e dissipou toda esperança. Tudo o que Bóka consegue ver é a *força* do mundo, "que nos obriga a lutar como se estivéssemos sob o seu comando". Atrás dele já podemos ter um vislumbre de Törless, Dedalus e Rossmann, com cuja confusão enigmática o pano cairá para sempre sobre o otimismo orgânico do *Bildungsroman*.

## *Além das lágrimas*

Vamos voltar uma última vez ao principal efeito da literatura comovente: as lágrimas. Desta vez, em vez de perguntar "*Por que* alguém chora?", perguntemos "*O que acontece* quando alguém chora?". O que acontece é que uma cortina cai entre nós e o mundo. Chorar nos permite *não ver*. É um modo de nos distrair da visão daquilo que nos incomodou, ou melhor, de fazê-lo desaparecer. Chorar nunca coincide simplesmente com a angústia; não é o seu efeito imediato e inevitável. É, acima de tudo, uma *reação* à angústia — a reação mais infantil, pode-se dizer; a reação de alguém que, defrontado com um mundo que choca, não quer mais olhar e raciocinar, mas realiza o equivalente a um gesto mágico que o faça ir embora.

Raciocinar ou confiar num ato "mágico": que adulto hesitaria entre essas duas atitudes? Mas as coisas são um pouco mais complexas. "Raciocínio" pode ter, na verdade, dois significados diametralmente opostos. Pode indicar uma operação que tenta encontrar as *conexões causais* de um evento ou que vise a fazer um *plano* para os eventos futuros. Nenhuma dialética jamais curará essa laceração que constitui o sujeito humano, suspenso e dilacerado entre os dois pólos de causalidade e teleologia, realidade e desejo, igualmente necessários para a sua existência mas que *nunca* se equilibram. É num momento específico da relação entre os dois pólos que se "dispara" o choro: o momento em que a tensão finalmente cai porque se demonstrou que o desejo e a teleologia são fúteis, inatingíveis. Daí a sensação contraditória do choro: tristeza definitiva porque a perda é definitiva; e ao mesmo tempo alívio, porque, no mínimo, todo conflito interno cessou.

Mas há outra dualidade ainda mais importante no ato de chorar provocado por esses textos, exemplificada literalmente num trecho esplêndido de *Os meninos da Rua Paulo* e implicitamente nas "agnições" finais de todos os textos comoventes. As lágrimas prestam a última homenagem, as honras da guerra, ao terreno dos fins, do superego, da felicidade. Ao mesmo tempo, ao chorar livramo-nos definitivamente dele, porque as lágrimas nos ligam (ao fazer com que nos comportemos do mesmo modo) a Mr. Barrett, Sir Everard Duncombe e Geréb, e não a Jenny, Humphrey ou Nemecsek. Encontramos claramente aqui dois movimentos emocionais muito diferentes e, em certo sentido, até opostos. Portanto, não deve nos surpreender que o choro seja tantas vezes considerado algo hipócrita. Em boa medida é mesmo. É uma rendição à realidade que, ao mesmo tempo, presta homenagem gritante àquele ideal que tentou combatê-la. É a maneira de aliviar a consciência que é típica da *falsa* consciência; e, na verdade, é bom suspeitar de quem chora à toa. Mas quem nunca chora é pior ainda, porque quando se chora pelo menos se admite que, na reconciliação com o mundo, uma coisa importante se perdeu — que não é, assim, uma verdadeira reconciliação, é mais uma derrota. E pode-se pelo menos esperar que a pessoa que admite — ainda que só com as lágrimas — a realidade da derrota não extinguiu por completo o desejo de vingança e que algum dia venha a decidir-se contra a resignação com uma condição humana mutilada.

Não se resignar significa, é claro, continuar alimentando *ilusões*, planejar novas quimeras que se dissolvem em novas lágrimas; afinal, a felicidade humana "não é prevista" nem nos planos da criação, como observou Freud, nem nos de nenhuma sociedade que conhecemos até hoje. Mas essa tensão é a principal virtude do animal humano. Tentar reduzi-la é vil. É melhor tentar forçá-la ao máximo, não se afastar dos próprios ideais e, então, no momento das lágrimas, o momento em que os fatos começam a zombar dos valores, abrir os olhos mais ainda para entender a sua lógica. É assim que começa a atitude científica. Saber só pode significar saber algo que seja *diferente de nós*, e isso só se torna possível quando "nós" — os nossos ideais, os nossos desejos — encontramos algo que nos obriga a perceber a sua diferença nos rejeitando e ofendendo.

Contrariamente a uma teoria em voga hoje em dia, a origem dessa atitude científica não é o mesmo que o "desejo de poder". O conhecimento surge sempre e somente com a percepção da alteridade. E a sensação de alteridade mais definida e realista é a dor, que nos diz que, ainda que o conhecimento possa atingir o seu fim e afinal "compreender" o objeto de sua investigação, nem assim esse objeto se curvará a nossa vontade. E embora possa não haver nada errado nisso no caso dos objetos da natureza, que mantêm com justiça uma indiferença pétrea em relação aos bípedes falantes, as coisas são bem diferentes quando dizem respeito às agregações humanas. O fato de que as relações sociais que unem as pessoas devam — todas elas — endurecer-se com a fria indiferença aos fins que é típica das leis da natureza *tem* de continuar nos atingido como algo doloroso. Quem não sente isso não vai entender nada sobre o mundo. Aspirar à felicidade é sacrossanto, mas acreditar que se conseguiu obtê-la em nosso mundo não é sintoma de felicidade, mas de estupidez — e esta não é uma qualidade adequada ao trabalho intelectual. É bem verdade que, até que haja prova em contrário, esse estado de coisas deve ser considerado inalterável. Gostaria apenas de deixar claro que o que é inalterável contém em si mesmo uma *necessidade*, mas não um *propósito*. Pode-se e deve-se "aceitá-lo", mas "defendê-lo" é absurdo. É tudo.

E assim voltamos, e agora pela última vez, aos nossos livros. Só uma acusação real pode ser pregada às suas portas: não revelam a origem da dor naquilo que é abominável que exista nas relações entre as pessoas, mas sim no que é inevitável: na natureza. É por isso que a morte por causas estritamente naturais é um *tópos* fundamental da literatura comovente e a sua maior mentira. É óbvio que a mentira não consiste em enfatizar a tristeza irreparável de todas as mortes, mas em projetar nessa morte um senso de injustiça e injúria (a morte de um jovem é sempre sentida como "injusta") cujo único lugar legítimo é o interior da comunidade humana. A natureza é demonizada para absolver a sociedade mostrando a sua triste impotência. Nesse seu fim último a literatura comovente consome e repudia aquele potencial de conhecimento que, por nos colocar em presença da dor, conseguiu despertar.

# O longo adeus: *Ulisses* e o fim do capitalismo liberal

## *O retrato de uma crise*

*Ulisses* causou uma ruptura profundo no desenvolvimento da literatura européia e, em particular, do romance; isso ficou imediatamente claro. Menos claro foi e ainda é o vínculo entre essa divisão e a ruptura ocorrida no funcionamento das sociedades capitalistas na virada do século. A indiferença mútua entre a pesquisa sócio-histórica e a pesquisa literária talvez tenha até se intensificado com o tempo, com desvantagem para ambas. Este ensaio é uma tentativa de religar os dois lados do problema. Os instrumentos usados não são novos; a única inovação é a tentativa de integrá-los sistematicamente. Esta simples operação, contudo, compele-nos a ler *Ulisses* de um ponto de vista muito diferente.

Há uma atração profunda entre os dois termos, "*Ulisses*" e "crise". Mas, no uso crítico atual, o significado do segundo foi incorporado a uma imagem nebulosa do fim do mundo, dos valores, da literatura — da burguesia, como os estudantes, com a lógica da loucura, nunca se cansam de repetir. É como se *Ulisses* enfeitiçasse os leitores a ponto de fazê-los esquecer que mais de meio século se passou desde 1922 e que, entrementes, o mundo, os valores, a literatura e, sem dúvida, a burguesia continuaram a prosperar. Assim, é necessário estabelecer as fronteiras dessa crise e desse *Ulisses*; defini-los como eventos históricos que nunca mais voltarão à vida.

Desejosa de passar de crise em crise, a crítica literária quase sempre recorre a um único acontecimento específico: a guerra. Ali, no verão de 1914, aconteceu o rompimento. Ali estão as raízes da crise e da literatura da crise: de *Ulisses* e *O processo*, de *A montanha mágica*, *A terra desola-*

*da* e *O homem sem qualidades*. Mas, entre as poucas coisas que essas obras têm em comum está exatamente a certeza oposta: a guerra não é a *causa* da crise, apenas sua manifestação violenta e mais visível. A investigação passa para os anos que precedem a guerra (com Mann e Musil, menos diretamente com Joyce), ou até elimina-a do quadro (Kafka), ou, finalmente (com Eliot), trata-a como mera variante de uma história miticamente constante. Essa mudança da análise é uma opção dramática, eriçada de conseqüências; ao fazê-la, essa "grande literatura burguesa" rejeita a ideologia espontânea da classe dominante da Europa do período — aquele "conservadorismo dos anos 20" que vinculou com tanta força a guerra à crise e que, por essa mesma razão, não durou mais do que uma década.[1]

As raízes da divisão são, portanto, anteriores à guerra; estão, de acordo com a principal hipótese do estudo de Polanyi, no declínio definitivo do "mercado auto-regulado". Isso, por sua vez, provoca o declínio da forma liberal de sociedade burguesa, cujo funcionamento racional o livre mercado garantia, regulando de maneira automática as suas bases conflituosas, irracionais e privadas. Embora rapidamente, Asor Rosa percebeu a dimensão cultural do problema quando escreveu sobre a

> descoberta [...] de que o real não é racional. E com real queremos dizer exatamente o *real capitalista* ao qual essa cultura se refere diretamente e que, para recuperar uma forma de coordenação, regulamentação e participação da atividade intelectual, exige o uso de um universo de conceitos e valores mais formal do que no passado, de modo a conter em si mesmo uma capacidade de ordenamento racional que se mostre capaz de "arrumar" algo que, pelo contrário, manifesta-se em sua substância como desconexo, aleatório e com freqüência injustificadamente injusto.[2]

Assim, nas primeiras décadas do século, a sociedade não parece dotada de racionalidade intrínseca; não é mais um sistema orgânico de relações capaz de manter unidos todos os seus elementos e de dar-lhes *função* e *significado*. Segundo as duas análises semiológicas mais pertinentes, *Ulisses* mostra exatamente a mesma falta de coesão interna:

> Esses materiais heterogêneos não têm valor de unidade de significado na escrita de Joyce. [...] O valor está exatamente em sua heterogeneidade, na própria distância entre os diferentes elementos que a escrita cobre num jogo incessante de relações e correspondências, em cuja base cada elemento torna-se simulação de outro. [...] O que se constrói nesse jogo de relações mútuas é uma descontinuidade em andamento, um deslocamento contínuo de uma ficção a outra. A negatividade da escrita de Joyce surge devido a essa descontinuidade.[3]

> Assim como *Dublinenses* exprimiu uma situação de "paralisia", *Ulisses* exprime uma falta de relacionamentos. [...] A situação exprime uma dissociação total. Esse mundo dissociado reconhece-se como tal mas é incapaz de encontrar padrões e organização internos. É por isso que Joyce recorre a um padrão externo e transforma a sua história numa alegoria confusa do mistério da Trindade.[4]

Por enquanto, deixemos de lado as questões literárias e ideológicas levantadas pelo uso em *Ulisses* de "padrões externos de organização" e tentemos concluir este primeiro ponto examinando o laço entre a forma *geral* da crise capitalista e aquela crise histórica peculiar provocada pelo desaparecimento do mercado auto-regulado. Como escreve Colletti:

> A forma geral em que a crise capitalista se manifesta consiste, segundo Marx, na interrupção do processo de circulação de mercadorias; o resultado dessa interrupção é que as duas instâncias de "compra" e "venda" se separam e entram numa relação contraditória. [...] A conseqüência é essa forma "civilizada" de crise econômica, peculiar às condições capitalistas [...], conhecida como crise da *superprodução*; ou seja, a condição aparentemente paradoxal da coexistência, de um lado, de bens não vendidos e, do outro, de necessidades insatisfeitas.[5]

A crise capitalista, portanto, caracteriza-se por essa *separação* de elementos — que deveriam, em vez disso, compor um sistema unitário — pela "separação forçada entre si de processos que, em essência, são um só", segundo uma epígrafe de Marx.[6] No entanto, é exatamente devido a essa separação entre "oferta" e "procura", produtos e produtores, que a crise não pode ser vista como "irregularidade" do desenvolvimento normal do capitalismo. Pelo contrário, exprime de forma bem visível aquela mesma divisão que, de forma obscura, caracteriza o produto mais específico desta sociedade: a própria mercadoria. Segundo um trecho famoso do *Capital*, a forma mercadoria já contém em si mesma a "potencialidade" da crise:

> Assim o mistério da forma mercadoria é simplesmente este, que reflete para os homens o caráter social do seu próprio trabalho, reflete-o como caráter objetivo apenso aos próprios produtos do trabalho, reflete-o como propriedade natural social dessas coisas. Em conseqüência, a relação social dos produtores com a soma total de seu próprio trabalho apresenta-se a eles como relação social, não entre eles, mas entre os produtos do seu trabalho. [...] Para encontrar uma analogia, precisamos entrar no mundo nebuloso da religião. Nesse mundo, os produtos da mente humana tornam-se formas independentes, dotadas de vida própria e capazes de entrar em relação com homens e mulheres. Os produtos da mão humana fazem a mesma coisa no mundo da mercadoria.[7]

Mesmo dentro da esfera da produção (isto é, numa situação "não crítica" por excelência), o produto é uma entidade estranha e separada e não pode ser controlado pelo produtor; a crise, portanto, origina-se *juntamente* com as relações sociais capitalistas; não é uma exceção, mas sua expressão total e patente.

Embora a crise esteja entranhada na produção, ainda assim se manifesta na esfera da circulação; é no mercado que se torna visível. Joyce escreveu numa fase histórica que, embora não enfrentasse uma crise econômica geral durante cerca de trinta anos, passou por algo ainda mais importante: a crise do mercado *como tal*, como mecanismo automático de equilíbrio social. Isso significa que a crise se tornara característica *permanente* da sociedade capitalista como era então conhecida. Em Joyce, os fenômenos típicos da crise não são mais catástrofes súbitas e excepcionais; em vez disso, são as condições ordinárias das relações sociais. Isso lhe permite mergulhar nas profundidades "misteriosas" da sociedade capitalista e nos dá, no capítulo "Circe", uma representação literária do fetichismo da mercadoria ainda insuperável. A particularidade de *Ulisses*, sua "limitação" histórica e, como veremos, geográfica, é, portanto, o pedestal mais estável no qual descansa a sua "universalidade"; como poeta da crise do capitalismo clássico em sua área clássica de desenvolvimento, Joyce nos oferece uma autópsia monumental de toda uma formação social.

## *A estranha morte da Inglaterra liberal*

Na Grã-Bretanha, a crise das estruturas política, econômica e ideológica do capitalismo liberal teve um desenvolvimento e um resultado muito específicos. Durante as décadas cruciais, a classe dominante mostrou-se ao mesmo tempo resistente e incapaz de realizar aquelas transformações básicas que, em outros lugares, permitiriam a passagem para uma nova fase do desenvolvimento capitalista, cujo predomínio viria a surgir, de forma emblemática, do conflito entre a Alemanha e os Estados Unidos.

Década após década, a crise britânica arrastou-se com regularidade monótona; uma total *decadência*, sem tensões nem traumas súbitos (o exemplo de 1929, quando o craque internacional teve conseqüências relativamente leves para a economia britânica, é ilustrativo), mas também sem nenhum passo inovador. Um lampejo do declínio iminente já surgira durante a depressão do último quarto do século XIX que, segundo Hobsbawm, revelou

> que a Grã-Bretanha não estava pronta para quase nenhum dos métodos possíveis de lidar com a [nova] situação. Diversamente de outros países [...] a Grã-Bretanha agarrou-se com firmeza ao livre-comércio. Também não se inclinava a seguir o caminho da concentração econômica sistemática — a formação de trustes, cartéis, conglomerados e assim por diante, tão característica da Alemanha e dos Estados Unidos na década de 1880. Estava profunda e demasiadamente comprometida com a tecnologia e a organização empresarial da primeira fase da industrialização, que tão bem lhe servira para avançar, com entusiasmo, para o campo das novas e

> revolucionárias tecnologias e formas de administração industrial que surgiram na década de 1890. Isso a deixou com uma única via de saída [...] o imperialismo. A Grã-Bretanha escapara da Grande Depressão (1873-96), o primeiro desafio internacional, não com a modernização da sua economia, mas com a exploração das possibilidades que lhe restavam em sua situação tradicional.[8]

A estabilidade secular da prática e da ideologia liberais e o monopólio do mercado mundial, os dois grandes recursos do capitalismo britânico do século XIX, agora a sufocavam. Continuar adotando esse modelo causaria, como corretamente observa Hobsbawm, o que viria a ser um atraso irrecuperável das novas formas de organização capitalista, ao mesmo tempo conseqüência lógica e negação drástica do livre mercado. O atraso ficou visível na ausência de concentração econômica e de convergência entre o capital industrial e financeiro,[9] tão típicas do desenvolvimento alemão e norte-americano na virada do século, e que formaram o verdadeiro núcleo teórico do estudo de Lenin sobre o imperialismo. Igualmente fundamental foi a ausência do instrumento que se mostrou decisivo para a nova trajetória do capitalismo: o uso sistemático do Estado para regulamentar, redefinir e, em última instância, expandir a acumulação capitalista. Stuart Woolf, entre outros, observou que "o papel do Estado no desenvolvimento econômico das nações que chegaram à industrialização relativamente tarde — Alemanha e Bélgica, assim como Rússia e Itália — sempre foi mais predominante do que na Inglaterra, terra natal do livre-comércio".[10]

Esta nova disjunção — entre Estado e sociedade, entre política e economia — provavelmente foi algo mais que um simples atraso. Não reflete tanto a incapacidade da classe dominante inglesa de "atualizar"-se (o que, no entanto, ainda é verdadeiro) quanto a incapacidade de organizar-se por dentro e afirmar-se para o mundo externo apenas como tal: classe dominante e hegemônica do período que viu o declínio da não interferência liberal. Desde o fim da época dos grandes estadistas, a classe dominante inglesa produziu, no século anterior, como seus representantes políticos, somente administradores burocráticos medíocres; e isso diante de acontecimentos cada vez mais incontroláveis. A esse fenômeno Joyce dedicou um dos capítulos centrais de *Ulisses*, "As rochas errantes", que é uma miniatura esplêndida da estrutura geral do romance. É impossível restaurar a organização e o dinamismo do tecido social com base nas formas existentes de poder ("espiritual" e "temporal", ideológico e político), mas também é impensável para Joyce visualizar a realidade a não ser com base nessas formas — então letárgicas e sem vida — do poder e da consciência; um círculo vicioso que voltará, em seu nível mais alto, no uso do "mito".

Mas vamos agora passar para outro paralelo macroscópico entre o declínio da sociedade inglesa e o universo social de *Ulisses*. Em *Imperialismo*, Lenin não perde a oportunidade de vergastar a "putrefação" do capitalismo inglês e o desvio crescente de recursos da atividade produtiva para o consumo ostentatório, a recreação, os esportes, a caça à raposa e assim por diante. Essa mesma "marca de parasitismo", num nível menos chique, como fica bastante óbvio, é uma das referências sociais mais evidentes de *Ulisses*:

> [Em *Ulisses*] vemos gente comendo, bebendo, fazendo amor, discutindo; correm atrás do dinheiro [...] e tudo isso é sentido como se acontecesse ao mesmo tempo. Mas não há sinal de atividade produtiva sem a qual nada disso poderia acontecer. [...] não há um único trabalhador no livro [...] Sua seleção das relações sociais a serem descritas é a do consumidor.[11]

Isto é, ao mesmo tempo, exato e ingênuo. Exato porque é exatamente este o estado de coisas de *Ulisses* (embora uma análise mais cuidadosa mostre que o consumo só pode então ocorrer no nível do comer e beber da mera sobrevivência — e, de resto, Joyce nos mostra a aspiração *insatisfeita* ao consumo, principalmente em Bloom). Ingênuo porque Joyce amplia este aspecto da realidade e torna-o "absoluto", não porque não perceba ou desdenhe o resto do quadro (como diria o realismo elementar do Ocidente), mas devido a uma opção cultural deliberada; visto sob essa luz, *Ulisses* visa a ser um retrato cínico de como a sociedade vitoriana acabaria ficando caso seguisse as suas tendências mais profundas. Joyce confia tanto que a situação seguirá exatamente essa trajetória, sente-se tão profundamente envolvido nesse declínio parasitário, que não oferece à classe dominante britânica nenhum tipo de "solução" — como Eliot se esforçaria para fazer do seu jeito especulativo e superzeloso —, mas somente a caricatura horrenda de si mesma e de seu mundo. Algumas linhas das reflexões noturnas de Bloom em "Eumaeus" bastarão:

> O estímulo intelectual como tal era, sentia ele, de vez em quando, um tônico de primeira linha para a cabeça. Somado a isso havia a coincidência de encontro, discussão, dança, briga, veteranos, do tipo hoje aqui, amanhã sumido, vadios da noite, toda a galáxia de eventos, tudo junto para formar um camafeu miniatura do mundo em que vivemos, ainda mais que a vida do décimo inferior, isto é, mineiros de carvão, mergulhadores, catadores de lixo etc. andava bastante sob o microscópio ultimamente.[12]

Aqui Joyce dá voz ao filisteu pequeno-burguês que vê a si e aos seus ocasionais companheiros de mesa como uma "miniatura do mundo" e que liquida despreocupado todas as atividades produtivas com os lugares-comuns da cultura dominante ("décimo inferior", "sob o microscópio"), de forma automática ("isto é", "etc."), a ponto de parecer inconsciente da própria realidade dos trabalhadores, cuja existência tem de "deduzir" como uma interpretação gritante e literal da metáfora do "décimo inferior": "Mineiros de carvão, mergulhadores, catadores de lixo"!

Então é verdade: em *Ulisses*, as relações sociais só aparecem pelo prisma do consumo. Mas isso acontece porque o único campo de investigação do romance, seu ponto de partida e seu ponto final, é a consciência ideológica dominante e espontânea das primeiras décadas do declínio da sociedade inglesa. E o que já se disse sobre a acusação de dar demasiada atenção ao consumo também é verdadeiro no caso daquela crítica "marxista" que atacou *Ulisses* pela *estase* e pela *mediocridade* do seu mundo (até Lukács o faria em *O significado do realismo contemporâneo*). "*Ulisses* é estático. Parece-se mais com Quéops do que com Magnitostroy", escreveu Mirsky em 1933, e Radek, no ano seguinte, perguntou:

> Qual é a característica básica de Joyce? Sua característica básica é a convicção de que não há nada grande na vida — nenhum grande acontecimento, nenhuma grande pessoa, nenhuma grande idéia; e o escritor pode nos dar uma imagem da vida usando apenas "qualquer herói dado em qualquer dia dado" [...][13]

*Ulisses* realmente é estático e em seu mundo nada, absolutamente nada, é grande. Mas isso não se deve a nenhum defeito técnico ou ideal por parte de Joyce, mas a sua sujeição à sociedade inglesa; para Joyce, com certeza essa é a única sociedade imaginável, embora com a mesma certeza ele a condene, com a apresentação hiperbólica de seus piores traços, a um futuro de mediocridade paralisada (futuro que Joyce, num golpe de gênio, coloca no passado, como para sublinhar seu consumado ceticismo; sempre se pode esperar nunca chegar às utopias negativas da ficção científica, mas se uma utopia negativa veio a acontecer há vinte anos e ninguém percebeu, então os dados já foram mesmo lançados...). A escrita de Joyce não é "revolucionária" em nenhum sentido sensato da palavra, mas nem assim nenhum marxista, romancista ou não, jamais conseguiu perceber o fim do século liberal com tamanha inteligência nem com tamanha fúria.

Antes de passar a *Ulisses* de uma vez por todas, é preciso uma explicação rápida. Tratei e continuarei tratando de Joyce e *Ulisses* como expressões da sociedade e da cultura inglesas. É claro que todos sabem que Joyce é irlandês e que *Ulisses* se passa em Dublin. Mas se Joyce fosse um *escritor* irlandês, compreensível e contenível dentro da cultura irlandesa sem deixar nada de fora, não seria mais Joyce; se a cidade de *Ulisses* fosse a Dublin real da virada do século, não seria mais a imagem literária *por excelência* da metrópole moderna. Os fenômenos culturais só podem ser explicados à luz da sua *gênese* (o que já surgiu dos estudos que interpretaram Joyce com base na Irlanda?); o que conta é a sua *função* objetiva. E não há dúvida de que *Ulisses* pertence inteiramente a uma virada fundamental da cultura burguesa internacional — condição que não teria alcançado na investigação da forma periférica e atrasada de capitalismo da Irlanda (que, além do mais, dependia do destino do capitalismo britânico; mais uma razão para passar do efeito para a causa).

A hipótese deste estudo, portanto, é que existe uma "homologia estrutural" entre a natureza social específica da crise britânica e a estrutura literária específica de *Ulisses*; se parecem mutuamente integradoras uma da outra, a questão da Irlanda não é mais pertinente. Ou melhor, dá origem a um problema diferente: por que o intérprete mais convincente e envolvido da crise britânica não é inglês? Enfrentamos aqui a questão mais ampla da "cultura do imigrante". Praticamente todos os protagonistas da cultura britânica do século XX (sendo as exceções mais notáveis Keynes e Leavis) foram imigrantes.[14] Assim como a sociedade britânica foi incapaz de produzir uma classe dominante digna do nome, também foi incapaz de produzir por si só uma cultura hegemônica. Somente aqueles que não foram moldados por seu sistema moribundo de valores conseguiriam perceber a crise e suas possíveis saídas; somente aqueles que viam a Grã-Bretanha de longe foram verdadeiramente capazes de compreendê-la. E Joyce, irlandês (este é o único domínio legítimo da abordagem "genética"), tinha todas as razões e todos os meios para sondar profundamente as entranhas da sociedade britânica. A agudeza impiedosa que demonstra ao descrever sua degeneração origina-se aqui, como também a impossibilidade de *opor*, seja o que for, a essa degeneração. O ceticismo precoce de Joyce em relação às opções políticas e culturais dos movimentos nacionais irlandeses seria reconfirmado pela busca de ambientes protegidos (Trieste, Suíça, os círculos de expatriados de Paris) à beira da tempestade e da renovação. A posição ideológica de Joyce é estruturalmente ambígua: nem "desculpa" nem "crítica" do capitalismo clássico; é uma posição que o dessacraliza e, ao mesmo tempo, "não tem outros deuses diante de si"; que o eleva a alturas universais, mas desse modo torna universal a condenação. Eis aqui, novamente a imagem do círculo vicioso.

## Ulisses, *desordem e mito*

Do que foi dito, deveria ficar claro que a raiz da crise capitalista está na incapacidade dos mecanismos econômicos do mercado de garantir o funcionamento orgânico da sociedade. Isso também produziu a crise da ideologia do século XIX, tanto em seu *conteúdo* quanto na percepção de sua *função* social. Na literatura, essa crise cultural e as tentativas de superá-la manifestam-se com clareza singular, porque o conceito de "forma" estética está envolvido diretamente. Se a realidade social mostra-se incapaz de atingir por si só uma forma racional e completa (Asor Rosa: "O real não é mais racional"), a cultura e a arte não podem mais ter a "imagem espelhada" como seu ideal formal, já que esta opção significaria a perda de sua coesão interna e de sua possível função hegemônica. Pelo contrário, arte e cultura devem contribuir de forma autônoma para devolver a forma à sociedade; mas, por assim dizer, têm de contar somente consigo mesmas e trabalhar com base em seus mecanismos formais peculiares. Só serão capazes de cumprir sua tarefa postulando uma autonomia radical, uma autodeterminação formal que acentue ao máximo a distância e a heterogeneidade de seus fundamentos, que tentam ser orgânicos, em relação à realidade não orgânica das relações sociais cotidianas.

O processo pelo qual a arte cria a sua forma apresenta-se como um *exemplo* para a sociedade em geral e, assim, reivindica o direito à antecipação lógica e histórica de todas as transformações (daí o denominador comum do idealismo da poética do século XX). A discussão de Eliot sobre o "método mítico" no conhecido ensaio "*Ulisses*, ordem e mito" (*The Dial*, 1923) está entre os exemplos mais explícitos desse modo de raciocinar: "O romance, em vez de ser uma forma, foi simplesmente a expressão de uma época que não perdera suficientemente toda a forma para sentir a necessidade de algo mais estrito." Mas as coisas mudaram: "[O método mítico] é, simplesmente, uma maneira de controlar, ou ordenar, de dar forma e significado ao panorama imenso de futilidade e anarquia que é a história contemporânea."

Controlar, ordenar, dar forma e significado — concentração, intervenção, redefinição da ordem social e de suas funções: a busca de Eliot (como fica cada vez mais claro) exprime com roupagem metafórica e, mais tarde, religiosa, as necessidades básicas de uma nova fase de desenvolvimento capitalista. Eliminar a futilidade e a anarquia significa forçar o curso da história numa só direção e pavimentar o caminho de um futuro regularizável e controlável. Mas também significa eliminar *Ulisses*, ignorando de propósito a sua estase e a sua irregularidade monumentais.[15] A discussão do método mítico nos ajuda a entender Eliot, não Joyce. Finalmente livre do dever de casa interlinear Homero-Joyce, não é mais possível duvidar de que Joyce só usa o mito para dessacralizá-lo e, por meio dele, dessacralizar a história contemporânea: parodiar Bloom com Ulisses e Ulisses com Bloom; criar uma ordem que dá mais relevo à ausência de ordem, um núcleo que enlouqueceu com a ironia e as distorções. Em Eliot, há uma distinção clara: de um lado, o mito ("controlar, ordenar, dar forma e significado"), de outro, a história ("panorama imenso de futilidade e anarquia"). O mito tem de moldar a história; é o agente ativo do par, a *forma* do *conteúdo* da história.[16] Em Joyce, mito e história são *complementares*: pressupõem-se e neutralizam-se entre si e é impossível determinar uma hierarquia formal ou ideológica entre os dois. Em Joyce, o mito não se identifica com a *forma* estética (como em Eliot) e, portanto, não pode ser o ponto de partida de uma nova *hegemonia cultural*.

Vale a pena examinar esses dois mitos — o de *A terra desolada* e o de *Ulisses* — mais de perto. O primeiro é verdadeiramente um mito, com todas as suas exigências antropológicas em funcionamento: é o mito do Rei Pescador.[17] Mas aquilo em que *Ulisses* se baseia *não* é um mito. Não há "mito de Ulisses"; Ulisses é exatamente aquele que evita os mitos; triunfa sobre eles e relega-os ao passado. *A dialética do Iluminismo*, que, como *Ulisses*, também é uma longa reflexão sobre o fim da era liberal, contém avaliações exemplares da função simbólica e ideológica da *Odisséia*:

> Embora já não pressuponha uma universalidade da linguagem, a narrativa homérica a efetua [...] O cosmo venerável do significativo mundo homérico é revelado como conquista da razão reguladora, que destrói o mito em virtude da mesma ordem racional na qual o reflete [...] Os mitos foram transformados nas várias camadas da narrativa de Homero. Mas o relato que deles ali se dá, a unidade arrancada das sagas difusas, é também uma descrição da retirada do indivíduo dos poderes míticos [...]. A oposição do iluminismo ao mito se exprime na oposição do ego individual sobrevivente ao destino multifacetado. [...] O mundo pré-histórico é secularizado como espaço cuja medida o eu deve tomar; e os velhos demônios habitam as fronteiras e ilhas distantes do Mediterrâneo civilizado, obrigados a voltar às formas de rocha e caverna [...]. O comportamento de Ulisses, o pere-

> grino, lembra aquele que pratica o escambo ocasional. Na imagem patética do pedinte, o homem feudal mantém as características do mercador oriental, que volta com riquezas inauditas porque, pela primeira vez e ao contrário da tradição, pôs os pés fora do meio da economia doméstica e "embarcou para outras terras". [...] a Odisséia já é uma "Robinsoníada".[18]

Se, com Ulisses, o comércio surgiu como estímulo para conhecer o mundo, dando-lhe uma ordem interna e também fronteiras externas, criando uma linguagem "universal" e derrotando a superstição, agora, com Bloom, a *mesma* função social navega num mundo incontrolável e incognoscível, reduzindo as tentativas de universalidade a banalidades rasas (a "filosofia" de Bloom) e caindo vítima de milhares de novas superstições. Vale lembrar que Joyce insiste no fato de que Bloom é um publicitário. E a publicidade, como observam Baran e Sweezy em suas "Theses on Advertising" ["Teses sobre a Publicidade"],[19] torna-se um auxílio indispensável ao comércio moderno exatamente na época de *Ulisses*, devido à crise definitiva do equilíbrio automático entre oferta e procura. Mas a publicidade (aqui novamente Joyce está cego aos fenômenos contemporâneos que já revelam os mecanismos do futuro) não confere, ao contrário do comércio na *Odisséia*, nenhuma unidade a *Ulisses*, assim como não garante ao protagonista nenhuma identidade social nem consciência de si mesmo.

Joyce, portanto, usa Ulisses e, na verdade, *tem* de usá-lo, porque Ulisses é o *primeiro* personagem simbólico da era cultural da qual Joyce é o último produto. Mas Ulisses não controla mais o mundo circundante e, assim, torna-se Bloom. Seu valor simbólico fica dialético e ambíguo; o que salvou Ulisses agora condena Bloom; o que era universal não faz mais sentido. Confrontado com a crise do capitalismo liberal, Joyce procura as suas causas nos próprios alicerces do "bom funcionamento" daquela sociedade e daquela cultura.

### *Mito, fluxo de consciência, publicidade*

Enquanto Ulisses domou os mitos *porque* estabeleceu a ordem racional do comércio e da individualidade livre, Bloom é o produto da dissolução dessa ordem e dessa individualidade e não há nada de mais se ele sucumbe novamente aos mitos. A questão do mito volta ao centro de *Ulisses* mas de modo completamente diferente daquele que Eliot postulou: não como imagem meta-histórica de uma fábula e vários personagens típicos, mas como relação entre a consciência intelectual subjetiva e a intuição da realidade objetiva; não como padrão metafórico da narrativa, mas como sua técnica. Em seu estudo da expressão lingüística do mito, Cassirer sustenta que

> [no pensamento mítico] o ego despende toda a sua energia num só objeto, vive nele, *perde-se nele*. [...] Afinal, nesse modo o pensamento não dispõe livremente dos dados da intuição para relacioná-los e compará-los entre si, mas é *cativado e aprisionado pela intuição com que de repente se defronta.*[20]

O que é notável nesse esboço é que coincide, em todos os pontos essenciais, com a análise de Umberto Eco do fluxo de consciência (principalmente, mas não apenas de Bloom):

> Permanecendo dentro dos fatos conscientes, todos registrados com absoluta fidelidade como outros tantos equivalentes, *a própria identidade pessoal é questionada*. No fluxo de percepções sobrepostas durante o passeio de Bloom por Dublin, as fronteiras entre "dentro" e "fora", entre como Bloom suporta Dublin e como Dublin age sobre ele, tornam-se muito indistintas.[21]

Assim, o fluxo de consciência é a expressão lingüística da perda da identidade individual, o oposto exato do que era em Dujardin, que o usou como instrumento de autocontrole e redenção do caráter do indivíduo. O verdadeiro herdeiro de Dujardin é Proust e não Joyce, que o virou de ponta-cabeça do mesmo modo que Eliot fez com Laforgue. No fluxo de consciência de *Ulisses*, o indivíduo é cindido e assim se exprime. A ilusão de que poderia ser um sujeito autônomo e independente desmorona. Longe de ser expressão de uma "liberdade interior" (como Zeraffa explicaria em sua tese sobre a "revolução do romance"), o fluxo de consciência indica que o indivíduo está escravizado por forças misteriosas e incontroláveis; fluxo de *in*consciência seria uma definição melhor e, embora essa técnica *não* coincida com o domínio psíquico que Freud definiu como "inconsciente", é claro que ambos assumem a função de enfatizar uma descontinuidade dentro da psique individual.[22]

O fluxo de consciência e a crise da ideologia do indivíduo livre se encontram sob o signo da publicidade. Este é o novo "mito" ao qual Bloom, publicitário e vítima da publicidade, sucumbe com regularidade crescente. E isso acontece porque a publicidade é o mito da mercadoria — mercadoria transformada em mito, num fetiche que exibe, em vez de ocultar, suas características "misteriosas". Enquanto a publicidade do século XIX descrevia o valor de uso do produto, reproduzindo assim os atos mentais que qualquer comprador realizaria espontaneamente no mercado, a publicidade moderna, como vimos, origina-se na situação paradoxal e "crítica" de um desequilíbrio perene entre oferta e procura. Mas esse paradoxo não passa da manifestação patente da relação alienada entre produtores e produtos. "Graças à" publicidade, essa relação não é mais oculta e negada, mas sim aceita — embora, como veremos, de forma inconsciente — como algo óbvio e permanente. A publicidade, portanto, não é tanto a exibição de "uma" mercadoria quanto do *fetichismo da mercadoria*: promove o produto fazendo dele um fetiche. Não é por acidente que uma das figuras de retórica prediletas da publicidade é a metáfora na qual — falácia na verdade patética — o produto surge como "força da natureza". A mercadoria precisa assumir visivelmente propriedades independentes, naturais e até humanas:

> Somos um grande casal, Bloom e eu;
> Ele clareia a terra, eu limpo o céu.

Assim canta o famoso sabão de Bloom, elevando-se como o sol no capítulo "Circe".

Para difundir o seu conteúdo essencial, a publicidade visa a uma forma de persuasão baseada na inconsciência, rápida e profunda, porque capaz de contornar toda resistência intelectual. A publicidade, então, torna-se parte do fluxo de consciência, a ponto de dominar os seus mecanismos e organizar em proveito próprio a "perda do eu" de Cassirer e a ausência de fronteiras entre "dentro e fora" de Eco. Se essa tentativa funciona, então é verdade que "as campanhas de publicidade, se suficientemente grandes, persistentes e inescrupulosas (aproveitando-se de métodos como sugestão subliminar e outros), podem vender ao freguês 'quase tudo'".[23] Ser capaz de vender qualquer coisa, quer dizer, de espalhar-se pelo universo social inteiro; "todos os tipos de lugar são bons para anúncios", reflete Bloom, num trecho que é um belo exemplo do efeito multiplicador e centrífugo de um anúncio sobre seu fluxo de consciência.

Mas a publicidade não é apenas um dos *leitmotifs* mais originais de *Ulisses*; em pelo menos dois casos, em "Ítaca", o próprio Joyce relaciona-a à técnica do fluxo de consciência:

> — Quais eram habitualmente as suas meditações finais?
>
> — Sobre um só anúncio sem igual que faça os passantes pararem maravilhados, uma novidade dos cartazes, com todos os acréscimos estranhos excluídos, reduzido aos seus termos mais simples e mais eficientes sem ultrapassar o tempo da visão casual e congruente com a velocidade da vida moderna.
>
> • • •
>
> — O que também o estimulava em suas cognições?
>
> — [...] as possibilidades infinitas até então inexploradas da moderna arte da publicidade quando condensadas em símbolos monoideais triliterais, de máxima visibilidade vertical (adivinhada), de máxima legibilidade horizontal (decifrada) e de eficácia magnetizante para prender a atenção involuntária, interessar, convencer, decidir.

"O tempo da visão casual", "congruente com a velocidade da vida moderna", "eficácia magnetizante", "prender a atenção involuntária, interessar, convencer, decidir". Aqui encontramos exatamente a aleatoriedade, a rapidez, a descontinuidade, a incontrolabilidade e a profundidade do fluxo de consciência. E esses trechos demonstram que as associações do fluxo de consciência não são "livres" de jeito nenhum. Elas têm uma causa, uma força motora, que está *fora* da consciência do indivíduo; até em termos sintáticos, o sujeito do último trecho citado é a publicidade; a psique individual é apenas o sustentáculo necessário à sua eficácia.

Portanto, é inteiramente lógico que o fluxo de consciência seja eminentemente paratático; a ausência de ordem interna e de hierarquias indica a reprodução de uma forma de consciência subjugada ao princípio da *equivalência das mercadorias*. Indica que os valores de uso, as qualidades concretas de qualquer mercadoria dada, são agora percebidos como secundários (e, na verdade, a publicidade nunca "descreve" o produto, e seu próprio ideal — "vender *qualquer coisa*" — pressupõe que todo produto pode tornar-se uma entidade cambiável e abstrata). O que fica para acender a imaginação e inflamar o desejo é apenas a atração geral dessa coleção caótica e inatingível de mercadorias; aqui se situa, talvez, a razão daquela "mudança e metamorfose" contínuas da sensação que Heath observa em *Ulisses*: nenhum significado concreto e unívoco pode ser atribuído a um mundo de objetos abstratos e intercambiáveis. Aqui, mais uma vez, a análise do pensamento mítico de Cassirer é útil:

> Se vemos [o mundo] como um todo, esse todo, ainda assim, consiste de unidades claramente distinguíveis que não se fundem umas às outras, mas preservam a identidade que as deixa definitivamente separadas da identidade das outras. Mas para a consciência criadora de mitos esses elementos separados não são, portanto, dados separadamente [...] Por essa razão, o estado mítico da mente foi chamado de estado "complexo" [...].[24]

Até agora baseei minha discussão no fluxo de consciência de Bloom. Mas ela funciona, com as devidas precauções, também no caso de Molly e Stephen. Isso fica imediatamente claro em Molly porque, em seu fluxo de consciência, vemo-nos diante da concretização total da tendência à parataxe e à perda da identidade, reproduzida na flutuação contínua entre "mim" e "eu" (no original, "*me*" e "*I*"). Isso não surpreende, dado que, em *Ulisses*, Molly é postulada incondicionalmente como a representante mais perfeita do consumismo. Mas a discussão também serve para Stephen. É essencial, neste caso, que a sua primeira teoria das epifanias — a tentativa de penetrar no significado subjacente e inalterável das coisas, pessoas, situações — não funcione mais. "Assinaturas de todas as coisas que estou aqui para ler": Stephen ainda se agarra a esta idéia no início do terceiro capítulo, "Proteu". Mas essa "assinatura" não é mais o sinal de uma ordem transcendente unívoca, assim como "a alma" — consciência — não é mais a "forma das formas". Se no fluxo de consciência de Stephen, no primeiro capítulo, surgem imagens que poderiam levar a um momento de epifania, esse momento *não* vem e as imagens permanecem indecifradas. Até a doutrina da encarnação, no final do terceiro capítulo, sucumbe a uma seqüência grotesca de metamorfoses ("Deus vira homem vira peixe vira ganso barnacle vira montanha de gente fingindo que trabalha") que a priva de todo significado intrínseco ou teleológico. Com certeza, diversamente do de Bloom e, mais ainda, do de Molly, o fluxo de consciência de Stephen ainda é o reflexo de um *conflito* entre a tentativa de dominar o mundo racionalmente e a substância muda ou equívoca do mundo. Mas os últimos triunfos, assim como, no nível da trama, o *acaso*, levam Stephen de lá para cá durante o dia e a noite. O único personagem que, no decorrer de *Ulisses*, sofre uma transformação só pode fazê-lo porque permaneceu artificialmente estranho ("atrasado", por assim dizer) em relação às condições sociais dominantes.

### *Bloom*

A função simbólica de Ulisses e o uso narrativo do fluxo de consciência são dois pontos cardeais de *Ulisses*. Dentro deste arcabouço geral, quero agora dar um exemplo mais tangível da hipótese sociológica deste estudo. Se *Ulisses* exprime a dialética cultural da agonia do capitalismo liberal, então necessariamente vai se demorar sobre a dissolução da imagem do pequeno-burguês — o produtor livre, economicamente independente e intelectualmente orgulhoso de sua própria autonomia — tão relevante dentro do sistema ideológico anglo-saxão nos séculos XVIII e XIX.

Bloom, claro, é a chave. É um personagem socialmente ambíguo desde o princípio, nem dependente nem independente por completo. Mas já traiu a religião do pai — aquele hebraísmo que prefigurou a ética puritano-burguesa — e, com ela, a idéia prática da *innerweltliche Askesis*. Seu pai — ou melhor, a imagem dele produzida pela sensação de culpa de Bloom — admoesta-o em "Circe" pelas duas coisas:

> RUDOLPH: Segunda meia-coroa desperdiçada hoje. Eu lhe disse, nunca sair com góis bêbados. Viu? Você não ganha dinheiro. [...] Você não é meu filho Leopold, neto de Leopold? Você não é meu querido filho Leopold que saiu da casa de seu papai e deixou os deuses de seus pais Abraão e Jacó? [...] Certa noite trouxeram você para casa bêbado depois de gastar seu bom dinheiro.

Bloom não tem futuro social (mais uma razão para comprimir *Ulisses* em 24 horas) e é por isso que Joyce lhe concede uma genealogia, mas nenhum descendente do sexo masculino: o filho de Bloom consegue vir ao mundo, mas não se mostra capaz de sobreviver, assim como o pai de Bloom, por não querer abandonar a ética heróica do livre mercado, é rejeitado por ela e mata-se. A vida de Bloom está suspensa entre essas duas mortes; agora ele é um acidente, uma relíquia histórica. E a sua ética, com efeito, é a da sobrevivência pura e simples: o equilíbrio entre débito e crédito, no fim do dia, é perfeito. A poupança — uma das primeiras coisas que ele associa à lembrança do pai: "Conselhos comerciais (depois de cuidar dos *pence*, as libras cuidam de si mesmas)" —, este símbolo secular de liberdade econômica, esta garantia do futuro, pelo jeito ficou impossível e nenhum dos personagens do romance consegue nem ao menos aspirar a economizar, como um dos mais cruéis personagens de *Ulisses*, o Sr. Deasy, se queixa a Stephen em "Nestor". No romance de Joyce, vive-se realmente um dia de cada vez — mas amanhã não é outro dia.

Se Bloom sente a precariedade da sua posição e a sua única razão de ser é conseguir preservá-la, então a coisa mais assustadora passa a ser o incomum, o diferente, o irregular. Assim, Bloom diz a Stephen em "Eumaeus":

> O Sr. Bloom que, em todo caso, estava na posse total de suas faculdades mentais, sóbrio como nunca, na verdade nojentamente sóbrio, proferiu uma palavra de cautela a respeito dos perigos da noite na cidade, mulheres de má fama e ladrões de casaca que, mal aceitável de vez em quando, embora não como prática habitual, era da natureza de uma arapuca mortal para jovens camaradas da sua idade.

E em "Nausicaa", a louvação filistéia da masturbação comparada ao coito é inesquecível: correm-se menos riscos quando se está sozinho. E um trecho curto em "Ítaca" levanta novamente a questão do risco:

> — Seu humor?
> — Ele não arriscara, não esperara, não se desapontara, estava satisfeito.
> — O que o satisfez?
> — Não ter sofrido perdas concretas.

A importância dessas últimas linhas vai além de seu significado imediato. Aqui, na verdade, Bloom pensa no cavalo Jogafora, vencedor inesperado da Taça de Ouro; é um episódio minúsculo que Joyce sequer descreve diretamente, mas estica durante *Ulisses* como metáfora perfeita do que é, neste momento, o caráter ilusório da livre concorrência. Na verdade, Jogafora faz o que Bloom jamais conseguiu nem nunca conseguirá: passa de repente, com um golpe do chicote (ou um golpe de gênio, como o puro-sangue que convence Ulrich, em *O homem sem qualidades*, a mudar o seu modo de vida?), da anonimidade à fama, da precariedade à riqueza. Nesse ponto, só cavalos podem jogar no livre mercado; não os homens que subiram pelo próprio esforço (como Bloom ainda se ilude que virá a ser com suas "invenções", na época que viu o surgimento dos laboratórios industriais...), mas somente os cavalos que subiram pelo próprio esforço. (Aqui, aliás, está o segredo da ressurreição do esporte no mundo moderno [a primeira Olimpíada foi realizada em 1896]: o aumento extraordinário da desigualdade *real* devido à concentração do poder econômico e político torna ainda mais desejável a reproposição *formal* — não por acaso, sob a insígnia do diletantismo mais puritano — do ídolo sagrado da "competição entre iguais".) Jogafora poderia ter sido, com certeza, o golpe de sorte de Bloom, a grande surpresa — mas sorte e surpresa são agora verdadeiras exceções e só servem para mostrar como a regra é firme.

Bloom, claro, é vítima dessa regra social sem entendê-la. Sua percepção é parcial e distorcida. As grandes empresas minam a sua identidade social, mas Bloom só consegue perceber esse fenômeno pensando... na Igreja Católica Romana:

> — Com toda a certeza uma organização maravilhosa, funciona como um relógio. [...] Devem ter as cabeças chatas esses lá de Roma; trabalham a festa inteira. E não recolhem a grana também?

• • •

> — Parece que a missa acabou. Podia ouvir todo mundo lá. Rezai por nós. E rezai por nós. E rezai por nós. Boa idéia, a repetição. É o mesmo nos anúncios. Compre de nós. E compre de nós.

A consciência de Bloom finalmente se resume e exalta a si mesma no lugar-comum. Paródia do iluminista pensante, Bloom é capaz de sair-se com lugares-comuns sobre qualquer assunto: do conceito de nação às relações entre os sexos, do apelo à generosidade aos programas sociais, ele acredita, por manter-se absolutamente fiel à ortodoxia liberal, que pode entender e controlar um mundo com o qual perdeu para sempre o contato. A esta luz, como escreveu Della Volpe, *Ulisses* "é um resumo e uma avaliação da nossa civilização burguesa humanitária no sentido de que a justificativa dessa civilização se reduz aos termos de seus *lugares-comuns sem vida*".[25] Assim, a sátira impiedosa de Joyce visa a Bloom porque, através dele, pode visar mais alto. E, mais uma vez, a avaliação histórica de Joyce está presa entre dois termos que se ridicularizam entre si e ao mesmo tempo incluem um ao outro. Daí a natureza peculiar da ironia de Joyce, que nada tem do "distanciamento" indicado por seu contemporâneo Thomas Mann como preço pago para entender, julgar e pregar, mas que, pelo contrário, vem de dentro de um sistema de contradições impossíveis de resolver.

*Riqueza inútil*

Até agora vimos como *Ulisses* apresenta alguns fenômenos sociais típicos da crise do capitalismo liberal. O elemento que talvez seja o mais importante ainda está para ser visto: que efeitos essa crise tem sobre a cultura e a literatura? Que função social Joyce atribui a eles e como isso aparece na estrutura de *Ulisses*?

A resposta de Joyce é radical e define-se em dois planos distintos. O primeiro e mais elementar diz respeito à maneira como os personagens do romance usam ou não a cultura. Stephen é a figura mais representativa nesse aspecto. É ele o intelectual como trabalhador intelectual; nele, cultura e trabalho são a mesma coisa. Conseqüentemente, em Stephen a cultura sofre o mesmo destino ao qual a crise capitalista condena todos os tipos de trabalho: subuso, se não total desperdício. E, na verdade, desde as primeiras páginas, Stephen recusa-se a comunicar-se e a colocar em circulação o seu conhecimento acumulado, não por orgulho intelectual, mas porque está obscuramente convencido de que o esforço não trará resultados. O fato de a cultura de Stephen ser uma cultura de "oposição", antibritânica e anticatólica, contribui certamente para o seu silêncio; ainda assim, devemos acrescentar que a dúvida mais radical sobre sua própria função ataca Stephen no território totalmente calmo e neutro do ensino de história antiga às crianças. Na escola, no segundo capítulo, Stephen é forçado a viver intelectualmente em dois planos: no particular, de suas próprias reflexões, e no socialmente reconhecido do ensino. Mas entre essas duas áreas não há mais nenhuma relação e, assim, a riqueza intelectual de Stephen atrapalha o seu desempenho regular no emprego. No final do capítulo, com lógica impecável, Stephen se demite; no capítulo seguinte, "Proteu", aquela cultura, já socialmente inútil, também se lhe revela como intrinsecamente frágil e precária. Aos poucos, no decorrer do romance, ele relega o seu conhecimento cada vez mais a um limbo; quando o usa, é meramente para espantar (quem poderia levar a sério a sua interpretação de *Hamlet*?). Em "Eumaeus", nega, exasperado, o acesso de Bloom a ele.

Pode-se pensar que isso acontece porque a cultura de Stephen é obsoleta e tomista. Mas isso só explica o desdém mudo e definitivo que enfrenta. O que me parece básico, o fato de o conhecimento ter sido trabalhosamente "acumulado" e depois se mostrar inútil, também é válido para Bloom, embora de modo diferente, porque sua função social é diferente. Stephen escandaliza-o porque "depois de todo o dinheiro gasto com a [sua] educação", é incapaz de "recuperar[-se] e cobrar o [seu] preço total"; Bloom chega a ponto de vasculhar o cérebro para encontrar um modo de usar a cultura do rapaz em proveito próprio, e depois passa a sonhar em lucrar com seu próprio *know-how* doméstico e infantil ou com o talento canoro da esposa ou com mil loucurinhas diferentes. Este é um aspecto importante da "fisionomia intelectual" de Bloom: sua vocação administrativa desesperada, seu esforço para capitalizar cada coisinha em vista de sua potencial utilidade econômica.

Como tal, Bloom é a paródia impiedosa do "espírito do capitalismo" de um Benjamin Franklin (ainda mais porque, como já se viu, na prática, para ele, até a poupança mais modesta é impossível); assim como suas aspirações a uma cultura onilateral são a paródia da *Encyclopédie*. A biblioteca de Bloom, descrita em detalhes em "Ítaca", é uma obra-prima da aleatoriedade e da inutilidade e sua chave está em "As rochas errantes". Uma cena termina com a frase de Lenehan a M'Coy:

> — Ele é um homem completo e culto, Bloom, disse ele a sério. Não é um dos seus plebeus ou conhecidos [...] sabe. [...] Há um toque de artista no velho Bloom.

A cena que vem logo a seguir começa gelada:

> O Sr. Bloom virou páginas preguiçosas de *A terrível revelação de Maria Monk* e depois da *Obra-Prima* de Aristóteles. [...] Colocou de lado os dois livros e deu uma olhada no terceiro: *Contos do gueto*, de Leopold von Sacher Masoch. [...] O Sr. Bloom, sozinho, olhou os títulos. *Tiranos justos* de James Lovebirch. [...] *Doçuras do pecado*.

A biblioteca de Bloom e a sua cultura são, portanto, a literatura e a cultura de um sebo; ambos mostram a mesma ausência de ordem e de hierarquia. A lógica niveladora do mercado da cultura integra-se à passividade estagnante do mecanismo social geral. A acumulação de conhecimento tornou-se gigantesca e derrubou as barreiras do tempo e do espaço mas, sem encontrar propósito, jaz em desuso nas prateleiras e na cabeça de um publicitário.

Essas últimas observações nos levam àquele aspecto de *Ulisses* no qual a idéia da "improdutividade" da cultura manifesta-se tanto do modo mais específico como do mais ostentatório. Quer dizer, entramos no campo das formas estéticas de *Ulisses*. O aspecto mais peculiar do romance de Joyce é que usa uma pluralidade de formas estéticas que ficam em extremos opostos. Notar o fenômeno não é difícil; interpretá-lo é outra coisa, ainda mais porque esta característica de *Ulisses* é, há muito tempo, o campo de caça de uma tendência crítica que se satisfaz em reconhecer e catalogar os seus procedimentos estilísticos e que, assim fazendo, inebria-se e, em sua euforia, glorifica a "riqueza" do romance e o lê e descreve como um resumo não ortodoxo mas magnífico da história da literatura e da retórica. É como se o professor dos professores, Ernst Robert Curtius, não tivesse escrito, com amarga consciência, em 1929:

> A obra de Joyce vem da revolta do espírito e leva à destruição do mundo. Com lógica inexorável, surge na noite do grande sabá das feiticeiras de Joyce, em meio a larvas e lêmures, a visão do fim do mundo. O niilismo metafísico é a substância da obra de Joyce. [...] Toda a sua riqueza de conhecimento filosófico e teológico, o seu poder de análise psicológica e estética, essa cultura da mente instruída em todas as literaturas do mundo, esse raciocínio que está tão acima de todas as banalidades positivistas — tudo isso é finalmente nulificado, refuta-se num mundo de conflagração, num polvilhar de chamas metalicamente iridescentes. O que sobra? Cheiro de cinzas, horror da morte, melancolia apóstata, torturas de consciência.[26]

Curtius está certo. A mecânica e o significado desta "destruição do mundo" ainda não foram compreendidos. Para a grande cultura burguesa do início do século, a destruição do mundo é corolário e conseqüência da destruição do mundo da cultura, já que só a cultura pode postular-se como sistema, hierarquia e ordem. Em *Ulisses*, então, o mundo cai em pedaços não porque seja um texto prolífico em visões apocalípticas, mas sim porque nele todas as idéias de sistema cultural dão errado. Stuart Gilbert, em *O "Ulisses" de James Joyce*, observa que "todos os fatos de qualquer tipo, mental ou material, sublime ou frívolo, têm uma equivalência de valor para o artista". Esse princípio da equivalência que se estabelece no romance de Joyce opõe-se de forma irredutível aos princípios hierárquicos da grande cultura burguesa do seu tempo. Ao tornar vã toda pretensão "orgânica" da obra de arte, Joyce também declara a impossibilidade de "deduzir" dela a idéia de um sistema cultural capaz de restaurar a ordem da sociedade.

Joyce desmonta a ideologia da arte "orgânica", mas não do modo sugerido por Robert Musil quando escreve que "outra característica de Joyce e de toda a tendência é a dissolução. Ele se entrega ao estado contemporâneo de dissolução e o reproduz através de um tipo de 'livre associação', enquanto, supostamente, pratica uma 'concepção heróica da arte'".[27] Segundo Musil, a dissolução de *Ulisses* deriva da "rendição" da arte à realidade, do colapso de uma ordem estética seletiva e de sua substituição pela "livre associação" (à qual, na verdade, não é possível reduzir o estilo de *Ulisses*). É exatamente o contrário que é verdadeiro. A dissolução só é possível e eficaz devido a um envolvimento formal extremamente controlado. Mas este envolvimento formal — eis a inovação decisiva — visa agora inteiramente a mostrar que todo estilo é arbitrário e, portanto, irrelevante.

A idéia de um estilo literário arbitrário, que dominaria e determinaria o seu assunto e não seria simplesmente sua representação transparente e "sensível", já pertencia à reação "decadente" à estética hegeliana. A pesquisa artística e teórica, na época de *Ulisses*, continuou a concentrar-se neste problema. Mas nessa tradição o conceito de "arbitrariedade" é funcional para a criação de uma nova *Koiné* cultural; é uma tentativa de reformular, ao mesmíssimo tempo, a consciência ideológica da elite e as técnicas artísticas individuais. O experimentalismo progride rumo ao remate do controle cultural. É por isso que Nietzsche ataca Wagner, e Eliot os poetas eduardianos; não por cederem ao gosto corrente *per se*, mas porque esta concessão impede uma hegemonia futura. Mas uma convenção arbitrária, para ser hegemônica, precisa apresentar-se como a única possibilidade: a alegoria de Nietzsche, que encontra em Kafka sua sinistra realização. Propor duas ou mais convenções para o mesmo "objeto", pelo contrário, é invalidar todas elas e renunciar a todas as pretensões hegemônicas. É exatamente isso o que acontece em *Ulisses*.

Eu disse que *Ulisses* é construído sobre uma pluralidade de estilos. Esse procedimento nada tem a ver com o ponto de vista diferencial de James ou Conrad, em que a diversidade de estilos é *motivada* pela psicologia diversificada de seus personagens. Em Joyce, quando um episódio é apresentado em dois, três ou cinqüenta estilos diferentes, o procedimento não se baseia em nenhuma motivação literária codificada. É pura investigação técnica (e a qualidade "cotidiana" do assunto também serve para intensificar a qualidade metaliterária do romance). A investigação, no entanto, não leva a uma escolha. Os vários estilos e as formas ideológicas que personificam são todos perfeitamente equivalentes; todos igualmente arbitrários, todos igualmente capazes de se impor. Todos, portanto, são igualmente *irrelevantes* como interpretações da realidade ou como formalizações da linguagem literária. Embora reduzam o significado uns dos outros, nenhum se torna seu veículo privilegiado.[28] Em *Ulisses*, não há estilos "dignos de confiança", capazes de "explicar" a realidade, e estilos "falsos", que visam a "mascará-la", assim como não há distinção qualitativa entre cultura de "elite" e cultura de "massa"; os "títulos" de "Éolo" não são "mais verdadeiros" nem "mais falsos" que o diálogo coloquial que os cerca; o estilo "novelesco" de Gerty não é mais verdadeiro nem mais falso que o monólogo filisteu de Bloom nem que o estilo impessoal do narrador; e o mesmo vale para a alternância de hipérbole épica e naturalismo coloquial em "O Ciclope" e, acima de tudo, para a miríade de estilos usados em "Os bois do Sol".

A indiferença de Joyce a todos os critérios de funcionalidade ou de verdade nas formas culturais aproxima-o do dadaísmo. No entanto, a colagem dadaísta limitava-se a declarar a equivalência dos produtos acabados, comprados prontos. Joyce vai além: seu mimetismo extraordinário tenta indicar que até os procedimentos de composição — os "meios de produção" literários — são equivalentes, intercambiáveis; sem nenhuma função social definida e não merecedores de futuro. *Ulisses* é uma liquidação maluca de estilos literários; e não é por acaso que Joyce não fundou uma escola e que aqueles que o usam como modelo e imitam um dos muitos estilos de *Ulisses* traem a intenção fundamental do romance: a recusa sistemática de adotar um estilo como veículo de expressão privilegiado.

O que foi dito para o estilo também vale para a ideologia em *Ulisses*. Há somente ideologia nesse romance; ele é o universo da falsa consciência. Isto fica imediatamente claro quando se recorda a consciência atravancada de seus personagens, incapazes de compreender o que está acontecendo e até mesmo as suas próprias ações, a não ser com a produção de razões grotescas que o curso dos acontecimentos destrói e ressuscita, de formas diferentes, mas igualmente estéreis (só é preciso lembrar os milhares de problemas que Bloom enfrenta, considera e deixa de resolver no decorrer do dia). Embora a teoria do romance de Lukács postule uma tensão entre o "mundo espiritual" do herói e a "segunda natureza" do mundo exterior, Joyce nivela essa tensão e a reduz a hábitos sem significado nem propósito; a ideologia não é mais uma ferramenta, parcial, talvez ineficaz, mas "heróica" para tentar moldar o mundo, mas sim uma rotina fátua que sobrevive à sua função.

No entanto, *Ulisses* é um universo ideológico, principalmente devido ao tratamento que dá ao estilo. Em geral, cada escolha estilística "traduz" ou prenuncia uma escolha ideológica dentro da esfera literária, ramificando, portanto, a sua influência social. Mesmo assim, logo que uma escolha estilística chega a sua objetificação literária final — assim que "se resolve completamente em poesia", como teria dito Croce — sua função ideológica, que acabou de ser cumprida, parece desaparecer, e o estilo se adianta como operação puramente literária, necessidade "intrínseca" do desenvolvimento artístico. Essa incorporação "inocente" da ideologia na literatura é o grande esforço de Eliot, desde a teoria do "correlativo objetivo" até os textos sobre a política da cultura. Joyce, por outro lado, deixa a máscara cair. *Ulisses* nega à investigação literária toda "objetividade" e toda "naturalidade", porque apresenta todas as escolhas estilísticas como parciais, arbitrárias e subjetivas. Assim agindo, Joyce demonstra a natureza ideológica persistente de todos os estilos.

Entretanto, isso não significa que *Ulisses* deva ser lido como uma *crítica* das ideologias e menos ainda da ideologia em termos abstratos, como forma específica de consciência da alienação capitalista. Em *Ulisses*, Joyce apresenta estilos e ideologias como entidades puramente formais, produtos de uma experiência à qual falta toda motivação e todo propósito.[29] Em outras palavras, Joyce pode nos dar uma grandiosa representação dos fenômenos ideológicos e literários porque, ao mesmo tempo, declara implicitamente que esses fenômenos não são necessários nem funcionais para a sociedade da qual brotam. A sua própria crítica das ideologias baseia-se numa ideologia: a ideologia da *superfluidade* social da cultura, que é um produto típico da consciência comum do capitalismo clássico, para a qual as "superestruturas" culturais seriam, na verdade, supérfluas para o funcionamento regular da sociedade — o mercado auto-regulador de Polanyi, em si mesmo um mecanismo tipicamente independente de todos os valores e metas culturais, cuidaria disso.

A convicção da superfluidade da cultura está tão profundamente entranhada em Joyce que ele considera a esfera estética incapaz de ser exemplo ou compensação para o estado do mundo. Eco observou que a meta de *Ulisses* (e, mais ainda, de *Finnegan's Wake*) é apresentar uma duplicação lingüística do real; isso é verdade, e é uma declaração de total superfluidade. Armado com essa certeza, Joyce só tinha de reproduzir, na esfera literária, os mesmos mecanismos desarranjados que governavam a sociedade. E foi o que fez com *Ulisses*, romance ao mesmo tempo eminentemente "literário" e eminentemente "social" e que força a crítica a passar o tempo todo da semiologia à sociologia e vice-versa.

Destaquei várias vezes a determinação histórica da obra de Joyce. A idéia de que os fenômenos ideológicos e estéticos são socialmente redundantes e improdutivos também pertence ao passado; a história do nosso século demonstrou que o contrário é que é verdadeiro. Mas essa idéia decididamente obsoleta forneceu a Joyce um cinismo cultural que fez dele um profeta do cinismo que viria. A in-diferença mútua dos valores culturais e das técnicas expressivas, a multiplicação e a equivalência das modas ideológicas, a falsa liberdade de escolha; a substância de *Ulisses* é a substância do sistema cultural contemporâneo. O desmantelamento das hierarquias culturais, a "destruição do mundo" de Curtius, não passa da abolição dos limites fixos e hierárquicos que impediam a expansão do "mercado cultural" e para o qual Joyce agiu como verdadeiro nivelador radical. A coincidência integral entre cultura e sociedade, de escolhas de valor e vida cotidiana: eis a história dos anos 50. Mas é mesmo tão absurdo pensar que o capitalismo contemporâneo também é a paródia de seu passado liberal?

# De *A terra desolada* ao paraíso artificial

Este ensaio tem como ponto de partida vários problemas ligados a *A terra desolada* (*The Waste Land*), de Eliot, publicado em sua forma final em 1922. *A terra desolada* pertence àquela concentração extraordinária de obras-primas literárias por volta da Primeira Guerra Mundial. "Extraordinária" devido à quantidade, como mostra mesmo a lista mais rudimentar (Joyce e Valéry, Rilke e Kafka, Svevo e Proust, Hofmannsthal e Musil, Apollinaire, Maiakóvski), mas até mais que extraordinária porque essa abundância de obras (como fica claro hoje, depois de mais de meio século) constituiu a última *temporada literária* da cultura ocidental. Num período de poucos anos, a literatura européia deu tudo de si e parecia à beira de romper novos e ilimitados horizontes; em vez disso, morreu. Alguns *icebergs* isolados e muitos imitadores; mas nada comparável ao passado.

A obra de Eliot — e *A terra desolada* em particular — assume o seu significado mais completo exatamente à luz dessa exaustão da razão de ser da literatura e de sua função histórica dentro da cultura ocidental. De fato, não há dúvida de que o poema de 1922 representa um produto "limítrofe", exemplar e inquietante; nele estão o último eco do *Bildungsroman* e da tradição da lírica decadente, a frieza da alegoria religiosa e a instabilidade da paródia, a citação histórica erudita e a vontade de construir um microssistema cultural baseado num arranjo mítico. Há, com efeito, um pouco de tudo; e é difícil entender como tudo isso consegue ficar junto.

Há, é claro, uma forma simplíssima e, portanto, comuníssima de explicar este estado de coisas; é preciso apenas recorrer à idéia sugerida em vários lugares pelo próprio Eliot[1] — da poesia sintética e "que inclui de tudo". No entanto, isto é uma evasão. Para a análise histórico-literária, essa "inclusão total" (como continuaremos a chamá-la por enquanto) deveria na verdade constituir um *problema* que exigiria elucidação no que tange à sua necessidade histórica e ao seu modo de funcionamento. Transformá-la, magicamente, na *solução* do problema explica tudo porque não explica nada. Leva-nos a acreditar que Eliot, portanto, lançou as bases de uma nova "era" no desenvolvimento da literatura; só que, sendo sensatos, percebemos que exatamente o contrário é que é verdadeiro.

Tentarei desenvolver aqui uma linha de raciocínio diferente. A hipótese é que *A terra desolada* e o arranjo mítico (cuja natureza será especificada) que constitui o seu esqueleto[2] são decididamente produtos culturais provisórios, instáveis e aproximados. A razão é que, com *A terra desolada*, Eliot tentou resolver, no domínio literário, problemas que, na verdade, exigiam a instituição de novos sistemas estéticos e culturais. Ou seja, Eliot tentou obter com a poesia resultados que só seriam atingidos com a *cultura de massa* e que, obviamente, neste novo sistema simbólico, também asssumiriam conotações diferentes. Na verdade, a terceira parte deste ensaio pretende delinear algumas dessas evoluções e transformações. Embora formalmente esse seja o objetivo da investigação, estas páginas são extremamente hipotéticas; visam principalmente a sugerir que, no caso de várias obras-chave do século XX, a análise literária só pode "inferir" fora do seu domínio "apropriado". Como, de fato, algumas das funções de que a literatura tradicionalmente se desobriga passam para outras atividades culturais, a crítica literária precisa "segui-las" e tentar sondar o significado desta metamorfose. Percebo que se corre o risco, de que não tenho certeza de terme isentado, de perder toda a especificidade metodológica e evaporar numa nebulosa "omnilogia". Mas com a cultura contemporânea, escorregadia e metamórfica como ela é, vale a pena correr o risco.

## *Rumo ao mito*

"[O método mítico] é, simplesmente, uma maneira de controlar, de ordenar, de dar forma e significado ao panorama imenso de futilidade e anarquia que é a história contemporânea."[3] Esta é uma das declarações críticas mais famosas de Eliot, a fórmula teórica que busca indicar a estrutura profunda e comum a *Ulisses* e *A terra desolada*. A primeira coisa que vale notar é que Eliot acredita ser necessário o método mítico — tanto que atribui a ele "a importância de uma descoberta científica", compara Joyce a Einstein e sustenta que "o Sr. Joyce vem buscando um método que outros devem seguir depois dele" — porque o mundo moderno não pode mais ser representado na forma do *romance*: "Se [*Ulisses*] não é um romance, isso se deve simplesmente a que o romance é uma forma que não serve mais." Esta é uma observação casual, quase um parêntese; mas é uma conjuntura fundamental que esclarece a ambição e o ceticismo com que Eliot, no início dos anos 20, via as principais tendências da literatura ocidental. Ceticismo: o romance é liquidado de uma vez por todas com a observação gelada de que "não serve mais"; nas décadas seguintes, Eliot, o crítico — e poucos críticos foram tão onívoros e versáteis quanto ele —, dedicará a ele parte insignificante de suas meditações. E ambição: eis um homem que raciocina em termos de "eras" históricas e que, sentindo que está no início de uma nova fase, não tem escrúpulos de abandonar a forma mais exemplar de dois séculos de civilização européia.

Mas por que o romance tornou-se "inútil"? "[É] porque o romance", prossegue Eliot, "em vez de ser uma forma, foi simplesmente a expressão de uma época que não perdera suficientemente toda a forma para sentir a necessidade de algo mais estrito." Vamos explicar. O romance entrou em sua crise final ("O romance terminou com Flaubert e com James", conclui Eliot três linhas depois) não por razões inerentes à evolução *literária*, mas porque a *era* que o tornou possível passa por uma crise e foi transformada num "panorama de futilidade e anarquia". Eliot não faz muito para nos ajudar a entender as características desta era que agora sucumbiu, no entanto, uma única coisa que diz é bem clara: "*que não perdera suficientemente toda a forma*", uma era que foi capaz de dar a si mesma uma forma — uma ordem — sem ter de recorrer a produtos literários como modelos de organização. Não é por acaso que o romance é definido como "a expressão da época": a emanação de uma ordem de outra natureza, não uma forma estritamente falando, mas a *manifestação* de uma forma subjacente.

Aqui começa a surgir um possível contexto de referências para o argumento de Eliot. Sua avaliação da civilização do século XIX coincide num ponto essencial com a hipótese que só encontrará sua formulação clássica vinte anos depois em *As origens da nossa época*, de Karl Polanyi. O século XIX vê a concretização da idéia de que a sociedade pode funcionar de forma racional e coerente devido à existência de um mecanismo *puramente econômico*, o "mercado auto-regulador"; ou seja, um mecanismo que busca finalidades estritamente econômicas e quantitativas e está, portanto, livre de restrições advindas de valores *simbólicos* e *culturais*. A sociedade, nesse modelo teórico, funciona *independentemente* da cultura que é capaz de assumir; em conseqüência, e aqui voltamos a Eliot, a estruturação do universo cultural pode permanecer mais ou menos elástica e dar lugar a fenômenos tão pouco formalizados quanto o romance.

Aqui não é lugar para determinar se essa hipótese está ou não bem fundamentada. O que importa aqui é observar como, nas primeiras décadas do século, uma imagem teórica parecida com a de Polanyi sustenta, de forma mais ou menos explícita, a pesquisa de numerosos intelectuais europeus. Para voltar aos anos de *A terra desolada*, não se pode deixar de observar a analogia entre algumas premissas de Eliot e a investigação realizada alguns anos antes por Lukács em *A teoria do romance*. Como Eliot, Lukács sustenta que o romance tem um *status* formal extremamente incerto; o drama "pode [...], *em sua natureza apriorística formal*, encontrar um mundo que talvez seja problemático mas que ainda é envolvente e fechado em si mesmo. Mas isso é impossível para o grande épico". Mesmo assim tem significado falar de uma "forma", se não "apriorística", "livre" com relação ao material sobre o qual exerce suas faculdades ordenadoras? Lukács parece achar que não; e de fato continua:

> Para o épico, *o mundo, em qualquer momento dado, é um princípio básico*; é *empírico* em sua mais profunda, mais decisiva base transcendental e onideterminante [...] não pode *nunca, enquanto permanecer épico, transcender* o fôlego e a profundidade, a natureza harmoniosa, sensual, ricamente ordenada *da vida como historicamente dada*. [...] O épico e o

> romance, essas duas formas principais da grande literatura épica, diferem um do outro não pelas intenções fundamentais de seus autores, *mas pela realidade histórico-filosófica dada* com que se defrontam os autores.[4]

Trechos assim abundam no texto de Lukács. E embora *A teoria do romance* seja uma obra extremamente contraditória e embebida de um estoicismo desesperado e formativo ("Inventamos a produtividade do espírito [...] Inventamos a criação das formas"), não há dúvida de que Lukács acredita que a maldição da "relação necessariamente inseparável com a contingência histórica concreta" foi lançada sobre a tentativa formal do romancista; e isso frustra, inevitavelmente, qualquer concretização efetiva. Lukács e Eliot concordam, portanto, pelo menos num ponto essencial: a forma do romance depende da forma da "época" e decai com ela. Quando, nas últimas páginas de *A teoria do romance*, Dostoiévski é indicado como possível arauto de um "novo mundo", Lukács é compelido, pela lógica do seu raciocínio, a afirmar exatamente que "Dostoiévski não escreveu romances": afirmativa que, evidentemente, não se pode levar muito a sério no que diz respeito a Dostoiévski, mas que é muito sintomática das aspirações de Lukács. Para quem quer entrar numa nova época é necessário abandonar o romance. O problema agora é entender que forma literária tomará o seu lugar, com que meios e com que fins.

Vamos agora voltar à declaração de 1923: "[O método mítico] é, simplesmente, uma maneira de controlar, de ordenar, de dar forma e significado ao panorama imenso de futilidade e anarquia que é a história contemporânea." Aqui, finalmente, está a "forma apriorística": de um lado, um mundo sem significado e não orgânico; do outro, um método que "controla", "ordena", atribui "forma e significado". A relação entre época e cultura que caracterizou a era do romance foi virada pelo avesso; aqui a época é completamente sem forma e a cultura é *apenas* forma, capacidade abstrata de ordenamento.

Eliot, no entanto, não se limita, como Worringer e Hulme, a sublinhar o caráter *abstrato* da forma estética: "Uma maneira de controlar, de ordenar, de dar forma e significado." A última palavra talvez seja a palavra-chave do projeto poético de Eliot. É importante que a palavra em inglês seja *significance*, e não *meaning*. *Significance* é uma palavra ambivalente que contém a idéia de significado mas que a vincula e subordina à de "importância", "relevância" e "valor".

Este curto-circuito entre "significado" ("*meaning*") e "valor" coloca a pesquisa de Eliot bem no meio de um dos emaranhados conceituais mais estimulantes abordados pela cultura européia na virada do século. Comecemos em 1892, quando o lógico Gottlob Frege publicou um ensaio que estava destinado à fama: "Über Sinn und Bedeutung" ["Sobre o sentido e a referência"]. Frege pretendia afirmar uma distinção dupla: a primeira, que seria adotada pela lingüística, entre referente (*Bedeutung*: o objeto ao qual o signo "se refere") e sentido (*Sinn*: o "modo de apresentação" do objeto); assim, "a referência de 'estrela da tarde' seria a mesma de 'estrela da manhã', mas não o sentido".[5]

Embora geralmente o nome de Frege seja associado apenas a esta primeira distinção, seu argumento não pára por aí:

> A referência e o sentido de um signo devem ser distinguidos da idéia associada. Se a referência de um signo é um objeto perceptível pelos sentidos, a minha idéia dele é uma imagem interna, que vem das lembranças das impressões sensórias que tive e dos atos, internos e externos, que realizei. Tal idéia está, com freqüência, saturada de sentimento; a clareza de suas partes separadas varia e oscila. O mesmo sentido nem sempre está ligado, ainda que no mesmo homem, à mesma idéia. A idéia é subjetiva; a idéia de um homem não é igual a de outro. Daí resulta, na prática, uma variedade de diferenças entre as idéias associadas ao mesmo sentido. Provavelmente um pintor, um cavaleiro e um zoólogo ligarão idéias diferentes ao substantivo "bucéfalo". Esta constitui uma distinção essencial entre a idéia e o sentido do signo, que pode ser propriedade comum de muitos e, portanto, não faz parte de um modo da mente individual. Afinal, não se pode negar que a humanidade tem um estoque comum de pensamentos transmitidos de geração em geração.

> À luz disso, é preciso não ter escrúpulos para falar simplesmente de *o* sentido, enquanto, no caso de uma idéia, é preciso, estritamente falando, dizer a quem ela pertence e em que época. Talvez se possa dizer: assim como um homem liga esta idéia, e outro aquela idéia, à mesma palavra, assim também um homem pode ligar este sentido e outro, aquele sentido. Mas permanece a diferença do modo de conexão. Não estão impedidos de adotar o mesmo sentido; mas não podem ter a mesma idéia. *Si duo idem faciunt, non est idem.*[6]

Estas frases pressupõem os termos essenciais do problema. Não só toda coincidência natural entre sentido e referente, ou seja, entre linguagem e realidade, desaparece, como o próprio universo lingüístico-cultural divide-se entre a estabilidade e a certeza relativas dos significados e a aleatoriedade absoluta do que Frege chama de "idéias" — e que Max Weber, seguindo uma linha de raciocínio semelhante numa esfera diferente dali a alguns anos, chamaria de "valores". A situação delineada pode ser enfrentada de duas maneiras perfeitamente simétricas. De um lado, significado e idéia-valor podem parecer *demasiado próximos e confusos*, fazendo com que o campo do significado, que aspira à certeza científica, fique difícil de distinguir do campo dos valores, que tem princípios e metas totalmente diferentes. Por outro lado, entre o sentido — que, para Frege, é fundamentalmente intersubjetivo — e o valor — que, pelo contrário, envolve as motivações individuais mais profundas — a relação não é mais *suficientemente íntima e unívoca* e não pode mais garantir nenhuma coesão e continuidade culturais, seja no plano social, seja no individual: "O mesmo sentido nem sempre está ligado, ainda que no mesmo homem, à mesma idéia."

Max Weber abordou o primeiro lado da questão. É necessário reconhecer que a subjetividade dos valores guia toda atividade intelectual e não pode ser eliminada; portanto, é inevitável que os nossos ideais entrem "em luta com outros ideais que são tão sagrados para os outros quanto os nossos são para nós".[7] Mas se isso é verdade, o dever da cultura consiste em reconhecer que

> há e sempre haverá [...] uma distinção intransponível [entre] [...] aqueles argumentos que falam à nossa capacidade de nos entusiasmarmos e à nossa percepção de metas práticas e concretas ou de formas e valores culturais [...] e [...] aqueles argumentos que falam à nossa capacidade e necessidade de *ordenamento analítico* da realidade empírica de maneira a afirmar a *validade* como verdade empírica.[8]

Como se sabe, a pesquisa de Weber, embora reconhecesse que toda análise sócio-histórica é motivada por nossos "interesses" ou "valores", mergulha no segundo ponto do problema e define os critérios que podem garantir aos argumentos científicos "*validade* como verdade empírica".[9] Ou seja, Weber visa a especificar a *separação* entre o campo do significado e o dos valores. Mas apenas dois anos antes de seu ensaio, Hugo von Hofmannsthal explorou o outro lado do problema. "A carta de Lord Chandos" segue ponto a ponto o raciocínio de Frege, mas num tom melancólico provocado pela unidade perdida:

> Meu caso, em resumo, é o seguinte: perdi completamente a capacidade de pensar ou falar com coerência sobre qualquer coisa.
>
> A princípio fui aos poucos ficando incapaz de discutir um tema mais elevado ou mais geral em termos que qualquer um, com fluência e sem hesitação, gostaria de dispor. Sentia um desagrado inexplicável pelo simples ato de pronunciar as palavras *espírito*, *alma* ou *corpo* [...] termos abstratos dos quais a língua deve servir-se no sentido prático para proferir um juízo — essas palavras se esfarelavam em minha boca como cogumelos mofados. [...]
>
> Enchia-me de uma raiva inexplicável, que só conseguia ocultar com esforço, ouvir coisas assim: este caso deu certo ou errado para esta ou aquela pessoa; o xerife N. é má pessoa, Parson T. é um bom homem; coitado do fazendeiro M., seus filhos são uns gastadores; outro deve ser invejado porque as filhas são econômicas; uma família sobe no mundo, outra cai ladeira abaixo. Tudo isso parecia impossível de demonstrar, falacioso e oco ao máximo. Minha mente me impelia a observar todas as coisas que ocorriam em tais conversas a partir de uma estranha proximidade. [...] Não conseguia mais

> compreender [os seres humanos e as suas ações] com o olho simplificador do hábito. Para mim, tudo se desintegrava em partes; nada mais se deixava envolver por uma só idéia. Palavras isoladas futuavam ao meu redor; congelavam-se em olhos que me fitavam e que eu era forçado a fitar também — redemoinhos que me davam vertigem e, girando sem parar, levavam ao vazio.
>
> Tentei me libertar desse sofrimento buscando refúgio no mundo espiritual dos Antigos. [...] Através da harmonia de suas idéias, claramente definidas e organizadas, esperava recuperar a saúde. Mas fui incapaz de encontrar o caminho até elas. Essas idéias, eu as compreendia bem; via a sua maravilhosa inter-relação elevar-se diante de mim como fontes magníficas nas quais brincavam bolas douradas. Podia rodeá-las e ver como brincavam umas com as outras, mas só se preocupavam consigo mesmas e a qualidade mais profunda e mais pessoal do meu pensamento continuava excluída desse círculo mágico. Em sua companhia, fui esmagado por um terrível sentimento de solidão; sentia-me como alguém trancado num jardim, cercado de estátuas sem olhos.[10]

Eis aqui as fases da aniquilação de Chandos: primeiro a linguagem perde toda a espontaneidade para o usuário; depois, percebe-se sua natureza "falaciosa e oca", se comparada à realidade; finalmente, e este é o passo decisivo, a coerência conceitual, embora considerada válida em sua esfera e com relação aos seus objetivos, parece agora incapaz de ser a mesma coisa que "a qualidade mais profunda e mais pessoal do meu pensamento". Ela não pode mais *produzir valores*: promover uma atitude diante do mundo, *dentro* do mundo. Essa situação voltará dez anos depois, na primeira das *Elegias de Duíno*:

> Sim, é estranho não mais viver na Terra,
> não mais praticar costumes que mal se adquiriam,
> às rosas, e outras coisas especialmente cheias de promessas
> não lhes dar mais o significado do futuro humano;
> o que em mãos sempre ansiosas se costumava ser,
> não ser mais, e até o próprio nome
> deixar de lado, como um brinquedo quebrado.
> Estranho não desejar mais os próprios desejos. Estranho
> ver todas as relações se soltarem
> flutuando no espaço. E é cansativo estar morto.[11]

Enquanto para Weber o problema consistia em manter sob controle a natureza onívora e onipresente dos "valores", para Hofmannsthal e Rilke é exatamente o contrário que é verdade. Não é a onipotência da atividade simbólica do homem que os desanima, mas a sua *ausência*: "Vejam, as árvores *existem*; e as casas/ em que vivemos — estão de pé. Mas passamos por elas/ como uma troca de fôlego." (*Elegias de Duíno*, II, versos 39-41). Os conceitos entretecem "sua maravilhosa inter-relação", mas isso não ajuda mais Chandos a *dar significado* ao mundo. Essa é a matriz da extraordinária "contenção" do mundo literário austríaco na virada do século,[12] a reserva de quem entendeu como é fútil projetar sobre o mundo a sombra tranqüilizadora dos próprios desejos. Este mundo pode ter significado, mas não significado *para nós*; aquela correspondência entre valores e realidade está irreparavelmente perdida. "Ficamos inclinados a dizer", observa Freud em O *mal-estar na civilização*, "que a intenção de que o homem fosse 'feliz' não está incluída no plano da 'Criação'."[13]

É contra o pano de fundo desses reconhecimentos radicais do "desencanto" do mundo humano que a tentativa de Eliot assume todo o seu significado. Ele quer que o leitor se sinta "à vontade" mais uma vez; que preencha o abismo entre significado e valores, valores e realidade. Esta é a meta da teoria do "correlativo objetivo", outro ponto forte do seu pensamento:

> A única maneira de exprimir emoção em forma de arte é encontrar um "correlativo objetivo"; em outras palavras, um conjunto de objetos, uma situação, uma série de eventos que serão a fórmula daquela emoção *específica*; de modo que, quando forem dados os fatos externos que devem terminar em experiências sensórias, a *emoção seja imediatamente evocada*.[14]

Aqui, embora afirmada na linguagem crítica incorrigivelmente fugidia de Eliot, a intenção é clara: a forma artística é o meio que religa expressão e emoção, significado social objetivo e valor subjetivo. Não é por acaso que a maior parte dos primeiros poemas de Eliot representa a tentativa — na época, malsucedida — de representar esta conexão. "É impossível dizer exatamente o que quero dizer"; "E devo adotar todas as formas que mudam/ Para encontrar expressão"; "Depois deste saber, que perdão?"[15] Esses versos são a pista de um impasse permanente; até 1922, Eliot ainda usa a típica função lírica da "voz individual". Ainda que esta voz — de Prufrock ao narrador anônimo de "Retrato" e "Gerontion" — se torne cada vez mais incorpórea e perca individualidade, ela continua, do ponto de vista da gramática e da cultura, a ser um "Eu": apenas um dos *muitos* sujeitos que podem usar a linguagem. Ou seja, é um elemento que ainda tem uma relação parcial e causal com os universos de significado e valor e que, portanto, não pode aspirar a tornar-se veículo daquela conexão que é *válida para todos* e que Eliot, tanto em seu ensaio sobre *Hamlet* quanto no outro sobre *Ulisses*, pretende instituir entre esses dois campos. Para atingir esta meta, teve de chegar a *A terra desolada* e àquele cadafalso mítico que lhe serve de base.

*A terra desolada* foi definida várias vezes como "obra que inclui tudo", quase como se fosse capaz de conter todo tipo de material heterogêneo, de falar sobre tudo na vida sem fazer mais distinções entre "estilos" ou níveis. Parece-me bastante claro que esta é uma apologia ingênua, mas, caso se consiga traduzi-la em termos críticos mais rigorosos, contém, como veremos, um núcleo de verdade. *A terra desolada* passa a sensação de "incluir tudo" não porque contenha "tudo", mas porque todos os seus elementos apresentam, além de seu significado mais ou menos "ordinário" — com base em que só podemos considerá-los heterogêneos e sem relações recíprocas —, um segundo significado figurativo que deriva da estrutura semântica profunda do poema, na qual, pelo contrário, são, em conseqüência, perfeitamente *homogêneos* e *interligados*. Em outras palavras: em *A terra desolada* há um código que permite a *assimilação* de elementos tomados de códigos diferentes; a "inclusividade total" que aparece na superfície do poema é conseqüência deste profundo procedimento formal; e este, por sua vez, funciona em grande medida como *sistema mítico*:

> A função semântica do mito consiste essencialmente no vínculo que estabelece entre os diferentes níveis, nos múltiplos paralelismos que institui entre as várias esferas da experiência humana [...]. Parece importante especificar a peculiaridade semântica do mito em sua capacidade de atestar que, entre ordens diferentes (por exemplo, a ordem cósmica, a cultural, a zoológica, a meteorológica, a social...), há um isomorfismo exato [...] Cada mito [...] tem de ser considerado um verdadeiro *intercódigo* destinado a permitir uma conversibilidade recíproca entre os diferentes níveis.[16]

Esta, então, é a primeira manifestação do famoso "método mítico": em *A terra desolada* cria-se um verdadeiro *sistema* de analogias semânticas que é completamente diferente das metáforas (de certo modo, talvez até mais "audacioso") dos primeiros poemas, que eram puramente *ocasionais* e, portanto, incapazes de impor um significado unitário aos componentes diferentes do texto. Mas isso não é tudo. Exatamente por ser capaz de instituir ligações regulares entre níveis diferentes de experiência humana, o sistema mítico também resolve a relação problemática entre expressão e emoção, significados e valores, descrição e avaliação:

> Os símbolos da *mente selvagem* elaboram uma conexão entre dois planos distintos; ou seja, o das imagens dos seres naturais e suas qualidades sensíveis de um lado e, do outro, o dos significados que cada código simbólico atribui aos diversos elementos do mundo natural [...] Esta particularidade também produz aquele tipo de equívoco ideológico que desempenha papel central no pensamento mítico. É fácil ser levado a acreditar, no caso do mito, que os significados são, *por natureza*, inerentes às coisas e que, portanto, são independentes de toda vontade e toda interferência do homem.[17]

Numa fórmula resumida de Lévi-Strauss: "O pensamento selvagem não distingue o momento da observação do da interpretação."[18] E aqui a primeira parte da discussão pode considerar-se encerrada. O uso do sistema mítico permite a Eliot desenvolver um programa poético que visa a desfazer a divisão entre os juízos factuais e os juízos de valor, a criar em seu lugar uma forma de comunicação e percepção na qual as duas instâncias sejam indistinguíveis. Isso também permite a solução do problema básico da *Teoria do romance* de Lukács: como reconstruir uma imagem do mundo como "totalidade concreta" na qual a total "imanência do significado" seja renovada; ou seja, na qual o indivíduo não perceba mais discrepância entre o mundo "como ele é", empiricamente dado, e os seus próprios "ideais". Os dois planos, com efeito, ficam agora correlacionados *ab origine*: os ideais já estão entranhados na estrutura do mundo como este se apresenta à percepção, já que o texto literário descreve uma trajetória interpretativa na qual a "compreensão objetiva" é a mesma coisa que o consenso ideal — a "satisfação subjetiva" do leitor.[19]

Dando um passo atrás, o mito garante que a cultura não seja mais uma mera superestrutura em relação à "neutralidade" simbólica — e portanto potencial desordem — da existência histórica; em vez disso, apresenta-se como aquele sistema de valores que se difunde e atribui "significado" e, assim, humaniza todas as manifestações daquela existência. Na verdade, veremos que a relação entre história e valores, tempo e mito, constitui a pedra fundamental de *A terra desolada.*

### *Na mesa de Madame Sosóstris*

Uma das primeiras coisas que espantam quem lê *A terra desolada* é a sua enorme carga de referências literárias. Quer essas referências sejam verdadeiras citações, graficamente assim apresentadas (em itálico ou notas que indicam os versos tirados de outras obras e que, em geral, não são atribuídos a nenhuma das "vozes" do poema); quer literalmente mas assimiladas a um contexto diferente do original (como o verso de *A tempestade* pronunciado por Madame Sosóstris, ou o adeus de Ofélia que conclui a segunda parte do poema); quer "modificadas" e implícitas, pacientemente desenterradas depois de décadas de trabalho crítico (como no caso das primeiras trinta linhas da segunda parte), uma coisa é certa: sem esse cadafalso literário, *A terra desolada* seria absolutamente impensável.

A crítica interpretou de variadíssimas maneiras o recurso de Eliot aos fragmentos extraídos da tradição literária. Até onde sei, contudo, ninguém sequer notou um dos procedimentos mais típicos, ou melhor, obrigatórios do famoso método mítico. O primeiro capítulo de *O pensamento selvagem* é esclarecedor neste aspecto; e a analogia entre a construção mítica e a bricolagem pode ser estendida de forma razoável a *A terra desolada*. Como o *bricoleur*, Eliot extrai certos elementos (em geral, frases ou versos) de todos organizados de natureza variada e escolhe exatamente aqueles capazes de realizar uma nova função, mais ou menos distanciada do original, na nova estrutura, *A terra desolada*. "O pensamento mítico, aquele *bricoleur*, constrói estruturas encaixando eventos, ou melhor, restos de eventos [...] indícios fossilizados da história de um indivíduo ou de uma sociedade."[20] Aqui Lévi-Strauss usa uma palavra — "restos" — que os críticos de Eliot usaram assiduamente e com igual imprecisão. Talvez a análise de *O pensamento selvagem* ajude a esclarecer o seu significado: desenvolvendo a linha de pensamento de Lévi-Strauss compreende-se que o "fragmento" usado pelo discurso mítico (e por *A terra desolada*) é uma entidade dúplice. Pode ser chamado de "fragmento" e assim ressaltar sua incompletude e a dificuldade de decifrá-lo, caso se olhe para o contexto original; neste caso, o que salta aos olhos é a perda de significado, a amputação sofrida pelo elemento em questão. Entretanto, quando se olha para o seu *novo* contexto, encontra-se um estado de coisas completamente diferente. O "fragmento" tornou-se uma *função*; o que chama a atenção não é mais que esteja deslocado e deturpado, mas que possua um significado e um papel precisos e que contribua efetivamente para a composição de um novo todo organizado.

Portanto, o material de construção de *A terra desolada* revela-se a uma luz dupla e complementar: como "fragmentos" e "significados incompletos" quando avaliado com referência à tradição literária; como "funções" e "significantes adequados" quando se volta a atenção para o poema ou para o mito. Assim, a construção de *A terra desolada* envolve o leitor em duas avaliações simultâneas: de um lado, faz a história parecer um acúmulo de escombros, um processo centrífugo e ininteligível; do outro, apresenta a estrutura mítica como ponto de suspensão e reorganização desta fuga interminável. O senso da história e a fé no mito parecem critérios de avaliação inversamente proporcionais; quanto mais sem sentido e sem direção parece ser o passado, mais o presente eterno do mito será capaz de absorver em si toda capacidade significante. "São sempre os fins anteriores", observa Lévi-Strauss, "que são chamados a desempenhar o papel de significação: o significado se transforma em significante."[21] Numa palavra: se o mundo ocidental, diversamente do "pensamento selvagem", desenvolveu uma cultura de história, aos olhos de Eliot isso só tem valor se puder ser desintegrado e seus restos usados para construir um mito.[22]

Esta é uma desvalorização radical da história e a tendência conservadora de Eliot não conta tudo. A verdadeira meta de *A terra desolada* não é a idealização de alguma época passada específica para depreciar alguma característica do presente. Há algo mais em jogo; é uma questão de virar pelo avesso o próprio modo como a civilização ocidental considerou o processo histórico. A história não deve mais ser vista como irreversível em relação ao passado e, principalmente, imprevisível no que tange ao futuro, mas como um mecanismo cíclico que é, portanto, fundamentalmente estático: falta-lhe uma dimensão realmente temporal. Então, a história "atemporal" terá um significado muito diferente daquele que é costume lhe atribuir. Não será o território onde vários valores se originam, confrontam-se e desaparecem numa luta incessante cujo resultado é impossível prever. Não será mais a manifestação patente de como todas as culturas são parciais, provisórias e conflituosas. Pelo contrário, será o lugar onde uma estrutura de valores única e imutável, com variantes desprezíveis, se estabelecerá. E será também "objetiva", do mesmo modo que a estrutura mítica; nessa estrutura, cada ação humana possível possui o seu próprio significado único e *a priori*, universalmente reconhecido e aceito como tal. "Parar" a história, portanto, é apenas o primeiro passo, o meio necessário para a realização de um projeto muito mais ambicioso: reinstaurar uma cultura única, unificada e, por assim dizer, definitiva.

> Há portanto, um tipo de antipatia fundamental entre a história e os sistemas de classificação. Isso talvez explique o que se fica tentado a chamar de "vazio totêmico", pois, dentro dos limites das grandes civilizações da Europa e da Ásia, há uma ausência notável de tudo o que possa fazer referência ao totemismo, mesmo na forma de restos. A razão, com certeza, é que estes últimos preferiram explicar-se pela história e que esta realização é incompatível com aquela classificação de coisas e seres (naturais e sociais) por meio de grupos finitos. Todas as sociedades estão na história e mudam. Mas as sociedades reagem a esta condição comum de maneiras muito diferentes. Algumas a aceitam, de bom grado ou não, e suas conseqüências (para elas e para outras sociedades) assumem proporções imensas através da atenção que lhe dão. Outras (que por esta razão chamamos primitivas) querem negá-la e tentam, com uma destreza que subestimamos, tornar tão permanentes quanto possível os estados de seu desenvolvimento que consideram "antecedentes".[23]

Na Londres do pós-guerra, T. S. Eliot dispõe-se exatamente a subverter este aspecto da civilização ocidental. Se, voltado para o passado, o mito desarranja o curso da história a ponto de torná-la irreconhecível, quando se volta para o futuro é o instrumento ideal para pré-selecionar os eventos históricos e, portanto, despi-los de toda imprevisibilidade. De modo algum Eliot se submete ao fascínio do "encanto do novo"; é aqui, aliás, que sua distância das vanguardas, sobre as quais sempre manteve silêncio absoluto, pode ser completamente medida. O "novo" só pode ser aceito se inserido num arcabouço simbólico que lhe atribua *a priori* uma posição e um significado, neutralizando assim a sua novidade no sentido mais enfático.

Certamente Eliot não foi o primeiro a adotar este caminho. A imagem da história — tanto do passado quanto do futuro — implícita na estrutura profunda de *A terra desolada* já tivera, vários anos antes, a sua concretização faraônica exatamente numa obra historiográfica: *O declínio do Ocidente*, de Oswald Spengler. "[A] real visão histórica", escreve Spengler,

> pertence ao domínio dos significados [o tradutor para o inglês usa a mesma palavra ambivalente, *significance*, que Eliot emprega em sua resenha de *Ulisses*], no qual as palavras mais importantes não são "certo" e "errado", mas "profundo" e "raso". [...] A natureza deve ser tratada cientificamente, a história, poeticamente.[24]

E as configurações de valores voltam, inalteradas e inalteráveis, em cada época histórica: a grande ambição de *O declínio do Ocidente* consiste em "mostra[r] que, sem exceção, todas as grandes formas e criações em religião, arte, política, vida social, economia e ciência surgem, cumprem-se e morrem *contemporaneamente* ['Designo como contemporâneos dois fatos históricos exatamente na mesma posição relativa em suas respectivas culturas e que, portanto, possuem importância exatamente equivalente'] em todas as culturas: que a estrutura interna de um corresponda estritamente à de todos os outros".[25]

O aspecto mais interessante desta linha de raciocínio é que o princípio da causalidade — ou seja, a própria base de toda historiografia com alguma ambição científica — desaparece sem deixar vestígios. No contorno traçado por Spengler e Eliot, na verdade, nenhum acontecimento jamais poderá constituir um "problema" que deva ser resolvido pela especificação das suas causas, pela boa razão de que todos os acontecimentos já são previamente conhecidos, todos os efeitos, prescritos. É um mundo encantado; nada acontece ali. Foi exatamente esta imobilidade que deu tanto fascínio a tais imagens de "história". "E isto", observou Lucien Febvre,

> foi o que deu sucesso a Spengler. Não é o sucesso de um historiador que analisa e deduz, mas o de um profeta, um mágico, um visionário [...] O leitor médio ficou lisonjeado em seu amor-próprio individual e em seu amor-próprio atual. Pequeno-burguês prussiano ou saxão, com certeza não possuía uma alma faustiana; mas sonhava com ela e imaginava tê-la.[26]

Assim, Spengler e Eliot oferecem ao leitor a oportunidade de participar do retorno monumental e petrificado dos séculos. Fica-se mais uma vez imerso numa atmosfera permeada pelo destino; perdeu-se toda liberdade, sem dúvida, mas a vida recuperou uma aura simbólica e cheia de significado que parecia irrecuperavelmente perdida. A sede de destino é o ponto de partida do trecho que talvez seja o mais famoso de *A terra desolada*, as previsões de Madame Sosóstris (versos 43-59). Na mesa da vidente, o ideal de uma história cíclica assume uma forma exemplar. Os personagens, as situações, os acontecimentos vêem-se existindo numa configuração dominada pela *simultaneidade*: uma carta debaixo da outra ou ao lado da outra. Esta disposição recorda a maneira de arrumar os materiais míticos elaborada por Lévi-Strauss para explicar o paradoxo temporal inerente ao mito, "ao mesmo tempo reversível e irreversível, sincrônico e diacrônico".[27] O paradoxo só pode ser esclarecido "traduzindo-se" o fluxo temporal em termos espaciais, ou seja, naquela dimensão que *não conhece temporalidade*. "O tempo, meu filho, aqui vira espaço": talvez não seja por acaso que este verso se encontra no *Parsifal* de Wagner que, quarenta anos antes de *A terra desolada*, também gira em torno do mito do Graal.

A mesa de Madame Sosóstris é o centro de *A terra desolada*. Como os milhares de civilizações de filosofias cíclicas da história ou a série finita e isomórfica de pensamento mítico, as constelações do zodíaco e os símbolos das cartas do tarô manifestam-se com regularidade imutável, com uma ordem ao mesmo tempo majestosa e conhecida. Adorno observou: "Já que o sistema social é o 'destino' da maioria dos indivíduos, independente de sua vontade e interesse, ele se projeta nas estrelas para, assim, obter um grau mais elevado de dignidade e justificativa, do qual os próprios indivíduos esperam participar."[28] *Reconsagrar*, o máximo possível, a experiência cotidiana: eis o objetivo comum de todas as formas de pensamento até agora examinadas. O fato de que, em *A terra desolada*, esta aspiração se revela pelas palavras vazias de uma charlatã não deveria confundir; apesar da ironia superficial, como observou Cléanth Brooks com grande exatidão, "todos os símbolos centrais do poema acumulam-se aqui [...] e a 'previsão', aceita ironicamente pelo público do século XX, torna-se *verdadeira* conforme o poema se desenrola".[29] Quando tudo é dito, em *A terra desolada* a superstição torna-se verdade.

O trecho de Madame Sosóstris lança luz sobre outro tema fundamental de *A terra desolada*: o tratamento dado ao "personagem" literário ou, mais exatamente, à dissolução desta convenção dentro do poema de Eliot. O "personagem" moderno — que é, substancialmente, o personagem do romance — torna-se possível quando os atributos que o definem, os valores dos quais é portador mais ou menos consciente, *mudam* gradualmente com o desenrolar da narração. Isto é, ele exige uma estrutura em que o eixo sintagmático — a dimensão temporal — não se limite a revelar as oposições paradigmáticas das quais partiu, mas contribua para modificá-las e produzir novas. Quando se quebra a fixidez original do *pícaro*, o herói do romance vê-se bem no meio do processo; se Nestor é sempre o sábio Nestor, um Wilhelm Meister permitirá que outros o "eduquem" com valores muito diferentes daqueles dos quais partiu e, com as devidas modificações, um Rastignac seguirá trajetória análoga.

O personagem do romance, em outras palavras, surge como tal na medida em que se liberta das limitações inerentes aos "papéis" — sociais antes de literários — que caracterizam todas as formas de sociedade hierárquica. O "papel" destaca algumas funções restritas, homogêneas e imutáveis; o "personagem", pelo contrário, desenvolve-se como entidade heterogênea e mutável. Segundo a estrutura geral de *A terra desolada*, Eliot faz uma curva brusca também neste ponto. O fato de que todos os personagens do poema já estão "contidos" nas cartas do tarô (como, para dissipar qualquer dúvida, o próprio Eliot ressalta na nota do verso 46) significa, bem simplesmente, que os seus atributos e possíveis relações foram prescritos e determinados para sempre. As cartas, na verdade, não passam de uma representação simbólica de certos papéis socioculturais considerados de importância especial; e os personagens de *A terra desolada* só existem para reencarnar esses papéis e confirmar a sua validade. São menos personagens do que *exemplos*, meras manifestações de uma ordem preestabelecida. Não é por acaso que, diversamente de Prufrock, do narrador do "Retrato" e de "Gerontion", em *A terra desolada* ninguém mais reflete sobre si; quando o significado da existência já foi embutido na posição objetiva do indivíduo, a dimensão subjetiva da dúvida ou da curiosidade simplesmente se torna supérflua — sem remorsos.[30]

O *antiindividualismo* radical de Eliot surge aqui.[31] Até a Busca, a corrida solitária por excelência da procura do Graal, só pode chegar a uma conclusão se seu sujeito desaparecer; nas duas últimas partes de *A terra desolada* não só não é mais possível reconhecer nenhum "personagem" como o próprio pronome da primeira pessoa raramente aparece.[32] Portanto, assim como o "método mítico" ajudou a diminuir o papel da interpretação individual, substituindo-a pela percepção "imediata" dos correlatos "objetivos" universais, *dentro* do próprio poema ele elimina a convenção individualizante do personagem literário aplainando-o no símbolo impessoal da carta do tarô.

É o "sacrifício" da individualidade que é necessário para criar o mundo pós-liberal, o sacrifício que abre *A sagração da primavera* e encerra *O processo*. O sacrifício de *A terra desolada* não tem sangue, mas ainda assim é drástico e eficaz. Eliot, depois de prefigurá-lo no início da primeira parte do trecho de Madame Sosóstris (a vidente *contemporânea*), reitera-o, com grande senso de simetria, perto do fim da terceira parte, no episódio de Tirésias (o vidente *antigo*) e na nota que o acompanha:

> Tirésias, embora mero espectador e não, na verdade, um "personagem", é ainda assim o personagem[33] mais importante do poema, unindo todo o resto. Assim como o mercador caolho, vendedor de groselhas, transforma-se no marinheiro Fenício e este último não se distingue inteiramente de Fernando, príncipe de Nápoles, todas as mulheres são uma só mulher e os dois sexos se encontram em Tirésias. O que Tirésias *vê*, de fato, é a substância do poema.

Estas palavras refletem fielmente o processo em andamento em *A terra desolada*, a redução de todo *principium individuationis*: "O temor primordial de perder o próprio nome se concretiza"[34] e o indivíduo afunda numa "totalidade" da qual jamais se desembaraça. Essa tendência será confirmada nas outras obras de Eliot, desde "Não permite que eu seja separado", que encerra *Quarta-feira de cinzas*, à máxima de São João da Cruz usada como epígrafe de "Sweeney Agonista"* aos terrivelmente ortodoxos "Em meu princípio está meu fim" e "Em meu fim está meu princípio", que iniciam e encerram "East Coker". Só é preciso acrescentar que essa reabsorção altamente mítica de uma totalidade vinculante é, para Eliot, o único processo histórico que vale a pena manter. Aqui se pode avaliar sua proximidade das filosofias totalitárias mais vociferantes, confirmada pelo fato de que, a partir de meados dos anos 20, Eliot deu o melhor de si como *ideólogo*, não como poeta, menos ainda como dramaturgo, nem mesmo como crítico, mas naqueles textos que tratavam de sistemas culturais por definição totalizantes: a religião de *After Strange Gods* [Segundo deuses estranhos] e de *Idea of a Christian Society* [Idéia de uma sociedade cristã] e a "cultura" ainda mais generalizada de *Notes Towards a Definition of Culture* [Notas para uma definição de cultura].

É preciso, contudo, acrescentar que Eliot ficou à beira da onda totalitária; e ainda que sua solene cautela jesuítica, fortalecida por sua conversão ao anglo-catolicismo, tenha desempenhado algum papel, a razão mais convincente para esta reserva parece ser bem outra. O fato é que *A terra desolada*, apesar da simplicidade indiferente da sua estrutura, continha várias "falhas", por assim dizer, que impediram que o mito de Eliot se transformasse, como outros, num instrumento de morte confiante e compacto. É dessas falhas da obra de Eliot que trataremos agora.

### *"Signos são considerados maravilhas"*

Até agora vimos o que motivou a renovação do interesse pelo pensamento mítico, e as características que *A terra desolada* tem em comum com o mito como estrutura cultural arcaica. No entanto, é inconcebível que o mito renasça em toda a sua pureza original; esta Segunda Vinda no século XX seria simplesmente absurda. Deste modo, devemos agora nos voltar para aquela acomodação, aquele ajuste mútuo ocorrido entre as exigências da estrutura mítica e a situação cultural diversificada, assimétrica e baseada em metas heterogêneas, típica do nosso século.

*"Porque a alma não pode estar possuída da união divina enquanto não renuncia ao amor das coisas criadas." (*N. E.*)

Em primeiro lugar, deve-se observar que, comparada ao mito no sentido estrito, *A terra desolada* articula-se de forma irremediavelmente aproximada. Lévi-Strauss mostrou que qualquer transformação mínima da estrutura mítica é sustentada por uma lógica férrea; em *A terra desolada*, não é este o caso. Enquanto as citações literárias, os "personagens", os paralelos históricos, as metáforas que aparecem na estrutura superficial do poema podem, na verdade, vir de um sistema de homologias semelhante àquele em que se baseava o pensamento mítico, não podem mais *deduzir-se* a partir dele. Os vários níveis ou códigos de pensamento mítico consistiam em um número *finito* e *limitado* de elementos, que correspondem exatamente aos outros elementos em outros códigos. Somente *esses* elementos podiam ser usados e isso permitia — ou melhor, *compelia* — toda narrativa a seguir uma lógica combinatória rigorosíssima. Entretanto, entre essa situação e a atual intercalaram-se vários milênios de evolução e diversificação cultural, que se apressaram decididamente a partir do século XVII. Códigos inteiros desapareceram, surgiram outros inteiramente novos e, acima de tudo, cada código seguiu concretamente o seu próprio caminho, transformando e multiplicando os seus elementos sem que importasse mais se continuava existindo um paralelismo rígido entre as diferentes esferas culturais; ou seja, não importando mais se aquele sistema de sistemas que se distinguia por um isomorfismo absoluto — o mito — continua a existir.

Portanto, quando Eliot embarcou em seu projeto de reviver o fascínio do pensamento mítico, sua realização só poderia surgir como algum tipo de acomodação entre as exigências da *estrutura* mítica e o *material* de que se constitui. A ironia de *A terra desolada*, por pequena que seja, consiste exatamente em reconhecer que a pureza do projeto mítico jamais poderá se realizar inteiramente. Só até certo ponto as coisas se combinam em *A terra desolada*; todas as ligações são questionáveis, todas as homologias se transmudam em analogias. A função daquele verso específico de Baudelaire ou Dante poderia ser realizada facilmente por *outro* verso semelhante; a mulher no *pub* e o datilógrafo poderiam ser substituídos por muitos outros personagens (como o próprio Eliot admite numa nota); as Guerras Púnicas ou a Londres de Elizabeth são *exemplos* históricos que podem metamorfosear-se com relativa liberdade.

Não estou indicando uma "falha" em *A terra desolada*. O poema pode parecer imperfeito para o antropólogo que tenta tratá-lo como um mito em sentido estrito ou para o crítico literário que vê uma estrela-guia no *mot juste* e na precisão insuperável de cada imagem isolada. Mas, de um ponto de vista diferente, as aproximações do poema prefiguram o segredo de nossa mitologia cotidiana: uma mitologia que não se baseia mais no tabu, no proibido, mas no *permitido*.[35] O mundo primitivo era um universo de proibições; o mito tinha de excluir ou realinhar tudo o que não cabia num arranjo cultural específico e, exatamente por esta razão, precisava recorrer a uma lógica inflexível. O século XX ocidental, pelo contrário, é o paraíso das liberdades e sua mitologia se baseia na premissa de que *tudo* pode ser admitido, conectado e absorvido; a retórica do dever é suplantada pela do "direito".

O dadaísmo (e, em menor grau, o surrealismo) avançou bem mais neste caminho do que Eliot; basta lembrar como "resolveu", por assim dizer, o problema da metáfora, a mais "mítica" das figuras de retórica, já que sua tarefa consiste em criar conexões sempre novas entre diferentes esferas semânticas. Enquanto a poesia barroca, primeiro movimento literário que teve de tratar da multiplicação tumultuada e não orgânica de códigos culturais cada vez mais independentes, espalhou a convicção de que, quanto mais "surpreendente" a metáfora, mais "poética" ela seria (de modo que o seu valor aumenta com a distância atribuída pelas convenções culturais aos dois termos relacionados), com o dadaísmo essa tendência sofre uma mudança *qualitativa*. Qualquer poema ou manifesto dadaísta mostra que o que se propõe não é mais a validade, ou seja, o "significado" intersubjetivo de uma conexão *específica*, mas a afirmação desdenhosa de que *qualquer* conexão pode ser aceita e, portanto, nenhuma é mais válida do que outra.

Para o dadaísmo, tudo é realmente possível; *A terra desolada*, que o segue com alguns anos de diferença, tende a restaurar o equilíbrio. Eliot pertence mais ao barroco do que à vanguarda; tenta sempre "naturalizar" até as associações mais audaciosas e "livres", vinculando-as a campos semânticos, por mais amplos e nebulosos que sejam. O radicalismo do dadaísmo "dissolve-se" — pode-se dizer que fica mais banal e assume o que os formalistas chamariam de "motivações". Mas a história provou que Eliot, o classicista, estava certo, e Tzara, o anarquista, errado. A mitologia que nos cerca não se origina do *nivelamento* de todo significado intersubjetivo, mas sim de sua metamorfose interminável em milhares de formas diferentes e igualmente insatisfatórias. Neste universo, onde tudo parece possível, é a *imprecisão* que reina, não a vontade arbitrária.[36]

Daí a importância da *redundância*, tanto em *A terra desolada* quanto, mais tarde, na cultura de massa. Quando a ligação entre a imagem e o seu significado profundo torna-se inapelavelmente fugidia e incerta, a única maneira de transmitir o significado desejado consiste em dar voltas constantes em torno dele e partir do princípio que a tentativa jamais funcionará de forma permanente; a questão não é mais encontrar a palavra "certa", mas simplesmente uma melhor. E isto também explica, voltando ao ponto abordado na primeira parte deste ensaio, que o "sentir-se à vontade" garantido pelo mito moderno será necessariamente diferente, não só do que aconteceu no mito primitivo como também do modelo elaborado num dos grandes momentos "sintéticos" da civilização burguesa, no *Bildungsroman* de Goethe. No final de *Os anos de aprendizado de Wilhelm Meister*, tudo, episódios, personagens, valores, encontra um arranjo sem ambigüidade dentro de um todo orgânico. A *Bildung* de Wilhelm Meister — e, através dele, do leitor — consiste exatamente em *admitir* este estado de coisas; em sentir-se integrado e, finalmente, encontrar ali a sua paz: "Obtive uma felicidade que não mereço e *que não gostaria de trocar por nada no mundo*."

Mas isso não é mais possível para o leitor de Eliot. Em *A terra desolada*, não há processo pelo qual a totalidade mítica se desenvolva para finalmente revelar-se. Ela permanece sempre a mesma: evidente e obscura; onipresente e, ao mesmo tempo, difícil de perceber; fundamentalmente pobre — como o "conceito" do mito moderno de Barthes — e, ao mesmo tempo, suntuosa mas parasitariamente rica; toma posse de uma imagem atrás da outra, mas nunca consegue dominá-las por completo, porque sempre as liga por um mínimo denominador comum inevitavelmente estreito.

O leitor de Eliot, como o motorista urbano ou o telespectador, está numa posição realmente estranha. Tudo o que é visto, lido ou ouvido só faz sentido se estiver ligado a alguma "totalidade" subjacente; mas o efeito, o fascínio da mensagem consiste exatamente no fato de que o seu código nunca pode ser acompanhado com certeza nem totalmente descoberto; em vez disso, é preservado num estado nebuloso e indefinível. Contrariamente às hipóteses apresentadas em *Dialética do Iluminismo*, a cultura de massa *não* "satisf[az] zombeteiramente o conceito de uma cultura unificada",[37] porque não possui mais aquela transparência completa e apaixonada que constitui a base de todo sistema orgânico. A cultura de massa não encontra a sua dimensão retórica no "símbolo" de Goethe nem o substitui pela "alegoria", como estudada por Benjamin e De Man. As oposições tradicionalmente associadas ao símbolo e à alegoria (natural/artificial, sincrônico/diacrônico, orgânico/fragmentado, tranqüilizador/irônico e assim por diante) perdem, no caso da cultura de massa, todo o seu poder explanatório: uma pista das mais importantes de seu caráter inaudito em termos históricos.

Uma retórica da cultura de massa (que inevitavelmente modificaria a classificação existente) talvez permita um progresso decisivo neste campo. Enquanto isso, a tentativa mais inteligente de interpretar este aspecto terrivelmente fugidio do mundo contemporâneo é a rápida discussão de Roland Barthes sobre a "estrutura da notícia":

> *O evento é totalmente vivido como signo cujo conteúdo, no entanto, é incerto* [...] Provavelmente, o papel [da notícia] é preservar, dentro da sociedade contemporânea, a ambigüidade do racional e do irracional, do compreensível e do inescrutável; e esta ambigüidade é historicamente necessária, já que o homem ainda precisa de signos (que o tranqüilizem), mas também signos cujo conteúdo seja incerto (que o tornem irresponsável).[38]

Esta é uma condição crepuscular da consciência: nem meio-dia nem noite fechada. E exatamente por esta razão a nossa relação com a cultura de massa é, por si só, interminável. Não pode haver conclusão nem certeza, se a própria estrutura da comunicação criou o reinado da perplexidade, da dissociação, da procrastinação.

> A relação do consumidor com o mundo real, com a política, a história e a cultura, não é de interesse, investimento ou responsabilidade engajada, nem mais de completa indiferença; em vez disso, é de curiosidade [...] Deve-se experimentar *tudo*; com efeito, o homem na sociedade de consumo é atormentado pelo temor de "perder" alguma coisa, qualquer diversão que seja [...] Não é mais o desejo nem sequer o gosto ou a inclinação específica que está em jogo, é uma curiosidade generalizada motivada por uma angústia muito disseminada.[39]

A ansiedade onipresente do homem-radar de Riesman, sempre pronto a receber sinais do mundo exterior e, principalmente, sempre incerto com relação a sua decifração. Esta não é mais a "angústia" descrita em *Além do princípio do prazer*, motivada pelo medo do trauma, isto é, pela convicção de que o mundo exterior é fundamentalmente hostil ao indivíduo. Não é mais o estado de espírito de quem vive na expectativa constante do *perigo*; é a angústia de sempre sentir-se a um passo — mas apenas a um passo — de finalmente entender o objeto do desejo, o significado da vida, as regras do jogo. Em vez disso, só se trocou de posição no ilimitado tabuleiro de xadrez do mundo moderno — e é preciso, portanto, repetir este mesmo ato incessantemente.[40]

Como foi possível tudo isso? A pergunta não é tanto "Que imagem do mundo transmite a cultura de massa?", mas sim "Que tipo de mundo é esse que se deixa invadir por um sistema de valores como este?". Antes de tentarmos responder, é preciso trazer ao quadro um novo elemento.

Em certo ponto de seu ensaio "Sobre o sentido e a referência", Frege se pergunta se é possível "que uma frase como um todo tenha apenas um sentido, mas nenhuma referência". A resposta é sim:

> É óbvio que a frase "Odisseu aportou em Ítaca enquanto dormia profundamente" tem um sentido. Mas já que é duvidoso que o nome "Odisseu", que nela aparece, tenha uma referência, também é duvidoso que a frase toda a tenha. [...] A idéia é a mesma, quer "Odisseu" tenha referência ou não. O fato de nos preocuparmos com a referência como parte da frase indica que, em geral, reconhecemos e esperamos uma referência para a própria frase. A

> idéia perde o valor para nós assim que reconhecemos que falta a referência de uma de suas partes [...] Mas agora por que queremos que todos os nomes próprios tenham não só sentido como também referência? Por que a idéia não nos basta? Porque, e na medida em que, estamos preocupados com o seu valor-verdade. Nem sempre é assim. Ao ouvir um poema épico, por exemplo, [...] estamos interessados somente no sentido das frases e nas imagens e sentimentos por ele despertados. A questão da verdade nos faria abandonar o prazer estético em troca de uma atitude de pesquisa científica. Assim, não nos preocupa se o nome "Odisseu", por exemplo, tem referência, contanto que aceitemos o poema como obra de arte.[41]

Aqui Frege descreve aquela situação semântica muito específica que distingue a literatura e faz dela uma forma de comunicação *além do verdadeiro e do falso*. Este é um modo relativamente moderno de avaliar as manifestações literárias e artísticas; aparece na *Crítica do juízo* e é provável que tenha sido motivado pela necessidade de "justificar" a atividade estética com base em princípios não mais estritamente cognitivos; se foi assim, o desenvolvimento das ciências empíricas nos séculos XVII e XVIII acabaria por condenar a arte a um limbo de "conhecimento imperfeito" — inferior e de segunda classe.[42]

Assim, a arte emancipa-se do conhecimento e da ética e, por meio desse processo, torna-se o único campo em que, como observa Freud na terceira parte de *Totem e tabu*, o princípio da "onipotência do pensamento", que aos poucos foi banido de outros setores da cultura humana, ainda permaneceu ativo. Acredito que uma das características mais espantosas do nosso século consista numa inversão radical desse processo. Um número sempre crescente de atividades culturais afrouxou ou dissolveu todos os laços referenciais em benefício de uma dimensão essencialmente estética, preocupada apenas com o plano duplo de significados e valores culturais. Encontrar exemplos dessa mudança não é nada difícil. A vida política apresenta, talvez, os exemplos mais gritantes e, embora isso fique ainda mais evidente no caso das ideologias totalitárias da primeira metade do século, agora está claro que a mesma lógica, embora num tom menos violento, domina também a nossa época. Algumas das partes mais interessantes de *O homem unidimensional* são dedicadas ao caráter autocontraditório da retórica política do pós-guerra, e concluem com a afirmação aparentemente paradoxal que "para uma mente ainda não suficientemente condicionada, boa parte do discurso público falado e impresso parece totalmente surrealista".[43] Seguindo uma linha de raciocínio completamente diferente, Roman Jakobson chega à mesma conclusão quando, num ensaio famoso, mostra como o sucesso — o sucesso *político* — do lema "I like Ike"* só pode ser explicado com base em seu atrativo "poético".

Assim, as aspirações "racionais" e "experimentais" que presidiram o nascimento da esfera pública burguesa desaparecem, assim como desaparecem do que foi o seu principal instrumento, o jornal. Há um paradoxo verdadeiramente mítico na raiz do jornalismo moderno: o "fato", a notícia, que cada dia consegue produzir de um jeito ou de outro, só pode ser aceito dentro do jornal se inserido num sistema de expectativas que não só não deve ser corroído por ele como, se possível, tem de ser reforçado e fortalecido. A verdadeira meta do jornal diário não consiste em seguir a história passo a passo em sua imprevisibilidade, mas em perambular furtivamente ao lado dela para mostrar que nada do que acontece exige que nossas idéias realmente mudem. Longe de estar escravizado ao "culto do fato", o jornal transforma todos os acontecimentos no suporte de um sistema de valores. Não está, nem pode estar, interessado no "valor-verdade" de uma notícia, apenas em sua eficácia simbólica.

Assim, chegamos ao último exemplo clássico da perda do referente: a publicidade. A publicidade, como indica o étimo latino da palavra (*publicitas*), torna os objetos "públicos", mas de tal maneira que suas qualidades verdadeiramente "sociais" não tenham mais nada a ver com os próprios objetos, somente com os significados e valores que associamos a sua posse. Portanto, a publicidade nunca é a publicidade de um *objeto*, mas do conteúdo simbólico daquilo que o objeto se tornou — como o fato em relação à opinião, no jornalismo — o mero veículo. "Em vez de ir rumo ao mundo

*"Gosto de Ike", slogan da campanha de Eisenhower à presidência dos Estados Unidos. (*N. T.*)

através da mediação da imagem, a imagem volta-se para si mesma através do mundo", escreve Baudrillard. E acrescenta: "A verdade é que a publicidade (e o mesmo é verdadeiro em outros meios de comunicação de massa) não nos engana: *ela está além do verdadeiro e do falso.*"[44]

Além do verdadeiro e do falso: os produtos mais típicos da cultura de massa nos levam de volta à proposição que criou, em sua época, a autonomia da arte, mas com a diferença decisiva de que, enquanto o caráter não referencial da literatura era evidente e reconhecido como tal, limitando assim as pretensões e o alcance da ação desse uso específico da linguagem, a cultura de massa, pelo contrário, espalha esse artifício semântico *em toda a extensão das atividades culturais*, com exceção da ciência e da tecnologia, transformando, assim, a auto-referencialidade do caso limítrofe que costumava ser na práxis *normal* da comunicação.

No século XX, portanto, ocorreu uma formidável *estetização da cultura.* E talvez seja exatamente por essa razão, como observamos no início deste ensaio, que no começo do século a forma artística talvez mais exemplar da civilização burguesa, a literatura escrita, tenha passado por um declínio inexorável; o que já fora a sua função *específica* mudara e transformara-se numa constelação de práticas culturais, tornando quase supérflua a existência de uma atividade exclusivamente dedicada a este fim.

Isso explica o recurso de Eliot ao mito e também o seu fracasso, o abandono da experiência depois de algumas centenas de versos. Caso se queira manter a literatura viva numa situação em que ela vem perdendo aos poucos toda a especificidade, será necessário tentar torná-la exatamente "mítica": dotá-la de uma função intercultural, supô-la como instância capaz de harmonizar e reconectar as diferentes esferas simbólicas.[45] Mas se a tentativa mítica for bem-sucedida — e em *A terra desolada*, mesmo com as variações que vimos, ela é bem-sucedida — temos um produto que não é mais "literatura", mas exatamente "mito". Em determinado ponto Eliot realmente se enganou: o sistema mítico não é um "método", mas um todo classificador que visa à completude e à auto-suficiência e que não pode reconhecer a existência de *outros* sistemas simbólicos além de si mesmo pela excelente razão de que representa o sistema de todos os sistemas. Isso significa que o sistema mítico não pode ser subordinado a metas outras além das *suas*; não pode ser usado como meio de atingir *outras* metas. O mito nunca pode ser um "método" para escrever poemas. Usá-lo como base de *A terra desolada* torna este poema um marco na cultura do nosso século; mas deixa-o já *fora da literatura*. Mais exatamente: *A terra desolada* é um marco cultural exatamente porque não é mais literatura.

Agora é possível ligar os problemas tratados nas duas últimas seções. A semântica sempre incerta e interminável da cultura de massa integra-se ao seu caráter fundamentalmente mítico-estético. A perda de todas as metas referenciais e a assimilação progressiva de códigos heterogêneos permite e promove uma percepção aproximada e nebulosa que, por sua vez, encoraja o desenvolvimento de um código que se torna ainda mais pobre e, para usar a palavra de Eliot, "autotélico". A cultura de massa, portanto, mostra como o destino da arte na civilização burguesa seria muito diferente daquele vislumbrado por Schiller:

> A *utilidade* é o grande ídolo da época, ao qual todos os poderes devem servir e todos os talentos jurar fidelidade. Nessas escalas desajeitadas, o serviço espiritual da arte não tem peso [...] O próprio espírito da investigação filosófica ocupa uma província da imaginação atrás da outra e as fronteiras da arte se contraem enquanto os limites da ciência se ampliam.[46]

É evidente demais que as coisas adotaram um rumo totalmente diferente: a proliferação de engenhocas tornou quase impossível determinar o que é "útil" e o que não é, até no campo dos objetos cotidianos, e muito menos no caso das práticas simbólicas; e quanto à relação entre ciência e arte, não há dúvida de que o progresso científico, longe de restringir o campo de ação da arte, permitiu, isso sim, a sua expansão desproporcional.

Esta situação não é apocalíptica; muito pelo contrário. Está claro que uma mitologia fugidia e contemplativa é de longe preferível àquele mito muito mais compacto, brilhante e efusivo que, nos anos 30, espalhou-se pelas planícies da Europa. A residência preferida da mitologia contemporânea é a sociedade civil — a esfera, como escreveu Baudrillard, do consumo e da "vida cotidiana". Assim, visa a limitar drasticamente as pretensões do estado com os seus imperativos ético-políticos, como demonstrado pelo fato de que as sociedades ocidentais tornaram-se praticamente incapazes de realizar aquele mais exemplar dos atos do estado, o "dever" por excelência: vencer uma guerra. Por bem ou por mal, é este o estado de coisas: a disseminação da dimensão mítico-estética tornou a nossa cultura *inofensiva*, talvez como nunca tenha sido antes.[47]

É claro que "inofensiva" não significa "inútil". Mas aqui há uma utilidade com função diferente daquela geralmente atribuída à cultura. Parafraseando de trás para a frente um antigo provérbio, em nossa civilização a cultura não é usada para orientar a nossa vida, para o bem ou para o mal; em vez disso, vivemos para consumir cultura. E este consumo não é mais útil para garantir um "consenso" centrado nos valores capazes de dirigir o comportamento do indivíduo naqueles campos que consideramos fundamentais — a vida política e, principalmente, o trabalho — mas sim para esvaziar esses campos de todo valor simbólico, para reduzi-los a meros *meios* sem nenhum valor intrínseco. A curiosidade frenética movida pela moda que domina o sistema da cultura de massa é simétrica e complementar à indiferença entediada e levemente embotada que se alimenta com relação ao trabalho e à política. Nas primeiras páginas de *A sociedade de consumo*, Baudrillard observa com precisão e ironia que o mundo ocidental contemporâneo, que construiu uma rede simbólica imponente em torno do consumo de mercadorias, vê a *produção* destas últimas do mesmo modo que aquela tribo melanésia que, para explicar a origem dos objetos, inventou o Culto da Carga.* Ou seja, a produção é, em grande parte, considerada um tipo de milagre cujos frutos são para serem gozados, enquanto existirem, sem que se façam perguntas demais.

*Fenômeno originário de algumas ilhas do Pacífico Ocidental, comum na região da Metanésia e Nova Guiné, e muito estudado por antropólogos no primeiro terço do século XX. Os primitivos dessa zona, quando expostos à cultura ocidental de consumo, acharam que as mercadorias eram algo divinamente produzido. Eles viam os colonizadores construírem portos e pistas de aviação por onde chegavam uma séria de "coisas boas" e daí puseram-se, numa espécie de ritual, a construir imitações de portos e pistas de pouso na esperança de que a "carga" chegasse. (*N. E.*)

Este é um estado de coisas inquietante e pode parecer o extremo oposto das esperanças e aspirações dos pioneiros da sociedade burguesa. Mas um exame mais cuidadoso mostra que, num ponto fundamental, a situação contemporânea enraíza-se exatamente no entrelaçamento original entre protestantismo e capitalismo. "Na verdade, o *summum bonum* desta ética", escreve Weber,

> ganhar cada vez mais dinheiro, combinado à evitação estrita de todo gozo espontâneo da vida, é, acima de tudo, completamente destituído de qualquer mistura eudemonística, para não dizer hedonista. É considerado como fim tão puro em si mesmo que, do ponto de vista da felicidade e da utilidade para o indivíduo isolado, parece inteiramente transcendental e absolutamente irracional.[48]

Transcendental e irracional: esses dois adjetivos revelam o significado do *Beruf* analisado por Weber. O trabalho, em sua forma capitalista, seria irracional se tivesse de fornecer felicidade *terrestre* ao homem; ou seja, se seu significado consistisse na concretização de valores culturais específicos *dentro do mundo*. Mas é racional, de forma implacável, se o lugar no qual adquire significado não for este mundo, *mas o outro*, e então o alinhamento ordenado dos números — o puritano não produz objetos, mas quantidades abstratas — nas duas colunas contábeis torna-se um espelho mágico no qual se inscreve o destino e a *certitudo salutis* de todos.[49] Deus tornou-se inescrutável e hostil, e o trabalho, abstrato e portanto potencialmente ilimitado; sua conjunção produziu conseqüências extraordinárias e desorganizadoras, principalmente depois que o Reverendo John Wesley, na aurora da Revolução Industrial, tomou a si a disseminação dos novos princípios entre aqueles cuja vida, durante muitas décadas, consistiria *só* de trabalho. O trabalho, assim, tornou-se o núcleo essencial da existência humana, mas só até o ponto em que transferiu todo o seu significado, todo o seu valor simbólico, desta vida para a próxima. Assim, o calor emanado da linguagem dos números era como a luz da lua: poderia bastar, poderia existir, enquanto o sol invisível do outro mundo nela se refletisse. Mas o sol também morre e, certo dia, o Ocidente, que há muito tempo esquecera o inferno, não acreditava mais no paraíso. Ao mesmo tempo, milhões de pessoas decidiram que 12 ou 14 horas de trabalho por dia eram realmente demais. Reduzido a uma *parte* ainda menor da vida humana e não mais animado por esperanças obscuras de salvação, o trabalho burguês apareceu então, pela primeira vez, sob sua luz genuína e verdadeiramente modesta. O fascínio extraordinário das obras de Marx e Freud deve-se ao fato de que ambos, embora de maneira muito diferente e, até certo ponto, inconciliável, tentaram investir o trabalho de um significado rigorosamente *terrestre*; sob esta luz, a teoria da reapropriação coletiva e consciente do trabalho e a teoria da sublimação são as duas *ilusões* finais e orgulhosas que a cultura ocidental produziu sobre si mesma.

As coisas tomaram mesmo um rumo diferente. O século XX não produziu uma nova cultura do trabalho *dentro* do trabalho; aumentou o abismo entre trabalho e cultura. No Ocidente, ninguém mais acredita que o trabalho — como a política, sobre a qual mais ou menos a mesma coisa pode ser dita — possa *dar significado* ao mundo. Aqueles valores pelos quais todos consideravam que valia a pena viver são hoje buscados *noutro lugar*: o trabalho e a política são tolerados, e não mais do que tolerados, somente se permitirem a entrada nesse outro lugar que perdeu toda a relação com eles.

Acredito que essa situação não tenha precedentes na história. É difícil dizer por quanto tempo uma sociedade que alimente tal opinião de si mesma pode sobreviver, e mais difícil ainda elaborar hipóteses sobre no que se transformaria. E embora eu perceba que a poesia de Thomas Stearns Eliot pode parecer, neste ponto, terrivelmente remota, é preciso admitir que estamos fazendo o máximo possível para garantir que os dois últimos versos — eles mesmos, hoje, propriedade banalizada da cultura de massa — se tornem, afinal, proféticos: "Assim expira o mundo/ Não com uma explosão, mas com um gemido."

# O feitiço da indecisão

Nas duas últimas décadas, houve uma mudança completa da atitude dominante da crítica marxista ao modernismo. Em essência, as leituras marxistas da literatura modernista baseiam-se cada vez mais em teorias interpretativas — o formalismo russo, a obra de Bakhtin, as teorias do texto "aberto", o desconstrucionismo — que, de um modo ou de outro, pertencem ao próprio modernismo. Essa perda súbita do distanciamento abriu caminho, inevitavelmente, para um tipo de círculo vicioso hermenêutico. Mas parece-me ainda mais importante a transformação ocorrida no campo dos valores e dos juízos de valor, no qual a crítica marxista recente é, na verdade, pouco mais que uma esquerdista "apologia do modernismo". Basta lembrar uma obra marxista pioneira como a de Benjamin ou Adorno e a extensão dessa cambalhota cultural é evidente. Benjamin e Adorno associaram textos "fragmentados" a melancolia, dor, desproteção, perda de esperança; hoje, evocariam os conceitos muito mais animadores de liberdade semântica, destotalitarismo e heterogeneidade produtiva. Na obscuridade deliberada da literatura moderna, Benjamin e Adorno viram o sinal de certo tipo de ameaça; hoje em dia, ela seria considerada mais como uma promessa de livre jogo interpretativo. Para eles, o romancista mais importante do mundo moderno era, com bastante clareza, Franz Kafka; hoje, com a mesma clareza, ele foi substituído por James Joyce, cuja obra é igualmente importante, mas com certeza menos insistente e estranha.

Em termos gerais, concordo com a ênfase nos elementos antitrágicos ou não trágicos do modernismo. Entretanto, o que não me convence de jeito nenhum é a idéia generalizada de que aquilo que podemos chamar de dominante "irônica" da literatura modernista seja subversivo para a moderna visão de mundo burguesa. Os textos "abertos" contradizem e subvertem as crenças organicistas, sobre isso não há dúvida; mas ainda não se sabe se no século passado o estado de espírito hegemônico na verdade não abandonou o organicismo e substituiu-o pela abertura e pela ironia. Tentarei mostrar que foi isso o que aconteceu e que, embora a ironia seja um componente indispensável de qualquer cultura crítica, democrática e progressista, sua versão modernista tem um lado negro com o qual não estamos bastante familiarizados e que pode ser ainda mais importante para a cultura marxista do que os aspectos abordados no passado recente.

Vamos começar com uma pequena aula de imaginação modernista (que, creio, devemos a Lautréamont): um guarda-chuva e uma máquina de costura que se encontram numa bancada de anatomia. Dadaísmo, surrealismo, Pound, Eliot e vários outros produziram variações incontáveis deste padrão básico que, com certeza, nega ironicamente toda idéia de "totalidade" e toda hierarquia de significados, deixando o campo livre para um jogo interpretativo praticamente ilimitado. Ainda assim: essa é mesmo uma imagem tão subversiva assim? Parece que o sonho de Lautréamont foi compartilhado não só pelos outros poetas, mas também pelos donos das primeiras lojas de departamentos. Ao descrever as suas vitrines, D'Avenel escreveu, em 1894, que "os objetos mais dessemelhantes prestam-se apoio mútuo quando colocados lado a lado". "Por que seria assim?", pergunta-se Richard Sennett, a quem devo a citação. "O caráter de uso do objeto", responde, "foi temporariamente suspenso. Tornou-se 'estimulante', dava vontade de comprá-lo porque se tornou, temporariamente, uma coisa inesperada; ficou estranho."[1] Um objeto comum transformado numa coisa inesperada e estranha; não é isto exatamente a desautomatização da percepção cotidiana defendida por aquele princípio modernista básico, a "*ostranenie*" do formalismo russo? Não é também a técnica básica da publicidade moderna, que decolou pouco depois da época áurea dos movimentos de vanguarda e cuja tarefa é dotar as mercadorias de uma aura estética surpreendente e agradável?

Essas são apenas afinidades locais, e assim tentarei ampliar um pouco o campo de investigação. Na virada do século, Georg Simmel escreveu um ensaio, "A metrópole e a vida mental", no qual sustentava que o principal problema psicológico do morador da cidade é "a mudança rápida e contínua dos estímulos externos [...] a compactação rápida de imagens sempre diferentes [...] o inesperado dos estímulos violentos".[2] Neste texto modernista típico que é a metrópole de Simmel, os estímulos podem ser perigosos — podem ser choques, como diria Benjamin quando escreveu sobre Baudelaire. É preciso proteger-se deles. Mas não se pode fazer isso simplesmente ignorando-os porque são o melhor que o mundo moderno tem a oferecer e sugerir: objetos a possuir, papéis sociais a desempenhar, situações fascinantes a viver.

Então, é preciso ver e não ver, aceitar e rejeitar ao mesmo tempo. É um dilema contraditório e, para que nos sintamos "à vontade" na metrópole burguesa — sentimento fadado a chegar bem perto do âmago do que chamamos de "visão de mundo hegemônica" — tanto os estímulos externos quanto a percepção subjetiva têm de possuir atributos bastante peculiares que, mais uma vez, acabam mal se distinguindo daqueles em geral associados ao modernismo literário. Quanto ao estímulo, tem de ser mais "evocativo" do que "significante"; tem de possuir o mínimo possível de determinação e, portanto, estar aberto a, ou melhor, produzir tal pluralidade de associações que todos sejam capazes de "encontrar alguma coisa" nele. Em outras palavras, tem de basear-se naquela palavra-chave do modernismo: ambigüidade. O que deve desenvolver-se do lado do sujeito, por outro lado, é a idéia de que esta galáxia de associações é valiosa *como tal*; não como ponto de partida para avançar rumo a uma opção definida — seja a escolha de um objeto específico na publicidade, seja uma escolha semântica na leitura de um poema —, mas como "campo de possibilidades" cujo encanto está exatamente em sua irredutibilidade crescente ao campo da "realidade".

### *Ironia romântica*

A atitude estético-irônica, cuja melhor definição ainda é a antiga fórmula "*willing suspension of disbelief*" [a suspensão voluntária da descrença], mostra quanto da imaginação modernista, na qual realmente nada é inacreditável, tem sua fonte na ironia romântica. E a ironia romântica, observou um de seus críticos mais agudos, Carl Schmitt, em *Politische Romantik* [Romantismo político], é um estado de espírito que não vê em nenhum acontecimento nada além de uma "ocasião" para o livre jogo intelectual e emocional, para uma desconstrução mental e subjetiva do mundo como ele é. Dedicada à categoria da "possibilidade", a ironia romântica, portanto, é incapaz de decisão, e até hostil a tudo o que se pareça com isso. Mas a decisão, deixando de lado o desenvolvimento reacionário deste conceito por Schmitt, é inseparável da práxis e da história. Decisões têm de ser tomadas o tempo todo; até mesmo, paradoxalmente, para garantir a existência daquele terreno de possibilidades e indecisão ao qual o romantismo e o modernismo deram significado tão fundamental. Para fazer as pazes com essa coexistência paradoxal entre decisão e indecisão, a literatura moderna desenvolveu uma de suas metáforas mais poderosas, da qual esboçarei agora três estágios diferentes.

No primeiro capítulo de *A pele de Onagro*, de Balzac, o herói acaba de perder os últimos francos na roleta. Nesta noite vai afogar-se no Sena e, antes disso, perambula por uma antiga loja de curiosidades — na verdade, muito mais do que isso; digamos, algo entre o Louvre e o Bon Marché. É enfeitiçado pela coleção heterogênea e quase surrealista de objetos que o cercam. Sua imaginação se inflama num devaneio romântico perfeito... e, de repente, seu sonho vira realidade graças àquela metáfora que anunciei: o pacto com o Diabo. O Diabo é um personagem popularíssimo em todas as culturas de oposição e, assim, não tentarei criticá-lo, mas simplesmente destacar o preço do pacto. "E qual será portanto o serviço que prestarei?", pergunta o Fausto de Goethe; e Mefisto: "O tempo é longo; não precisas agora insistir."[3] O tempo é longo; mais de um século depois, o Mefisto de Thomas Mann repetirá este verso: "Vendemos tempo [...] é o melhor que temos a oferecer [...]" (*Doutor Fausto*, capítulo 25).

Vendemos tempo; e compramo-lo, na verdade. O que acontece é que Fausto e Mefisto, por assim dizer, trocam tempos: para Fausto, as possibilidades ilimitadas do futuro; para Mefisto, não a eternidade (a alma de Fausto, no fim, irá para o Céu), mas o presente. O verso que acabei de citar — "O tempo é longo; não precisas agora insistir" — não retarda o pagamento de Fausto; realiza-o. Exatamente por não se preocupar "por enquanto", Fausto acaba entregando-o por completo a Mefisto. Em Goethe, então, o tempo se divide: há o tempo de Fausto, dedicado a investigações e experiências, sempre completa e esplendidamente à vista; e há o tempo de Mefisto, com mais freqüência invisível, mas dedicado exatamente àquelas ações impiedosas necessárias para realizar os desejos e visões de Fausto, mas das quais o próprio Fausto preferiria sentir-se inocente. "Não te denego o prazer/ De mentir a ti mesmo com moderação" (versos 3.297-8) é a resposta sarcástica e fiel de Mefisto ao repúdio de Fausto na cena fundamental da tragédia de Gretchen (e um diálogo semelhante acontecerá de novo no episódio de Filemon e Baucis).

Um dos principais resultados psicológicos do pacto, portanto, é a sensação crescente de irresponsabilidade por parte de Fausto; o gozo de "todos os tesouros da terra" é impedido, embora não por completo, com a percepção do que é necessário para a sua produção: "Diante de ouvidos castos não se deve nomear/ Aquilo sem o qual coração casto não viverá" (versos 3.295-6). Fica claro que, aqui, a questão da decisão não foi extinta, mas sim confiada a alguém que, por ser o Diabo, agirá totalmente sem escrúpulos. A decisão não foi eliminada, nem pode ser. Tornou-se ainda mais cruel, exatamente porque Fausto a deixa a cargo de Mefisto; mas também ficou menos visível e é quase possível não sentir o seu peso.

Em nosso segundo texto, *Educação sentimental*, de Flaubert, Mefisto tornou-se um diabo oculto. Frédéric Moreau já goza dos dons tradicionalmente ofertados por Mefisto — juventude, beleza e dinheiro — sem ter de assinar nenhum contrato. Um tio rico morre e pronto; na verdade, não há responsabilidade por parte de Frédéric. A distribuição do poder social é produto de um mecanismo inteiramente autônomo que, também, pela mesma razão, é totalmente imprevisível. O decorrer da história não é mais contraditório e cruel (como em Goethe), mas sim inescrutável e caprichoso. Potencialmente é até mais catastrófico, mas também ficou tão remoto que Frédéric pode vê-lo — e realmente o vê, nos primeiros dias da revolução de 1848 — como simples espetáculo a ser contemplado.

Essa atitude estética perante a vida e a história é a chave de outra novidade da obra de Flaubert. Ali o dinheiro deixa de ser o meio pelo qual se satisfaz o desejo, como Marx ressaltou acontecer com o Mefisto de Goethe. Em *Educação sentimental* o dinheiro é desejável porque permite não a satisfação, mas o seu adiamento. Agora que é rico, Frédéric pode finalmente entregar-se aos seus sonhos como sonhos; por saber que pode realizá-los assim que desejar, não há necessidade de fazê-lo agora: "E na verdade haverá tempo [...] E tempo ainda para cem indecisões,/ E para cem visões e revisões."

A vida de Frédéric é, na verdade, um monumento à indecisão irônica; tanto que consegue permanecer indefinido até naqueles anos cruciais, entre 1848 e 1851, em que todos tinham de tomar partido. Provavelmente o leitor recorda a última página do romance: "O melhor que tivemos", diz o idoso Frédéric a Deslauriers, o amigo da vida inteira, foi aquela fuga do bordel, no início da adolescência, quando "a visão de tantas mulheres, todas à disposição", paralisou a capacidade de decisão de Frédéric. O melhor que tivemos é uma experiência que, por não ter ocorrido, pode ser revivida de maneira totalmente irrestrita e subjetiva. O encanto romântico da indecisão encontrou sua expressão temporal mais adequada; não mais o desejo violento de futuro de Fausto, mas o *devaneio*, que pode lidar livremente tanto com o passado quanto com o presente e o futuro. A divisão entre dois tempos diferentes e duas vidas paralelas avançou mais um passo.

### *Fluxo de consciência*

O devaneio é o núcleo do "fluxo de consciência" de Bloom em *Ulisses*, que é o nosso terceiro texto. O fluxo de consciência, já sabemos, não trata da consciência, mas do que se costuma chamar de pré-consciente, que contém os incontáveis "eus possíveis" de cada indivíduo; o que gostaria de ser ou ter sido mas, por alguma razão, não é. Deste ponto de vista, os devaneios de Bloom completam a separação entre o tempo "objetivo" ou "público" e sua versão "subjetiva" ou "privada". Esta última, nem é preciso dizer, é hoje considerada a mais interessante das duas; a vida como "realidade" passou a ter bem menos significado do que aquela forma de vida paralela, a vida como "possibilidade".

Mas a inovação mais importante e tipicamente modernista de Joyce é o fato de que conseguiu romper a conexão entre "possibilidade" e "ansiedade". Essa conexão ainda era forte em Goethe (na inter-relação entre *streben* e *Sorge* em *Fausto*), em Kierkegaard e naquela grandiosa e sofrida investigação da lógica de uma possível segunda vida que foi o romance de adultério do século XIX (do qual Flaubert foi, previsivelmente, um mestre). Em *Ulisses*, o adultério tornou-se um passatempo inofensivo e até as experiências mais extremadas de sua imaginação modernista bem que podem produzir estupefação, mas não evocam mais nada ameaçador.

Como essa desconexão entre "possibilidade" e "ansiedade" veio a acontecer? Com certeza o enfraquecimento notável dos sentimentos de culpa que ocorreu em nosso século é parte da resposta, mas talvez também haja algo mais envolvido. As "possibilidades" de uma "segunda" vida produziam angústia porque constituíam um desafio ao que era "real" e forçavam todos a repensarem a sua "primeira" vida. A imaginação, por assim dizer, era levada a sério, a ponto de que, se era uma promessa, era também uma ameaça. Isso causava muito desconforto e rigidez e também ansiedade e culpa, mas exatamente porque os produtos da imaginação eram fonte de inspiração e transformação para a "primeira" vida "real" do homem e da mulher.

Foi esse *feedback* que deixou de funcionar em nosso século. A imaginação modernista tornou-se imensamente mais irônica, livre e surpreendente do que no passado, mas à custa de deixar a nossa "primeira" vida totalmente privada de tais qualidades. Deste ponto de vista, o modernismo surge mais uma vez como componente básico daquela grande transformação simbólica que ocorreu nas sociedades ocidentais contemporâneas: o significado da vida não é mais buscado no terreno da vida pública, da política e do trabalho; migrou para o mundo do consumo e da vida privada. Esta segunda esfera tornou-se incrivelmente mais promissora, excitante e liberal, e é dentro de suas fronteiras que podemos nos abandonar aos nossos devaneios intermináveis. Mas elas são simétricas; na verdade, devem a sua própria existência à indiferença entediada e cega da nossa vida pública. Os devaneios, até mesmo os mais subversivos, na verdade não têm interesse nenhum de mudar o mundo, porque a sua essência é correr paralelo a ele e, já que o mundo é meramente uma "ocasião" para o seu desdobramento, pode muito bem continuar assim. O romantismo, observou Carl Schmitt, conseguiu coexistir com todo tipo de crença e regime político; isso é ainda mais verdadeiro no caso do modernismo, cuja extensa gama de opções políticas só pode ser explicada pela sua indiferença política básica.

Há uma cumplicidade entre a ironia modernista e a indiferença pela história, e encontramos uma de suas expressões mais perfeitas na opção retórica de Joyce de reescrever praticamente o mesmo trecho em dois ou mais estilos diferentes, recurso enfatizado em vários capítulos de *Ulisses* e presente no texto como um todo. Quase nunca "motivada" (pela personalidade do locutor, por exemplo), essa técnica é posta diante do leitor como exercício vertiginoso de competência literária e, devemos acrescentar, de ironia literária, já que a raiz da ironia está precisamente em ser capaz de ver uma coisa a partir de mais de um ponto de vista. Ainda assim, esta opção retórica tem uma conseqüência bastante evidente para a nossa percepção do tempo e da história. O *status* da história em *Ulisses* é, intrinsecamente, baixíssimo; falando claramente, quase nada acontece no livro. Mas, mais do que isso, a multiplicidade de estilos de *Ulisses* força nossa atenção a *se afastar* do que acontece e concentrar-se inteiramente nas várias maneiras possíveis de se ver os eventos. Usando termos específicos da narratologia, Joyce radicalizou aquela tendência narrativa que visava a superdesenvolver o nível do "discurso" à custa do "enredo". O que realmente tem significado não é o que acontece — a lógica dos eventos e das decisões — mas as suas razões "livres", subjetivas e não motivadas. E para que sejam totalmente incontidas, o enredo deve exercer a pressão mais fraca possível; se ficar parado numa repetição eterna, como será o caso em *Finnegan's Wake* [Finnicius Revém], melhor ainda.

É claro que os romances podem parar suas histórias mas não a história, e as formas como retratamos para nós próprios o movimento histórico são fundamentais para a configuração da nossa identidade. Depois que a literatura de vanguarda abandonou a trama, o vazio foi inevitavelmente preenchido por um sistema paralelo, a literatura de massa, que, com a mesma inevitabilidade, adquiriu importância cada vez maior. O encanto da literatura de massa é que ela "conta histórias" e todos nós precisamos de histórias; se em vez de *Os Buddenbrooks* temos *Os insaciáveis*, pois então que seja Harold Robbins. Com certeza não é um progresso em nossa percepção da história, mas é fato que, neste século, as formas narrativas capazes de tratar das grandes estruturas e transformações da vida social pertenceram, com mais freqüência, aos vários gêneros da literatura de massa e, mais amplamente, da cultura de massa.

Acredito que a crítica marxista não só subestimou a importância da cultura de massa em nosso século como também foi cega a sua ligação sistemática com as experiências de vanguarda. Se o estudo do modernismo deve ser um estudo da cultura moderna e do seu papel na história — e não apenas de uma determinada parte dela — terá de perceber que o silêncio do modernismo tem tanto significado quanto as suas palavras, e que tem sido encoberto por outras vozes bem diferentes. Finalmente, o que um século de modernismo nos ensina é que a ironia, por mais que seja uma extraordinária conquista cultural, tem de recuperar algum tipo de relação problemática com a responsabilidade e a decisão — senão, terá de abandonar inteiramente a história.

# O momento da verdade

Os gêneros literários têm fronteiras temporais e a definição atual de tragédia *moderna* é um reconhecimento evidente, embora vago, deste fato. Mas eles têm também fronteiras espaciais, que podem às vezes ser ainda mais reveladoras — *historicamente* reveladoras — do que as temporais.[1] É o caso da tragédia moderna, cuja própria geografia tem a peculiaridade notável de ser contrária à do romance. Henrik Ibsen, que costuma ser considerado (com justiça, na minha opinião) o personagem principal da tragédia moderna, pertencia a uma cultura escandinava que ficou praticamente intocada pelo romance. A mesma cultura também produziu Kierkegaard, cuja filosofia viria a oferecer vários temas e matizes a visões de mundo trágicas, e Strindberg, cujos contemporâneos viam como *alter ego* de Ibsen. Pelo contrário, as áreas da Europa onde Ibsen encontrou a resistência mais feroz — "veneno", "odiosa ferida sem curativo", "esgoto aberto", "leprosário", como disseram jornais da época — foram a França e a Inglaterra, fortalezas do romance, mas os contribuintes mais estéreis para a nova dramaturgia. Mas o exemplo mais revelador da geografia cultural no período moderno é a Alemanha. A tragédia moderna e a teoria trágica moderna são simplesmente impensáveis sem ela, a ponto de até Kierkegaard, Ibsen e Strindberg só terem obtido importância histórica mundial através da mediação alemã. Em 1915, esboçando seu raivoso panfleto nacionalista, *The Blight of Ibsenism* [A praga do ibsenianismo], James Leatham estava obviamente enganado ao responsabilizar Ibsen e Strindberg (e Nietzsche) pelos "métodos alemães nos campos de batalha da Bélgica". Mas o fato de que "em lugar algum esses três filósofos tiveram mais seguidores que na Alemanha" era bem conhecido — e um fato, veremos, com suas próprias complicações perturbadoras.

*Alemanha: campo de batalha da modernidade*

A centralidade da Alemanha na tragédia moderna também é, de forma simétrica, a centralidade da tragédia moderna no desenvolvimento da cultura alemã. De início, na prática, esta relação era antagônica, e a filosofia alemã foi a primeira a teorizar da forma mais completa, há dois séculos, a orientação *anti*trágica da esfera estética moderna. A terceira *Kritik* de Kant, projetada como "meio-termo" entre as duas primeiras, foi uma tentativa explícita de curar, por meio da esfera estética, a laceração potencialmente trágica entre o domínio do conhecimento e o domínio da ética; e o mesmo pode ser dito das *Cartas sobre a educação estética do homem*, nas quais se pede à arte que restaure uma harmonia rompida, "atenuando" a unilateralidade dolorosa das faculdades humanas e das instituições sociais. Goethe também criticou as tragédias, sustentando que deixavam nossa mente "perturbada" e "inquieta". Em *Fausto*, circunscreveu a tragédia à existência individual, excluindo-a assim do progresso da história universal. Esta opção retórica, ou "trama", foi naturalmente também a de Hegel, em cujo pensamento, como ressaltou Hayden White, uma seqüência de tragédias acaba revelando uma comédia cósmica. Este impulso antitrágico inspirou não só o conceito de movimento histórico de Hegel como a própria forma interna de sua filosofia. Em sua lógica dialética, na qual a falta de significado de tudo o que é "unilateral" leva à declaração especular de que "somente o Todo é a Verdade", a forma trágica é privada de todo e qualquer valor cognitivo.

Nos cinqüenta anos de modernidade, então, travou-se — e venceu-se — uma grande batalha contra a cultura trágica em solo alemão. Mas a longo prazo, o peso da tragédia mostrou-se grande demais: Lessing, Schiller, Hölderlin, Kleist, Büchner, Hebbel, Wagner, Hauptmann, Wedekind, Hofmannsthal, Schopenhauer, Kierkegaard, Nietzsche, Schmitt, Benjamin, Heidegger; até mesmo, de certa forma, Marx, Weber e Freud...

Alemanha, então. Mas por que Alemanha? A resposta mais comum indica a herança destrutiva das guerras religiosas do início da Europa moderna

— tanto as guerras civis quanto as internacionais. Por que Alemanha? Porque a Alemanha, nas palavras de Thomas Mann, sempre foi "o campo de batalha da Europa"; campo de batalha físico e mais ainda espiritual, onde os conflitos têm "pouco ou nenhum conteúdo nacional; são, quase inteiramente, de caráter europeu". A esta luz a Alemanha é um tipo de Palco Mágico, onde os antagonismos simbólicos da cultura européia atingem uma intratabilidade metafísica e se chocam de forma inconciliável. Ela é o centro e o catalisador do sistema histórico integrado que chamamos de Europa, mas de uma forma paradoxal, já que o seu papel "sistêmico" — Mann de novo, em suas *Reflexões de um homem apolítico* — é o mesmo que sua falta de "laços nacionais" e "unidade espiritual". Diversamente da França e da Inglaterra, a função internacional da Alemanha não é conseqüência do seu poderio nacional, mas sim inversamente proporcional a ele; é produto da *fraqueza* nacional; na metáfora de Freiligrath, em meados do século XIX, para a ausência de unidade espiritual, "*Deutschland ist Hamlet*".

Acabei de mencionar a noção de Europa como um "sistema integrado" e tendemos a supor como dado o ambiente europeu sempre que discutimos gêneros ou movimentos multinacionais como o modernismo, o romance ou a tragédia. No entanto, deveríamos ter consciência de que em cada caso a "Europa" é um sistema diferente, com configuração sociogeográfica distinta. A Europa do romance é o sistema bem diferenciado de Estados-nações fechados em si mesmos, com uma inter-relação tipicamente nacional entre cidade e campo e um núcleo burguês sólido, como na Inglaterra e na França. A Europa da tragédia moderna, por sua vez, é a Europa da guerra: um campo de oposição muito mais abstrato e homogêneo, do qual a Alemanha não é tanto assim o "núcleo", mas a terra de ninguém onde os dramas universais podem ser encenados. Quanto à Europa do modernismo, é multinacional de um modo também diferente, como constelação de metrópoles: Paris, Petrogrado (atual São Petersburgo), Berlim, Londres, Zurique, Milão, Viena, Praga e até Dublin — todas elas tornaram-se, com o modernismo, um arquétipo. Em contraste com as duas "Europas" anteriores, este é um padrão pontilhista e, portanto, muito mais aberto, pronto a incorporar Nova York, Los Angeles, Buenos Aires, Bombaim. Por esta mesma razão o modernismo tornou-se, no decorrer do nosso século, o primeiro e verdadeiro sistema *mundial* de literatura. (E tanto que, pela primeira vez na história moderna, a Europa foi empurrada para a periferia.)

Essa partição espacial das três Europas diferentes é fácil de discernir dentro da instituição social mais intimamente entrelaçada com o espaço e as fronteiras: a linguagem. Aqui, passamos das linguagens nacionais ricas e variadas do romance, carregadas de peculiaridades e expressões idiomáticas locais, para o discurso abstrato, estéril, sempre traduzível (quem jamais leu norueguês além de Joyce?) da tragédia moderna; e, finalmente, para a mistura intercultural do modernismo, prefigurada talvez pelo inglês aberrante mas que tudo inclui de *Finnegan's Wake*. Todas essas configurações indicam que a "teoria dos espaços temporais" visualizada por Fernand Braudel para a história econômica pode ser igualmente necessária e promissora para a história literária; devemos tentar pensar em épocas literárias não só como segmentos do tempo, mas como imagens no espaço também. Uma geografia das formas simbólicas: não é esta uma possibilidade bem estimulante?

Mas, de volta à tragédia. Aquela pergunta — por que a Alemanha? — tem uma segunda resposta possível, centrada na relação da Alemanha com a política da modernidade. Em todos os grandes países capitalistas, a modernidade foi, sem dúvida, um processo desestabilizador, imprevisível, doloroso, mas que nunca exigiu alternativas políticas radicais. Em regra, as opções políticas fundamentais predataram a modernidade capitalista, e os regimes que se seguiram gozaram de uma estabilidade básica. A trajetória política da Grã-Bretanha e dos Estados Unidos foi determinada, respectivamente, nos séculos XVII e XVIII. Quanto à França, as suas principais crises políticas (1789, 1830, 1848) assistiram ao choque entre a modernidade e o *Ancien Régime*; mas o conflito não foi produto da modernidade nem apontou para além dela. (A Comuna é a exceção visível; mas sua importância histórica pode ter sido exagerada pelo teórico político [alemão] que viu nela um paradigma universal.) Na Grã-Bretanha, na

França e nos Estados Unidos, portanto, o Estado democrático-burguês permaneceu fundamentalmente inquestionado; mas não na Alemanha. Ali, não só a criação do Estado nacional ocorre comparativamente muito tarde, como em apenas quinze anos, de 1918 a 1933, a ordem política foi abalada *duas vezes*, e em direções totalmente *opostas*. Nenhuma outra potência industrial jamais esteve à beira de uma revolução socialista ou sob domínio fascista; a Alemanha viveu *ambos*, como que para revelar uma bifurcação oculta e fatal da modernidade — uma escolha verdadeiramente trágica por trás daquela administração comum à qual os outros países ocidentais se acostumaram.

Antes, mencionei a tese de Mann segundo a qual a centralidade da tragédia na cultura alemã é conseqüência da fraqueza nacional. Agora podemos ser mais específicos e afirmar que o poder simbólico da forma trágica é inversamente proporcional ao poder real do Estado. Quando o Estado é forte e estável, a cultura nacional não precisa se preocupar com ele e evolui de forma fundamentalmente apolítica; daí as convenções anti-heróicas da visão de mundo romântica, um dos maiores fatores estabilizantes da modernidade. Mas onde o Estado é instável e fraco, a cultura tende, fatalmente, a "preencher o vazio", desdenhando o romântico todos os dias como terreno de aparências vãs. Esta visão de mundo encontra o seu centro não só na política como numa versão trágica da luta política. Na noção de conflito como algo que leva inevitavelmente a uma crise e da *crise como o momento da verdade*.

A crise como o momento da *verdade*: só quando envolvidos num conflito até a morte os atores sociais manifestam sua real natureza. Daí a superioridade epistemológica das circunstâncias excepcionais sobre as ordinárias: "A exceção", escreve Carl Schmitt em 1922, "é mais interessante que o caso normal. Este último nada prova, a primeira prova tudo [...] No estado de exceção, a força da vida real rompe a casca endurecida da repetição mecânica." A crise como *o momento* da verdade: a abolição do ritmo ordinário da vida cotidiana leva àquela contração metafísica do tempo — o "tempo privado de temporalidade" — vislumbrada por Lukács em

*A alma e as formas*. "Este momento", prossegue Lukács, "é um princípio e um fim e daí não pode derivar nenhuma conseqüência relativa à existência."

## *Tragédia* versus *romance*

No entanto, antes de discutir a ligação entre a noção de "momento da verdade" e a política do século XX, devemos examinar mais de perto algumas características formais da tragédia moderna. Em seu progresso rumo ao que chama de verdade, este gênero tem um novo adversário, desconhecido da tragédia antiga e renascentista. Não é a cegueira, nem a paixão, nem o destino, nem um valor conflitante. É, bem simplesmente, a *vida*. "Falando num sentido estritamente humano", escreve Kierkegaard no quinto número de *The Moment*, em julho de 1855, "Deus é o mais feroz inimigo do homem, inimigo até a morte; segundo o seu desejo, deves morrer, destruir-te, já que ele odeia exatamente o que, por natureza, é a tua vida e a alegria da tua vida." É a mesma noção ("inimigo mortal do homem; mas um inimigo por amor") que inspira o herói arquetípico de Ibsen, Brand: "À beira do abismo dançam as almas sem mente e nem uma em mil pode ver que monte de culpa nasce desta palavrinha: viver."

Se passamos para o lado oposto da postura trágica, é óbvio que os juízos de valor mudam, mas o paradigma continua o mesmo. Assim como a vida parecia ser a inimiga rude e obtusa da verdade, a verdade hoje é percebida como destruidora, inutilmente cruel, da vida. "Brand morre santo", escreve Shaw em seu *Quintessence of Ibsenism*, "depois de causar sofrimento mais intenso por sua santidade do que o pecador mais talentoso conseguiria com o dobro de oportunidades." *O pato selvagem*, obra-prima em que Ibsen virou de cabeça para baixo o seu sistema de valores, afirma a mesma coisa. Aqui, o antagonista de Gregers Werle e de sua tentativa impiedosa de forçar os outros a encarar a verdade (comportamento estranhamente prefigurado por Kierkegaard em *The Moment* de 30 de agosto de 1855, onde afirma que o melhor amigo é aquele que lhe informa prontamente o adultério de sua mulher) é o médico Relling, cuja própria vocação consiste em manter os outros *vivos* a qualquer custo. É um ponto mais desenvolvido por Thomas Mann, grande admirador de *O pato selvagem*: "Nietzsche e Ibsen, o primeiro em sua filosofia, o segundo em suas peças, questionaram severamente *o valor da verdade na vida.*" "Para o pensador radical", acrescenta no mesmo capítulo de suas *Reflexões de um homem apolítico*, "Ironia e radicalismo", "a vida é um argumento sem valor. Mas a atitude irônica preferiria perguntar: 'É a *verdade* um argumento válido quando a vida está em jogo?'"

Esta oposição entre verdade e vida é nova; na história longa e variada da tragédia, a "vida" nunca figurou como poder em si mesma. Se o faz agora, atraindo a atenção tanto de pensadores trágicos quanto antitrágicos, a razão deve ser buscada não tanto dentro da própria tragédia, mas em seu gênero literário rival — o romance. Essa vida que pode deixar a verdade em xeque é a vida cotidiana moderna, saturada daqueles valores da administração comum que o romance foi rápido ao perceber, reinterpretar e popularizar. A súbita elevação paradigmática da "vida", portanto, é testemunha da centralidade do romance na mentalidade européia moderna, ao mesmo tempo em que lança luz sobre um tipo de relação entre as formas literárias que, com muita freqüência, foi negligenciado pelos historiadores literários. Quando pensamos em "sistemas literários", costumamos usar o modelo implícito da divisão de trabalho: cada gênero realiza a sua própria tarefa específica e todos se somam para formar o sistema global de qualquer período dado. Mas o *conflito* dos gêneros é, na verdade, tão importante quanto a sua cooperação. O antagonismo entre verdade e vida, por exemplo, não passa da descrição trágica da luta genérica entre a própria tragédia e o romance; enquanto a simetria geográfica descrita antes testemunha que a "vitória" de um gênero pode significar facilmente a aniquilação total do seu adversário.

Uma história darwinista da literatura na qual as formas lutam entre si, são selecionadas pelo contexto, evoluem e desaparecem como espécies naturais... Eis uma perspectiva fascinante para o momento em que a crítica literária abandona a sua atual nulidade metafísica e volta a alguma forma de materialismo. Por enquanto, deixem-me apenas acrescentar que, de todas as dificuldades da tragédia moderna (e são muitas — a teoria da tragédia moderna não está sempre nos recordando a quase impossibilidade deste gênero?), a maior é exatamente sua condição pós-romance. Tchékhov, grande dramaturgo pertencente a uma grande tradição romântica, é o exemplo mais claro dessa dificuldade. Em seu mundo, não é a verdade mas sim a vida que comanda o baile — uma vida romântica desvitalizada mas compulsiva, com todos os seus hábitos, acomodações, imprecisões, escapatórias. Peça após peça, quando os personagens se aproximam de um "momento de verdade" a seu próprio respeito, recolhem-se imediatamente, aterrorizados, para o ritmo anestesiado do cotidiano. É como se o peso da tradição narrativa russa tornasse impossível a Tchékhov conceber a tragédia como forma distinta. Com um golpe marcial brilhante — a impossibilidade da tragédia moderna é a maior tragédia moderna —, ele transformou o seu problema numa solução viável.

Verdade *versus* vida, então, e vida como "representante" antagônico do romance dentro da forma trágica: vamos explorar estas antinomias com mais detalhes. Comecemos com uma questão semântica: na tragédia moderna, o oposto da verdade não é a mentira nem o segredo (pensemos em *Otelo*, *Rei Lear* ou *Fedra*). Não, o oposto de verdade é "meia-verdade", a forma que a verdade assume quando aceita uma *acomodação com a vida*. Acomodação — o grande tema problemático do romance durante o século XIX; mas "Satã é a alma da acomodação", decreta o implacável Brand. O maior perigo para a verdade trágica não é a sua negação ou repressão violenta (que, na verdade, embora paradoxalmente, a determina), mas a sua diluição no curso ordinário da vida. Portanto — Brand outra vez — precisamos de "uma semana de sete domingos" para abolir "o cotidiano e a sua mediocridade". E Brand não está sozinho nesse ataque à acomodação. Além do repúdio de Nietzsche à "medida" apolônica que parece ser uma variante do mesmo tema, Kierkegaard denunciou a Igreja dinamarquesa exatamente por sua doutrina e prática da acomodação. Além disso, o crítico que mais fez para firmar a fama internacional de Ibsen, Georg

Brandes, surgiu na cena intelectual ao criticar Rasmus Nielsen, conhecido na Escandinávia, no século XIX, por sua filosofia da acomodação.

Um segundo inimigo intratável da tragédia moderna é o dinheiro. É claro que o dinheiro é a personificação primária da acomodação e da ambigüidade; produz doenças e os remédios para curá-las, passa dos cortiços às obras de arte, é resultado da exploração e pode ser usado para a caridade. Definitivamente, não há *pureza* no dinheiro ("é o seu, o meu, o escravo de todo mundo") e é isso mesmo que faz dele o meio flexível e insubstituível da Grande Socialização do século XIX. Durante toda aquela época, a formação do indivíduo moderno foi cada vez mais confiada ao novo nexo social: ao domínio do "ter" em oposição ao "ser", para usar os termos de Trilling em *Sincerity and Authencity* [Sinceridade e autenticidade]. O romance, por sua vez, não só reconheceu essa evolução como, no breve período de uma geração, de Goethe a Balzac, transformou-a no típico mito moderno. Mas, com Ibsen, o paradigma se inverte: através do dinheiro as pessoas não assumem formas, mas se deformam, e só se pode perceber a verdade de alguém na *falta* (possivelmente súbita) de dinheiro. Daí vem a multidão de credores e chantagistas tão típicos da tragédia moderna; sem interesse algum como indivíduos, mas fundamentais como funções dramáticas (ou metáforas, como nos *Credores* de Strindberg). Esses personagens tiram o dinheiro do mundo e, ao fazê-lo, impõem aos outros a sua verdade dolorosa mas, em geral, regeneradora.

Outro obstáculo à verdade trágica encontra-se na convenção social da *conversa*. Embora ambos sejam trocas lingüísticas, a conversa e o diálogo trágico inclinam-se em direções opostas. Como observou Peter Szondi em sua *Teoria do drama moderno*, na qual o "drama-conversa" era mais forte (na França e na Inglaterra, pátrias do romance), o desenvolvimento da linguagem trágica mostrou-se impossível, enquanto na Alemanha ("já que não havia sociedade alemã nem estilo alemão de conversa") pôde atingir a completude soberba de, digamos, Friedrich Hebbel. E por que esta hostilidade entre tragédia e conversa? Porque — Szondi outra vez — "a conversa nunca impõe obrigações, nunca é irrevogável";

em vez de ser "a personificação da ação", como acontece com a linguagem trágica, suspende a ação (sintomaticamente, uma conversa pode "continuar para sempre"). A conversa cria uma terra de ninguém, fácil e indecisa, entre sujeito e objeto, protegendo ambos de sondagens demasiado profundas com a convenção das boas maneiras, e dando voz ao lento processo mundano pelo qual os personagens dão forma a si mesmos ao se entenderem com a sua sociedade. Por todas essas razões, a conversa tornou-se o meio lingüístico preferido do romance e, mais uma vez, Tchékhov usou a própria força de sua convenção romântica para conseguir o efeito contrário: em suas peças, a única maneira de desenvolver uma linguagem trágica é não desenvolvê-la de maneira alguma, exagerando o pinga-pinga vazio e enlouquecedor do bate-papo sem objetivo. No entanto, na cena final de *Casa de bonecas*, as duas linguagens — os lugares-comuns socialmente impecáveis de Helmer e a clareza mal-educada e abrupta de Nora — literalmente não conseguem mais se entender; de forma bastante apropriada, o último "barulho" da peça é o não lingüístico de uma porta que se fecha.

A oposição final entre a tragédia moderna e o romance diz respeito ao tipo de *evento* mais típico desses dois gêneros. Em regra, o evento do romance assume a forma de uma oportunidade; como a conversa no domínio da linguagem (e, afinal de contas, as conversas acompanham ou constituem a maior parte dos eventos do romance), uma oportunidade é uma ocorrência meio subjetiva, meio objetiva, aberta a uma grande variedade de evoluções diferentes. Além disso, o evento do romance nunca tem significado por si só, apenas dentro da diacronia intacta de uma trama mais longa; ou seja, para obter significado, este evento exige a estabilidade basicamente inquestionada da vida cotidiana e do governo comum. Em contraste, as próprias fissuras e abismos que desmantelam essa estabilidade constituem os casos mais típicos do evento trágico, cujo significado é ser um ponto de virada sem igual, um esclarecimento súbito depois do qual a existência anterior de alguém — a existência de alguém no romance — parece irremivelmente falsa. É o "momento" de Kierkegaard: o momento da verdade e também a verdade *como* o momento — algo que se perde no decorrer das circunstâncias ordinárias e só se recupera na descontinuidade e na crise.

### *Tragédia e política revolucionária*

A interdependência entre verdade e crise na tragédia antecipa a retórica clássica da política *revolucionária*. Uma das ilustrações mais claras dessa conexão é um texto escrito no primeiro quarto do nosso século, hoje quase esquecido mas na época talvez o mais famoso e, com certeza, o mais lendário dos manifestos revolucionários: *Reflexões sobre a violência*, de Georges Sorel. Seu *leitmotiv* é, basicamente, o seguinte: como conseqüência das "*acomodações* sociais" dominantes em toda parte, o Ocidente passou por uma época de "covardia universal", cuja "paz" e "estabilidade" também "ofuscaram a *verdadeira* natureza das classes sociais". Mas essa época está chegando ao fim e o golpe de misericórdia virá da greve geral que, ao gerar uma "fissura social", uma "crise", um "rompimento", forçará cada classe a "*ser ela mesma*". A "moralidade" superior da greve geral está em impor aos atores sociais a sua "verdade" fundamental e esquecida. Ela nunca é concebida por Sorel como um processo (como nos textos mais ou menos contemporâneos de Rosa Luxemburgo), mas como evento único e "instantâneo". Como um Apocalipse: o momento da verdade.

Sorel exemplifica aspectos da continuidade entre o pensamento trágico e a política revolucionária porque foi o mais mítico dos pensadores revolucionários, autor do "livro da época", como escreve Thomas Mann em *Doutor Fausto*. Mas há uma segunda razão para minha escolha: Sorel foi o *mais ambíguo* dos pensadores revolucionários, o ultra-esquerdista arquetípico e, ainda assim, inspirador de crenças reacionárias e fascistas. E isso porque aquela imagem trágica da revolução como o momento da verdade, com o corolário inevitável de que a verdade social só pode surgir na crise de uma guerra civil, era, é e será partilhada por grandes setores da direita e da esquerda.

Encontramos essa imagem no jovem Lukács — não só em *A alma e as formas*, mas também em *História e consciência de classe*, na qual a crise econômica age exatamente como o momento da verdade do capitalismo: revela subitamente a "estrutura real da sociedade", em geral fetichizada; transforma o conceito fundamental de totalidade numa coisa que "pode ser compreendida no próprio domínio da práxis"; realiza uma des-reificação da vida cotidiana e põe em movimento o "progresso edípico [do capitalismo] rumo a um destino inelutável". Nos mesmíssimos anos, e num arcabouço teórico fora isso totalmente diferente, a *Teologia política* de Carl Schmitt atribui à noção de crise um destaque epistemológico igualmente marcante. Ao trazer à luz "a real possibilidade de morte física", a "instância crítica" de Schmitt desvela o último horizonte — a guerra — do par conceitual de amigo e inimigo que, por sua vez, constitui para ele a base de todo pensamento político. "A guerra, assim, não é a meta nem o conteúdo da política, mas sua *premissa*, sempre presente como possibilidade real [...] como em muitos outros casos, a exceção aqui tem importância decisiva, a ponto de revelar a essência das coisas."

Alguns anos depois Schmitt tornou-se a autoridade conceitual da ligação entre política e tragédia em *Origem do drama trágico alemão*, de Walter Benjamin, a discussão mais influente da tragédia jamais produzida por um intelectual de esquerda. E a cumplicidade das duas culturas, sob o signo da tragédia, continuou. Com efeito, recentemente ficou ainda mais forte, considerando a extensão em que Nietzsche e Heidegger dominam o horizonte cultural da *intelligentsia* de esquerda. (E, sim, Nietzsche e Heidegger não podem ser reduzidos ao que a reação européia encontrou neles há meio século; mas "esquecer" tudo aquilo, fingir que foi um erro de leitura, um mal-entendido! Que exercício de cegueira histórica!)

Estarei tentando dizer que esquerda e direita têm a mesma cultura, os mesmos valores? De jeito nenhum. Mas com certeza acredito que é praticamente impossível desvencilhar a esquerda da direita *sempre que a esquerda adota uma visão de mundo "trágica"*. Numa inversão irônica, acontece que o momento da verdade é uma mitologia política ambígua — talvez a mais ambígua de todas. E, afinal de contas, é assim que deveria ser, já que a enorme diferença entre esquerda e direita é, em primeiríssimo lugar, produto da temporalidade, do peso e das lembranças do passado, dos conflitos ainda abertos no presente, dos projetos e esperanças do futuro. Mas quando uma cultura se concentra na unicidade supersticiosa do momento de crise (lembrem-se de Lukács: "Este momento é um princípio e um fim e daí não pode derivar nenhuma conseqüência relativa à existência"), a temporalidade será reduzida e abolida: passado, presente e futuro desaparecerão todos e, com eles, todas as determinações políticas significativas.

Isso quer dizer que a esquerda deve tirar do seu horizonte a própria noção de um momento de crise, de violência declarada, revolução, guerra? Mais uma vez, o ponto não é este, sem falar no fato de que estes eventos ocorreram, ocorrem hoje e ocorrerão no futuro, quer as pessoas queiram, quer não. O que quero destacar é que a revolução não deveria ser vista como valor em si mesma nem como mecanismo para gerar valores, mas fundamentalmente como *conseqüência* possível de um dado conjunto de valores em circunstâncias dadas. O que tenho em mente é uma cultura de esquerda que não considere o momento de crise como *único* momento da verdade nem como momento da *única* verdade. Se as experiências pessoais valem alguma coisa, posso dizer que essa suposta unicidade, nessa intratabilidade supersticiosa, deixou uma cicatriz profunda em minha geração, em meu país; cegou-nos para a realidade de boa parte do mundo a nossa volta, porque indicava que era um mundo "falso", um mundo não verdadeiro. Para fugir às suas aparências enganosas, temos, basicamente, de criar o nosso caminho, não importa como, rumo ao momento de crise e *então* a verdade social finalmente surgirá com toda a sua inequívoca clareza: uma crença levada à sua conclusão lógica e pragmática pelo mais equivocado dos fenômenos políticos contemporâneos — o terrorismo *esquerdista*. É dessa cumplicidade insalubre entre melodrama e vazio que a esquerda precisa se livrar; aliás, a exposição à ânsia de verdade, incansável mas meramente formal, é a maior conquista autocrítica — Hamlet, Posa, Herod, Werle — da própria tragédia moderna.

Então, nenhum desejo trágico de catástrofe como fonte de verdade; nenhum desprezo metafísico pelas "conseqüências", nenhum prazer barroco na "exceção". E o fato de que isso não precisa levar a humilhações e acomodações intermináveis é demonstrado por um antigo discurso de Max Weber, com o qual é provável que ainda haja muito a aprender: "Do ponto de vista humano [aqueles que não se preocupam com as conseqüências de seus atores e estão simplesmente inebriados com suas sensações românticas] interessam-me muito pouco e não me emocionam em nada. O que é profundamente espantoso e emocionante, por outro lado, é a visão de um homem *maduro* — não importa se jovem ou velho — que, sentindo verdadeira e inteiramente a sua própria responsabilidade pelas conseqüências e agindo de acordo com a ética da responsabilidade, ainda diz, de repente: 'Não posso agir de outro modo; não recuarei daqui.' Eis um comportamento verdadeiramente humano e emocionante, e uma situação destas deve ser possível a qualquer momento para todos nós que ainda não perdemos nossa vida interior."

# Da evolução literária

"Para um biólogo", escreveu Jacques Monod no final de O *acaso e a necessidade*,

> é tentador fazer um paralelo entre a evolução das idéias e a da biosfera [...] As idéias mantiveram algumas propriedades dos organismos. Como eles, tendem a perpetuar sua estrutura e reproduzir-se; também podem fundir-se, recombinar-se, segregar seu conteúdo; na verdade, também podem evoluir e nessa evolução a seleção, com toda a certeza, tem um papel importante.[1]

Tentado pelas palavras de Monod, esboçarei aqui uma teoria darwinista da evolução literária, na crença de que pode resolver alguns problemas interessantes da historiografia literária e fornecer um arcabouço conceitual unificado a pesquisas locais e empíricas. No entanto, a relação entre as ciências naturais e a teoria cultural é tão complicada que começarei com um ato de contrição, com uma objeção que, para mim, tem força peculiar porque seu autor, Stephen Jay Gould, foi um grande inspirador deste artigo: "A evolução cultural humana, em forte oposição a nossa história biológica, tem um caráter lamarckista. O que aprendemos numa geração transmitimos diretamente pelo ensino e pela escrita."[2]

No que diz respeito às características adquiridas e a sua transmissão, a história humana é mesmo lamarckista. Mas o próprio Gould enfatizou várias vezes uma outra diferença e talvez ainda mais fundamental entre Lamarck e Darwin: seu desacordo quanto à relação entre variações e evolução. Para Lamarck, as variações são "orientadas", "dirigidas"; são "preferencialmente tendentes à adaptação" e, assim, em certo sentido, prefiguram o curso da evolução. Para Darwin, as variações não são orientadas; são tentativas totalmente aleatórias entre as quais, mais tarde, a natureza escolhe aquelas com maior potencialidade de adaptação. Para Lamarck, em outras palavras, a evolução é um progresso monista e indiviso, no qual o princípio único da adaptação preside a seleção e as variações; para Darwin, pelo contrário, é um processo dualista, irreparavelmente cindido entre variações dominadas pelo acaso e a seleção governada pela necessidade.

Será que podemos dizer que a história humana é lamarckista também neste segundo aspecto, que é um desenvolvimento indiviso no qual os problemas só surgem quando as soluções já estão disponíveis e estas últimas, por sua vez, são sempre definidas e inconfundíveis? Esta idéia da história, na verdade, é bem disseminada e tem credenciais materialistas impecáveis, também... mas me parece um sonho hegeliano implausível (e indesejável). É exatamente no interesse do materialismo que proponho aqui substituí-la pelo dualismo darwinista, por uma teoria que desarticule a história literária em duas partes, em dois estágios separados. Somente o acaso será ativo no primeiro estágio, no qual se geram as variações retóricas; a necessidade social presidirá o segundo estágio, no qual as variações são historicamente selecionadas.[3]

### *O acaso, a necessidade e o romance*

Para ilustrar o dualismo evolucionário, vou me concentrar num único fenômeno bem conhecido — o desenvolvimento do romance europeu como gênero literário — e adotar como ponto de partida a tripartição geralmente aceita de sua gênese no século XVIII, seu sucesso no século XIX e sua problematização no século XX.

Gênese, sucesso, problematização. Por si sós, esses rótulos nos sugerem uma curva em sino, com a qual o romance atinge o ponto máximo da autonomia estética e da influência social no decorrer do século XIX. É então que começa a se comportar como um gênero no sentido mais forte, reproduzindo-se com abundância, regularidade e sem muitas variações. O que, no entanto, também significa que, se nos concentrarmos num conjunto diferente de características, o nosso sino virará de cabeça para baixo; e realmente, pela multiplicidade de formas ou de experiências narrativas, o século XIX é, na verdade, o nadir, o ponto mais baixo da história do romance. É uma época monódica cercada por duas épocas polifônicas e não seria inexato, neste aspecto, falar de "o romance" somente no século XIX e de "romances" no plural nos outros casos.

Romances/romance/romances. Uma seqüência inexplicável, de acordo com as solenes procissões hegelianas, tão queridas pela história literária: uma forma de cada vez, uma forma depois da outra, cada uma preservando a anterior e gerando a seguinte. Do mesmo modo, é um cenário darwinista bastante típico: o campo se abre para uma multiplicidade de possibilidades, estreita-se quando a pressão externa seleciona uma delas e descarta as outras e depois se abre de novo a uma nova multiplicidade...

Sim, estamos próximos do modelo darwinista e, de fato, chegamos a um primeiro trecho fundamental, já que a descontinuidade que destaquei — romances/romance — é, sem dúvida, produto da história mas também, e de modo mais fundamental, de dois princípios geradores opostos: o acaso no século XVIII, a necessidade no século XIX.

Variações "dominadas pelo acaso": o que significam essas palavras quando aplicadas ao romance do século XVIII? Não que tudo pudesse acontecer e acontecesse, mas sim, como na teoria evolucionária, que precisamos encontrar um gênero que envolva grande quantidade de variações visivelmente diferentes e mais ou menos simultâneas. Em conjunto, essas variações devem formar um campo sem orientação histórica, de modo a prefigurar, com a mesma probabilidade, tanto a trajetória real da evolução literária futura quanto os avanços que acabaram não acontecendo.

É claro que apresentar indícios analíticos de todas essas condições seria impossível num artigo curto. Felizmente, os indícios foram reunidos há trinta anos — não de propósito, é claro — em *A ascensão do romance*, de Ian Watt, em que Defoe, Richardson e Fielding (aos quais podemos acrescentar também Swift) constituem exatamente o tipo de campo que procuramos. Suas narrativas são próximas no tempo e remotas na forma (e, durante algumas décadas, coexistiram, embora pouco à vontade: sinal de que a seleção na época não estava "funcionando" e só começou mais adiante). Um campo de possibilidades aleatórias, não orientadas e coexistentes: eis a configuração inesquecivelmente percebida, uma geração mais tarde, por *Tristram Shandy*, de Sterne. E este campo também não evoluiu pacificamente "rumo à" linha dominante do século XIX, como preferiria a visão passo a passo da evolução;[4] para que tal evolução ocorresse, na verdade, a maior parte do sistema do século XVIII teria de ser descartado e esquecido, enquanto o próprio Sterne só reapareceu na nova onda de variações do início do século XX.

Atendo-se à trajetória do romance inglês, alguém poderia afirmar que o século XIX "selecionou" Fielding e confinou todos os outros a uma obscura existência periférica. Mas o processo fica ainda mais claro na escala européia, na qual a proliferação aleatória do século XVIII chegou a um fim súbito com o sucesso internacional da nova espécie (por assim dizer) do *Bildungsroman*, que viria então a dominar o universo narrativo do século seguinte. É um processo que descrevi analiticamente noutro texto[5] e aqui vou me limitar a uma questão teórica. As variações aleatórias do século XVIII e a seleção necessária no século seguinte: mesmo garantindo que foi esse mesmo o rumo dos acontecimentos, por que foi assim? Por que a seleção social "esperou" até então? Por que não agiu mais cedo nem mais tarde?

Quanto à seleção natural, a resposta está numa pressão nova e externa — quer dizer, externa ao campo literário; em nosso caso, a chamada dupla revolução do fim do século. Durante quase cem anos a sociedade européia fora um *habitat* hospitaleiro e quase ilimitado para o romance; segundo Reinhart Koselleck, em *Crítica e crise*, o terreno da existência privada estava, por definição, aberto a todo tipo de representação. No entanto, na virada do século o horizonte de possibilidades se estreitou; as convulsões industriais e políticas agiram ao mesmo tempo sobre a cultura européia, forçando-a a redesenhar o território das expectativas individuais, a definir de novo o seu "senso de história" e a sua atitude diante dos valores da modernidade. Por todo tipo de razão, o *Bildungsroman* foi a forma simbólica mais apta a resolver esses problemas, a mais apta para sobreviver no novo contexto seletivo. E o *Bildungsroman* realmente sobreviveu, enquanto o *Erziehungsroman*, o *Entwicklungsroman* e o *Künstlerroman*, o romance alegórico, o lírico, o epistolar e o satírico pereceram todos na verdadeira luta pela vida literária.[6]

A seqüência inteiramente histórica e também inteiramente darwinista que acabo de esboçar é, para mim, encorajamento suficiente para zarpar novamente rumo àquele inesquecível eldorado, a história materialista da literatura. A seqüência de variações e seleção pode realmente funcionar como novo padrão esclarecedor, revelando o momento em que as relações sociais permitem ao sistema literário buscar os seus próprios experimentos livres e, pelo contrário, quando exigem dele uma função mais estrita e bem definida. Para mencionar o primeiro exemplo que vem à mente, um padrão desses pode ser a solução do problema que toda sociologia honesta da literatura teve necessariamente de enfrentar: por que as formas literárias nunca são tão "funcionais" quanto a história social nos leva a esperar? Por que estão sempre meio fora do alvo, desequilibradas, opacas? Mais uma vez virou moda acreditar que isso acontece devido a alguma vocação anárquica intrínseca à literatura, mas prefiro sugerir uma resposta mais prosaica: essa "imperfeição" sociológica se deve ao fato de que as pressões sociais (e daí também as pressões do bloco dominante) só estão ativas em *metade* da história literária. À moda darwinista, o contexto pode selecionar as formas, mas não gerá-las. Assim, as formas dominantes, como as idéias dominantes, não são bem as formas da classe dominante; são as formas que a classe dominante selecionou — mas sem tê-las produzido. Ninguém é onipotente.

Neste aspecto, é fácil prever que uma história darwinista da literatura terá muito a dizer e também muito a aprender com os estudos da formação do cânone. E o modelo aqui delineado não se aplica apenas à "alta" literatura; pense só em como o século XIX gerou todo tipo de Ruthvens, Varneys e Carmillas, e mesmo assim nada aconteceu; então, selecionou a aptidão superior do Conde Drácula e uma espécie nova e poderosa finalmente estabeleceu-se para sempre.

A diferença entre o dualismo darwinista e os paradigmas históricos atuais estende-se, na minha opinião, a uma das mais interessantes tentativas recentes, que devemos a Hans Robert Jauss. Segundo Jauss, como se sabe, o valor estético e a influência histórica de uma obra são proporcionais a sua "distância do horizonte de expectativas" de sua época; quanto maior a distância, maior o valor e a influência da obra.[7] É uma tese elegante, essencial e até edificante (a longo prazo, a história está sempre do lado certo). No entanto, transmite uma idéia monista da evolução literária, segundo a qual um princípio, e apenas um (a "distância do horizonte", parente próximo do "estranhamento" formalista) explica tudo o que há para ser explicado, tanto experimentos quanto convenções, tanto a rejeição inicial quanto a aceitação subseqüente. Explica tudo; ou seja, explica demais. E apesar das suas pretensões materialistas e do seu recurso a públicos históricos reais, explica tudo ao reviver o mais mítico dos mitos idealistas: o *streben* de Goethe. A verdadeira literatura é um demônio interior que nos varre sempre à frente, desapontando expectativas e desmantelando convenções, numa metamorfose interminável de auto-aprimoramento...

Logo voltarei à dinâmica da evolução; por enquanto, quero apenas ressaltar que, sempre que a história literária tem de explicar uma inovação bem-sucedida, precisa estar consciente de que trata de dois fenômenos distintos, não de um só. As inovações são, com maior freqüência, malsucedidas e os sucessos, não inovadores; o que conta para as primeiras não se aplica necessariamente aos segundos; e, se acontecem juntos, ótimo, mas na verdade eles são dois. A visão hegelo-lamarckista da literatura como terreno onde as variações só surgem se predestinadas ao sucesso é refutada pela realidade, por uma história transbordante de obras tão "distantes" quanto possível das expectativas de sua época mas que não são valiosas nem influentes. A história literária, que pena, é quase inteiramente uma coleção de meias-coisas entediantes ou fracassos totais; temos todo o direito de não gostar delas, mas não devíamos esquecer que existem.

### *Tédio, terror e o príncipe que sumiu*

"A história da Terra", escreveu o geólogo Derek Ager, "é como a vida de um soldado: longos períodos de tédio e curtos períodos de terror." Longos períodos de tédio, curtos períodos de terror: esta imagem também não se aplica à história literária? Tanto no século XVIII quanto no século XX, as experiências do romance espalharam-se mais ou menos por uma geração; entre essas duas crises, se não o próprio tédio, temos, sem dúvida, uma estabilidade visivelmente longa. E se deixarmos a literatura da modernidade e considerarmos, por exemplo, o desenvolvimento global da tragédia, o que vemos é um gênero que, em seus 25 séculos de vida, foi marcado por apenas duas crises, ambas extremamente radicais e igualmente rápidas (de uma ou duas gerações): a primeira no século V, em Atenas, e a segunda no século XVI, em Londres.

Longos períodos de tédio, curtos períodos de terror. Até agora, concentrei-me nos adjetivos, no andamento da história literária. Mas as palavras de Ager também se referem a sua forma, a uma descontinuidade interna da evolução, a uma diferença qualitativa incorporada nos modos opostos de "tédio" e "terror". Temos aqui o dualismo morfológico dos "equilíbrios pontuados", a teoria antigradualista da evolução proposta por Gould e Eldredge na década de 70. Como escreve Gould noutro texto,

> A evolução é uma teoria da mudança orgânica, mas não implica, como muita gente supõe, que o fluxo incessante seja o estado irredutível da natureza e que a estrutura não passe de encarnação temporária do momento. A mudança é mais freqüentemente uma transição rápida entre estados estáveis do que uma transformação contínua com ritmo lento e constante.[8]

Uma transformação contínua com ritmo lento e constante; um fluxo incessante como estado irredutível da literatura; não precisamos mudar nenhuma palavra para recordar dogmas críticos bem conhecidos. As tentativas contrárias, como o projeto de história literária considerada como "mutação de sistemas"[9] dos formalistas russos, até agora não tiveram impacto duradouro. Mas indicaram a direção certa: uma história literária "mais lenta", na qual a estabilidade e as convenções teriam o espaço que merecem. Uma história em que, para tomar emprestada mais uma expressão de Gould e Eldredge, "a estase é um dado": não um vazio opaco e sem rosto sobre o qual nada precisa ser dito, mas uma configuração morfológica específica e, por que não, interessante.[10]

Mas se a estase é um dado evolucionário real (e com efeito dominante), então o nosso conceito de mudança também precisa mudar. Não sendo mais um "fluxo incessante", a mudança se torna "pontual", o que, fundamentalmente, significa duas coisas. A primeira e bastante óbvia é que a mudança tem de ser veloz, "uma transição rápida entre estados estáveis"; e a história literária, como vimos, apresenta bons indícios disso. No entanto, além de definir um intervalo de tempo curtíssimo, "pontual" também reforça a peculiaridade morfológica da evolução: a extrema raridade das formas de transição entre uma espécie e outra.[11] E aqui os indícios literários talvez sejam ainda mais significativos, considerando que a maioria dos gêneros existentes chegou a sua forma final com algumas tentativas ousadas e não com o acúmulo paciente e gradual de mudanças microscópicas. Apesar de suas preferências gradualistas (a *ascensão* do romance), o próprio Watt confina as formas preparatórias a um insosso capítulo inicial; o grosso de sua obra não trata de nenhuma "ascensão", mas de um conjunto de formas morfologicamente completas.

Na literatura, portanto, assim como na natureza, abundam os elos perdidos; e se esquecermos por um instante os chimpanzés e os seres humanos, o mais famoso (e mais perdido) dos elos perdidos bem que pode ser um texto literário — o *Ur-Hamlet*, ancestral lendário com o qual todo estudioso sonhou pelo menos uma vez, mas que ninguém jamais encontrou. E se ninguém o encontrou, não foi porque não tenha existido (na verdade temos razoável certeza de que existiu), mas porque, no momento "pontual" da mudança, as formas provisórias e de transição são consumidas pela própria lógica da evolução, substituindo o mais depressa possível uma forma estável por outra forma estável. Dois séculos inteiros depois de Shakespeare e já bem avançada a era da imprensa, as duas primeiras obras-primas do *Bildungsroman* tiveram, ambas, uma forma de transição "preparatória": *Primeiras impressões*, de Jane Austen, se perdeu, e o primeiro esboço do *Meister* de Goethe foi recuperado por puro acaso um século depois.

Do ponto de vista evolucionário, portanto, a ausência dos elos perdidos é tão importante quanto seria a sua presença, se não mais. Ela lança luz sobre uma característica fundamental da seleção social da literatura: a sua impaciência com a irresolução morfológica, a sua "pressa" para atingir resultados estáveis. E quanto a *Ur-Hamlet*, se alguém o encontrar estou disposto a engolir este artigo diante de quatro testemunhas gradualistas.

*Bifurcações e figuralidade*

Até agora nos preocupamos com a *macro*evolução, com o que acontece entre gêneros, espécies e textos. Nesta seção, vamos nos concentrar, em vez disso, nos acontecimentos *micro*evolucionários, que acontecem *dentro* dos textos individuais. Aqui, a polaridade entre mudança e necessidade ainda é válida, mas de forma nova e surpreendente, já que as variações na verdade ainda são dominadas pelo acaso no que diz respeito a sua natureza, mas não tanto quanto à situação em que tenderão a acontecer. Isso é o mesmo que dizer que, embora não possamos prever "qual" será uma variação, podemos mais ou menos dizer "quando" acontecerá; podemos determinar o momento em que, por assim dizer, as variações *aleatórias* acontecerão *necessariamente*. Em *Order out of Chaos* [A ordem originada do caos], Prigogine e Stengers chamaram esses momentos de "bifurcações":

> Os processos de auto-organização em condições distantes do equilíbrio correspondem a uma inter-relação delicada entre acaso e necessidade, entre flutuações e leis deterministas. Esperamos que, perto de uma bifurcação, as flutuações ou os elementos aleatórios desempenhem um papel importante, enquanto entre as bifurcações os aspectos deterministas se tornem dominantes.[12]

Acaso e necessidade, flutuações e leis deterministas; *Order out of Chaos*, como se sabe, concentra-se essencialmente no papel dos primeiros:

> É visível que, perto das bifurcações, os sistemas apresentam grandes flutuações. Estes sistemas parecem "hesitar" entre várias direções possíveis de evolução, e a famosa lei dos grandes números, em seu sentido costumeiro, desmorona. Uma pequena flutuação pode provocar uma evolução inteiramente nova que mudará drasticamente todo o comportamento do sistema macroscópico. A analogia com os fenômenos sociais e até com a história é inevitável.[13]

Uma analogia com a história; podemos estendê-la ainda mais até aquela miniatura de história que é a seqüência narrativa?

O que estamos procurando é uma interdependência entre as "bifurcações" e dois outros termos fundamentais de *Order out of Chaos*: "irreversibilidade" e "aumentos de complexidade".[14] Conceito cunhado há alguns anos por Francesco Orlando, a "taxa de figuralidade"[15] pode nos ajudar aqui, dado que a "figuralidade" é um equivalente retórico sensato da "complexidade" e que a idéia de uma *taxa* de figuralidade, por sua vez, nos permite acompanhar o processo de aumento e decréscimo.

Na versão de Orlando para a teoria de Freud, as variações da taxa de figuralidade permitem, em primeiro lugar, separar dois tipos de "linguagens" e textos. Sempre que a figuralidade sobe acima de um nível dado, temos o que ele chama de "linguagens não comunicantes" do inconsciente: sonhos, lapsos, sintomas. Sempre que a figuralidade cai abaixo daquele nível, temos as "linguagens comunicantes" do inconsciente: humor, piadas e jogos de palavras, literatura. Além disso, como a taxa de figuralidade varia de acordo com os diferentes gêneros e estilos, ela ajuda a mapear o território interno da literatura, assim como os seus limites externos. E como também varia dentro de qualquer texto dado, permite obter também um terceiro resultado que nos leva de volta a nossa pesquisa microevolucionária. Já que nunca seremos capazes de prever o conteúdo de um aumento de complexidade-figuralidade (este processo avança, por definição, rumo à improbabilidade e até à unicidade), podemos pelo menos prever as circunstâncias em que é mais provável que ocorra? Em outras palavras, a figuralidade depende da trama?

Orlando nunca esteve abertamente interessado neste problema; de fato, ele tende a aceitar a opinião comum de que a narratologia e o estudo dos tropos são campos sem nenhuma relação entre si:

> Minha análise é o extremo oposto de uma *analyse du récit*. Decompõe a própria ordem sintagmática do texto numa série de citações, deixando de lado, em geral [...] o curso da narração dramática, para favorecer a reconstrução de uma ordem paradigmática latente no texto.[16]

Decompõe a própria ordem sintagmática do texto... Na seção analítica do seu livro, uma discussão da *Fedra* de Racine, os movimentos de Orlando, com efeito, não são tão irrestritos como sua teoria indicaria, e ele dá atenção extrema, embora involuntária, ao curso da narração dramática. O que acontece é que a figuralidade realmente varia, mas não ao acaso nem um pouco por toda parte; tanto que o momento de seu aumento máximo é (segundo o próprio Orlando),[17] curtíssimo e circunscrito: os sessenta versos (605-662) da declaração de amor de Fedra. Um momento, para citar Orlando mais uma vez, que "é mais ou menos equivalente a um passo cego à frente, num caminho do qual se fica prisioneiro porque não permite voltar atrás".[18]

Assim, por que a figuralidade sobe exatamente *aí*? Porque esse momento é *narrativamente* relevante. Um ponto de virada na trama. Uma bifurcação, quando Fedra tem de optar entre linhas de ação incompatíveis e imprevisíveis ("mais ou menos um passo cego à frente") e daí a irreversibilidade ("não voltar atrás") entra no universo da peça.

A temporalidade como uma das forças que dão forma às figuras de retórica: saberemos mais a respeito quando a narratologia e a teoria dos tropos começarem a interagir regularmente. Enquanto isso, vamos testar um pouco mais a interdependência das bifurcações, da irreversibilidade e da figuralidade, discutindo um crítico diferente: William Empson, o homem que encorajou, mais do que ninguém, a reavaliação da complexidade figural tão típica do século XX. "As maquinações da ambigüidade estão entre as raízes da própria poesia", lemos nas primeiríssimas páginas de *Seven Types of Ambiguity* [Sete tipos de ambigüidade], "e a ambigüidade cobre quase tudo com importância literária",[19] daí a série amplíssima de opções de Empson e o seu esforço evidente para não selecionar um só autor, ou texto, como modelo de ambigüidade. Mas há dois textos que cita um pouco mais que os outros. São duas tragédias, *Hamlet* e *Macbeth*, e em ambos os casos suas citações saem principalmente de partes muito específicas das peças: os monólogos. Lembra-se do primeiro verso do primeiro monólogo da primeira das grandes tragédias, com seu exemplo insuperável — *solid/sullied* (*sólido/envilecido*) — de ambigüidade shakespeariana? Bem, sem dúvida isso é casual; mas o fato de que a ambigüidade aumenta nos monólogos é um fato inegável[20] — e "necessário" também, como veremos daqui a pouco.

Mas antes, mais algumas palavras sobre o Shakespeare de Empson. A figuralidade ou ambigüidade aumenta nos monólogos: falas bastante curtas e localizadas, como a declaração de Fedra, perto de bifurcações dramáticas. Nesse aspecto, não faz diferença se a trama é dominada pela fúria da ação (*Macbeth*) ou por uma inação enigmática (*Hamlet*); em ambos os casos, os monólogos tendem a estar situados perto de opções irreversíveis, "longe do equilíbrio". Longe do equilíbrio, os sistemas tendem a "hesitar" ("Ser ou..."); o comportamento fica exposto a um máximo de flutuação e abertura. É por isso que a figuralidade aumenta, é por isso que *tem* de aumentar na verdade; em tais momentos, o herói enfrenta valores extremos e incompatíveis, cujo choque se inscreve em sua própria linguagem, forçando-a a ficar mais ousada, contraditória, opaca. E quando a peça se aproxima da sua bifurcação básica — matar Duncan ou não? — a contradição fica mais violenta e a figuralidade mais alta, até que o "nível" de Orlando é ultrapassado e as palavras de Macbeth se fundem com os sinais da alucinação e do pesadelo.

Deixem-me recapitular rapidamente. Comecei com uma observação empírica: a figuralidade nunca é estável nem aumenta ao acaso, mas o faz em momentos específicos, situados, em regra, na proximidade das bifurcações narrativas. Além disso, sugeri não só *que* se pode estabelecer uma interdependência entre trama e tropos como *por que* tem de ser assim. Finalmente, assim como a figuralidade aumenta perto das bifurcações, o fenômeno inverso também acontece: os fenômenos narrativos situados *longe* das bifurcações têm, em regra, uma figuralidade bem baixa.[21] Na tragédia, em que as bifurcações são essenciais para a trama, a figuralidade, portanto, é sempre bem alta; nos romances, que, por sua vez, são dominados por satélites, a figuralidade diminui até quase desaparecer.[22] A interdependência entre tropos e trama ainda precisa ser mais testada, o que é bastante natural; no entanto, para os propósitos de um primeiro esboço teórico, vou parar por aqui e indicar, em vez disso, um tópico final para a história literária. Formulando como pergunta: podem os nossos achados microevolucionários sobre a complexidade religar-se às tendências macroevolucionárias delineadas na primeira parte deste artigo?

### *Exaptação literária*

Até aqui, neguei a autonomia da alta figuralidade, atribuindo sua gênese estritamente à lógica narrativa. No entanto, há uma diferença entre origem e função e, sejam quais forem as razões dessa gênese, a alta figuralidade ainda é, inegavelmente, uma das variações literárias mais vitais. Tem uma história longa e específica e, aliás, desconcertante, marcada como é por uma dupla descontinuidade: em termos de gêneros (da tragédia à poesia lírica) e em termos de épocas (do barroco ao modernismo).[23] Além disso, foi só depois que essas duas mudanças ocorreram que a alta figuralidade abandonou o caráter episódico e errático que tinha na tragédia barroca e tornou-se o princípio organizador permanente da produção extraordinária da poesia modernista.

Uma produção extraordinária por várias razões, mas talvez principalmente porque funde, como nenhum outro movimento literário, a extrema perfeição técnica à extrema obscuridade semântica. A perfeição modernista é realmente enigmática e a sua existência recorda aquela dificuldade que bem pode ter sido a maior da teoria evolucionária: como explicar, como dizia Darwin, "órgãos de extrema perfeição e complicação",[24] quer dizer, órgãos que contradizem a própria noção de seleção natural *exatamente porque* são tão perfeitos e complexos. Além disso, depois que a evolução se libertou da teleologia a perfeição ficou ainda mais enigmática: um órgão que seja 10% de uma asa faz sentido como primeiro passo do projeto de construir uma asa, mas, se esse projeto não existe, que uso ele poderia ter? E se não tem uso, como poderia "evoluir" até servir a algum propósito real e inegável?

A resposta de Darwin foi que "um órgão originalmente construído com um propósito [...] pode ser convertido num que tenha propósito totalmente diferente"[25] e, há alguns anos, Stephen Jay Gould e Elizabeth Vrba propuseram chamar estes órgãos de "exaptações".[26] Pegando emprestada a palavra, direi, portanto, que a alta figuralidade da lírica modernista é, exatamente, uma exaptação, talvez a "mudança de propósito" mais fascinante e bem-sucedida de toda a história literária. Isso é dizer que a alta figuralidade, com os seus efeitos de estranhamento, paradoxo, indecisão, é na verdade o grande princípio organizador da lírica modernista; mas não foi "originalmente construída com esse propósito". Não há nada deliberado em sua gênese; ela aconteceu por razões totalmente diferentes, que tinham a ver com a forma trágica e nada mais. Ainda assim, depois que aconteceu a alta figuralidade estava ali, já pronta, por assim dizer, e a lírica modernista pôde então "cooptá-la" e usá-la para os propósitos surpreendentes que todos conhecemos.

O monólogo shakespeariano foi uma potencialidade "lírica" inativa durante séculos, e gerada, a princípio, por razões totalmente diferentes. Ou até gerada sem razão nenhuma, à toa, por assim dizer. Esta é a evolução radical da hipótese de Gould e Vrba:

> As características cooptadas como exaptações têm dois estados prévios possíveis. Podem ter sido adaptações para outra função ou podem ter sido estruturas não-aptivas. As primeiras foram há muito reconhecidas como importantes, as segundas subestimadas. Mas o enorme conjunto de não-aptações deve ser a fonte e o reservatório da maior parte da flexibilidade evolucionária [...] este reservatório não-aptivo é um análogo da mutação — uma fonte de matéria-prima para mais seleções.[27]

Chegamos, assim, a um ponto de virada fascinante, embora delicado. Até agora, afirmei que a alta figuralidade necessária para a existência da lírica modernista foi determinada pela posição específica do monólogo na trama trágica. Agora, sugiro que deveríamos considerar o monólogo uma estrutura não-aptiva, elemento privado de qualquer função dramática que seja. Não há uma contradição entre essas duas afirmativas? E não é a segunda delas, mesmo tomada sozinha, bastante absurda?

Quanto à primeira questão, realmente afirmei que a figuralidade aumenta devido à posição sintagmática dos monólogos: por estarem situados perto de bifurcações ou na proximidade dos núcleos. *Perto* de bifurcações; na *proximidade* dos núcleos. O monólogo shakespeariano não é uma ação nem contribui para ela; sintomaticamente, seu tema eletivo é exatamente a heterogeneidade entre ação e pensamento e a impotência deste último para refrear a ação (*Macbeth*) ou gerá-la (*Hamlet*).

Entre monólogo e trama, em outras palavras, há uma assimetria constitutiva; o monólogo é, na verdade, determinado pela trama, mas não contribui para ela. Fica perto de uma bifurcação, mas não é uma bifurcação. Tem uma posição sintagmática, mas nenhuma função sintagmática.[28] E é exatamente essa falta de função que responde pela flexibilidade maravilhosa dos monólogos trágicos. Se fossem "úteis" à trama, a sua liberdade, sem dúvida, ficaria restrita; se tivessem uma função definida a cumprir, a sua figuralidade teria se mantido sob controle. E a história da própria poesia moderna talvez fosse bem diferente daquela que conhecemos.

A interdependência entre a "inutilidade" dramática dos monólogos e a sua potencialidade de inovação literária é ilustrada pelo que Gadamer chamaria de *Wirkungsgeschichte*, a "história da efetividade" da tragédia elisabetana. Geração após geração, a cultura ocidental "isolou" os monólogos, lendo-os como poemas individuais. Uma violação da natureza orgânica das peças — um erro? É claro, e a história da efetividade, afinal de contas, é uma longa seqüência de erros. Mas não de todos os erros possíveis, e é esta a questão. Por que sempre se escolhe "Ser ou não ser" em vez do encontro com Rosencrantz e Guildenstern, ou os conselhos de Polônio, ou o duelo do final? Porque é mais bonito? Claro, mas com certeza também porque é *mais fácil* isolá-lo, já que os vínculos entre monólogo e trama são especialmente fracos. E são fracos porque o monólogo não tem função sintagmática. E como não a tem, está livre para se desenvolver à vontade.

Livre para se desenvolver. Estamos prontos para passar da *Wirkungsgeschichte* acrítica para o ponto de virada crítico do nosso século. Segundo Boris Tomashevsky,

> embora apenas os motivos necessários sejam exigidos pela história, os motivos livres (digressões, por exemplo) às vezes dominam e determinam a construção da trama. [...] A tradição literária determina em grande parte o uso de motivos livres e cada escola literária tem o seu estoque característico; contudo, os motivos necessários costumam distinguir-se por sua "vitalidade" — quer dizer, surgem inalterados nas obras das várias escolas.[29]

Comparados aos necessários, os motivos livres são subordinados e quase supérfluos; em termos da lógica narrativa, são meras "digressões". Mas a sua superfluidade sintagmática também os deixa livres no sentido mais intenso: permite-lhes ser o meio pelo qual a história literária faz os seus experimentos arriscados e imprevisíveis e diversifica-se. Se todos os motivos fossem necessários, se tivessem todos uma forte função narrativa, se fosse assim, a nossa herança literária provavelmente seria muito mais estéril do que é.

Não surpreende que o formalismo russo tenha produzido a discussão mais inteligente já escrita de uma exaptação literária: "How *Don Quixote* Is Made" ["Como é feito o *Dom Quixote*"], de Victor Shklovskij. Vou citar apenas algumas linhas:

> Agora tirarei algumas conclusões, mas de má vontade, por assim dizer, porque as conclusões deveriam ser tiradas pelos próprios leitores.
>
> 1. A princípio o autor não tinha a intenção de criar aquele tipo do Dom Quixote, tão louvado por Heine e tão elogiado por Turguêniev. Dom Quixote originou-se, em vez disso, da construção do romance, assim como o mecanismo do enunciado poético muitas vezes gerou novas formas.
>
> 2. A meio caminho do romance, Cervantes percebe que, ao emprestar a Dom Quixote a sua própria sabedoria, fez dele um personagem dúplice; mais tarde, começou a explorar esta duplicidade como meio para os seus próprios fins estéticos.[30]

Dom Quixote. Herói da música de Strauss, de desenhos de Picasso, de incontáveis contos épicos da história cultural, de Hegel a Foucault. Ponto de partida de sabe-se lá quantas teorias do romance. Ainda assim, "a princípio o autor não tinha a intenção de criar aquele tipo do Dom Quixote, tão louvado...".

É preciso uma mente corajosa para dizer isso; felizmente, era assim a de Shklovskij. O Dom Quixote que conhecemos "originou-se da construção do romance"; não é um novo conteúdo histórico que luta para obter expressão; não é a razão de ser do romance. É um efeito, aliás involuntário. O primeiro herói romântico era necessário para Cervantes justificar, "motivar"[31] um certo tipo de episódio e nada mais. No entanto, uma vez que estava ali, "a meio caminho do romance", ele se mostrou útil de várias outras formas. Significados e funções de "segunda ordem" começaram a lhe ser atribuídos; no devido tempo, alguns deles substituíram quase inteiramente os originais e a evolução literária pôde seguir seu curso.

Boris Ejxenbaum escreve, em "The Theory of the Formal Method" ["A teoria do método formal"]:

> *Dom Quixote* é considerado um ponto de transição entre as coletâneas de histórias (como o *Decamerão*) e o romance de um só herói, estruturado pelo mecanismo da concatenação, com uma viagem servindo de motivação.
>
> O destaque de *Dom Quixote* como romance a receber atenção especial teve a ver com o fato de que mecanismo e motivação não estão tão integrados nele para produzir um romance totalmente motivado, com todas as partes fundidas.[32]

O que é o mesmo que dizer: *Dom Quixote* foi escolhido devido às suas *imperfeições*; outro passo ousado de Shklovskij, que deveria ser adotado como modelo de história literária. A perfeição, nos recorda o "Princípio do Panda", de Gould,

> é um argumento desprezível para a evolução, já que imita a ação postulada de um criador onipotente. Os arranjos esquisitos e as soluções engraçadas são a prova da evolução — caminhos que um Deus sensato jamais trilharia, mas que um processo natural, restrito pela história, segue por obrigação.[33]

Não é preciso dizer que a história literária sempre tentou fazer o contrário: "mostrar", num tipo de criacionismo automático, a perfeição de seus objetos. Mas, em vez disso, deveríamos seguir os passos de Shklovskij e começar a procurar arranjos esquisitos e soluções engraçadas. Quem sabe — uma tragédia de vingança imposta a um príncipe supereducado e melancólico; um apólogo protestante que naufraga numa ilha e se transforma numa apologia do cotidiano; um romance de autonomia estética irrestrita que evolui para um chamado à socialização incansável; um poema mitológico que restauraria a ordem e o significado e daria origem ao caos crítico mais colossal do século XX...

Fica-se pensando com que freqüência essas obras que dão forma a gêneros inteiros, essas variações que a história seleciona, são na verdade como o *Dom Quixote* de Shklovskij, não suficientemente "fundidos". Trabalhos de bricolagem, como são nosso corpo e nosso cérebro, e não de engenharia. Produtos do acaso, não de um projeto. E isso não os desacredita, bem ao contrário: quando a grandeza não é "projetada", devia nos ser ainda mais cara. Ou, como bem melhor explicou Charles Darwin, na última página de *A origem das espécies*:

> Assim, da guerra da natureza, da fome e da morte, o objeto mais exaltado que somos capazes de conceber, ou seja, a produção dos animais superiores, segue-se diretamente. Há grandeza nesta visão da vida, com os seus vários poderes, originalmente soprada nalgumas formas ou numa só e que, enquanto este planeta seguia girando de acordo com as leis fixas da gravidade, a partir de um começo tão simples formas infinitas, belíssimas e maravilhosas, evoluíram e continuam evoluindo.

# Notas

## A alma e a harpia

1. Kenneth Burke, *A Rhetoric of Motives*, Nova York, 1950, p. 23.
2. Giulio Preti, *Retorica e logica*, Turim, 1968, p. 157 e 163-4.
3. Antoine Arnaud e Pierre Nicole, *La logique ou l'art de penser*, 1662-83, terceira parte, capítulo 20.
4. Preti, p. 150-1. Sobre o gênero epidíctico precursor da "literatura", ver também Heinrich Lausberg, *Elemente der literatischen Rhetorik*, Munique, 1949, parágrafos 14-16: "O discurso do reuso é um discurso feito em situações típicas (solene, de celebração) [...] Toda sociedade com certa força e intensidade tem três discursos de reuso, que são instrumentos sociais para a manutenção consciente de uma ordem social íntegra e contínua [...] discursos criados para evocar, de forma passível de repetição, atos socialmente importantes de consciência coletiva. Esses textos correspondem ao que, nas sociedades com ordem social mais livre, se apresenta como 'literatura' e 'poesia'." Sobre a conexão sempre mais forte entre retórica e literatura, ver também Vasile Florescu, *La retorica nel suo sviluppo storico*, Bolonha, 1971.
5. Arnaud e Nicole, primeira parte, capítulo 14. Ver também Michel Le Guern, *Sémantique de la métaphore et de la métonymie*, Paris, 1973, p. 75: "A metáfora [...] é uma das maneiras mais eficazes de transmitir uma emoção. Quase todas as metáforas exprimem um juízo de valor porque a imagem associada que apresentam desperta uma reação afetiva [...] A função mais comum da metáfora é exprimir um sentimento que se quer compartilhar; é aí que se deve buscar seu motivo mais importante."
6. Max Black, *Models and Metaphors*, Ithaca, 1962, p. 39-40.
7. Chaim Perelman e Lucie Olbrechts-Tyteca, *La nouvelle rhétorique. Traité de l'argumentation*, Paris, 1958, p. 543.
8. Lausberg, parágrafo 2.
9. Jacques Le Goff, "Les mentalités: une histoire ambiguë", em Jacques Le Goff e Pierre Nora, orgs., *Faire de l'histoire*, Paris, 1974.

10. Ver, acima de tudo, os ensaios "Semantik der kühnen Metapher", *Deutsche Vierteljahrsschrift Für Literaturwissenschaft und Geistesgeschichte*, nº 3, 1963, e "Semantik der Metapher", *Folia Linguistica*, nº 1, 1967.
11. "Der Begriff des Kunstwollens", *Zeitschrift für Ästhetik und allgemeine Kunstwissenschaft*, XIV (1920), 4, p. 339. O itálico é meu.
12. Na verdade, aqui Panofsky fala de um "conflito [...] entre um poder formador e um material a ser superado", fórmula que não parece aludir a um contraste entre *formas* diferentes mas à dialética mais usual entre forma e conteúdo. Em outro texto, contudo, deixa claro que a oposição forma-conteúdo não tem nenhuma importância histórica: "O par de conceitos 'forma-conteúdo' em nada designa, como os outros dois ['objetivista-subjetivista' e 'realista-idealista'], uma oposição entre dois princípios de figuração que podem definir uma diferença estilística entre diversos fenômenos, mas sim os limites de duas esferas que são [logicamente] distintas dentro do mesmo e único fenômeno artístico" ("Über das Verhältnis der Kunstgeschichte zur Kunsttheorie", *Zeitschrift für Asthetik und allgemeine Kunstwissenschaft*, XVIII, 1925, nota 19).
13. Georg Lukács, *Il dramma moderno* (publicado originalmente em húngaro em 1911), Milão, 1967, p. 8, 9, 11.
14. Georg Lukács, *Osservazioni sulla teoria della storia letteraria* (publicado originalmente em húngaro em 1910), em *Sulla povertà di spirito. Scritti 1907-1918*, Bolonha, 1981, p. 59, 69-71.
15. *Ibid.*, p. 87, 90.
16. Não é à toa que as primeiras dúvidas de Lukács sobre a solidez da conexão entre forma estética e existência histórica surgem, já nas *Observações*, no decorrer de uma discussão sobre o "desgaste" de um estilo. Esse fenômeno indica a "natureza fundamentalmente conservadora do público" e o "empobrecimento" das energias formais, e Lukács pretende eliminá-lo de sua análise exatamente por essas razões.
17. Jean Starobinski, *1789. Les emblèmes de la raison*, Paris, 1973, p. 5.
18. Ver sobre isso o esplêndido primeiro capítulo de Peter Szondi, *Einführing in die literarische Hermeneutik*, Frankfurt, 1975.
19. Basicamente, seria preciso perguntar que relação se obtém entre a classificação baseada nos "gêneros literários" e aquelas que se referem a conceitos de "período de estilo". É preciso determinar se expressões como "romance naturalista" e "soneto neoclássico" são híbridos conceituais que devem ser descartados ou ferramentas hermenêuticas válidas e, neste último caso, que peso respectivo carregam o substantivo e o adjetivo; e assim por diante.
20. Raymond Williams, em *Marxism and Literature* e nas entrevistas reunidas em *Politics and Letters*, apresentou uma hipótese cujo *pars destruens* é similar a este. No entanto, se compreendi corretamente suas intenções, a principal meta de Williams é

romper as barreiras entre a comunicação "criativa" (que, nos dois últimos séculos, foi chamada de "literatura") e a comunicação "não criativa" ou não considerada criativa. Embora não negue a possibilidade de passar a um novo particionamento teórico em estágio posterior, parece estar muito mais preocupado em rejeitar os antigos limites e estabelecer uma linha contínua de textos a incluir no conceito geral de "cultura". Se for assim, o projeto aqui delineado pode ser visto como uma possível "segunda fase" do programa de Williams: a fase em que os limites são restabelecidos mas, desta vez, sem dar atenção aos conceitos hierarquizantes anteriores.

21. Kant, *Critique of Judgement*, Oxford, 1952, p. 14-5.
22. Luciano Anceschi, "Considerazioni sulla 'Prima Introduzione' alla Critica del Giudizio di Kant", estudo introdutório de *Kant, Prima Introduzione*, Bari-Roma 1969, p. 15. O itálico da primeira frase é meu.
23. Kant, p. 37-8.
24. Friedrich Schiller, *On the Aesthetic Education of Man* (1793-4), Oxford, 1967, p. 61.
25. *Ibid.*, p. 35, 37, 41, 43.
26. Daí a natureza "exemplificadora" que é tão característica das obras literárias, especialmente das obras de ficção narrativa: "Um elemento típico [do discurso literário, isto é, retórico] é a interconexão entre fato e valor, conhecimento e emoção. O fato é dado na situação concreta do comportamento humano, em que cada elemento está carregado de significados axiológicos e cada valor é tradicional e habitualmente exemplificado com determinados fatos. Tanto a consideração do fato em si, abstraído de todo concomitante emocional, quanto a consideração do valor puro como valor em si isolam o discurso da doxa, da vida cotidiana concreta da 'maioria'. A falta de emoção deixa o discurso 'árido'. A falta de exemplo torna-o 'abstrato'. Em cada caso, o discurso torna-se não persuasivo e, assim, ineficaz como instrumento de cultura pragmática dentro de uma sociedade" (Preti, p. 174).
27. "Acomodação" não significa, é claro, um acordo *igualmente* vantajoso (ou desvantajoso) para todos os grupos envolvidos. Como tento explicar em "Jardim-de-infância", é perfeitamente possível que envolva perdas angustiantes e graves desequilíbrios. A função que a distingue não é "deixar todo mundo feliz" mas, exatamente, "acomodar": criar uma área ampla com fronteiras incertas em que valores polarizados entrem em contato, coabitem, fiquem difíceis de reconhecer e desenredar. Nem é preciso acrescentar que esta é uma configuração sumamente antitrágica.
28. Paul Ricœur, *Freud and Philosophy*, New Haven e Londres, 1970, p. 7.
29. "A arte oferece satisfações substitutas para as renúncias culturais mais antigas e, ainda assim, mais profundamente sentidas e, por esta razão, é o que mais se presta para conciliar o homem com os sacrifícios que fez em prol da civilização" ("The Future of an Illusion", 1927, em *Standard Edition of The Complete Psychological Works of*

*Sigmund Freud*, Londres, 1953-74, v. XXI, p. 14). Do mesmo modo, dois anos depois Freud define arte como "ilusões, reconhecidas como tais [...] expressamente isentas das exigências de provar sua realidade e [...] separadas com o propósito de realizar desejos que são difíceis de satisfazer [...] A beleza não tem uso óbvio; nem há dela nenhuma necessidade cultural clara. Mas a civilização não passa sem ela [...] Infelizmente a psicanálise praticamente também não tem nada a dizer sobre a beleza. Tudo o que parece certo é a sua derivação do campo do sentimento sexual. O amor à beleza parece o exemplo perfeito de um impulso inibido em seu objetivo" ("Civilization and its Discontents", 1930, *ibid.*, p. 80, 82, 83).

30. Francesco Orlando, *Toward a Freudian Theory of Literature*, Baltimore/Londres, 1978, p. 140.
31. *Ibid.*, "Analytical Part", principalmente as p. 8-10.
32. *Ibid.*, p. 10.
33. "Pode-se [...] aventurar a hipótese de que boa parte do sentimento de culpa precisa, normalmente, permanecer inconsciente, porque a origem da consciência está intimamente ligada ao complexo de Édipo, que pertence ao inconsciente. Se alguém quisesse apresentar a proposição paradoxal de que o homem normal não só é muito mais imoral do que acredita como também muito mais moral do que sabe, a psicanálise, em cujos achados se baseia a primeira metade da assertiva, não teria objeção a fazer à segunda metade." Numa nota de rodapé, acrescenta: "A natureza humana tem extensão muito maior, para o bem e para o mal, do que pensa que tem — ou seja, do que o ego sabe por meio da percepção consciente" ("The Ego and the Id", 1923, em Freud, v. XIX, p. 52).
34. Orlando, p. 169.
35. Freud, "The Ego and the Id", p. 56.

## O grande eclipse

1. "That thence the *Royal Actor* born/ *The Tragick Scaffold* might adorn:/ While round the armed Bands/ Did clap their bloody hands./ *He* nothing common did or mean/ Upon that memorable Scene." Andrew Marvell, "An Horatian Ode Upon Cromwell's Return from Ireland", *Poems of Andrew Marvell,* Hugh MacDonald, org., Cambridge, Massachusetts, 1952, p. 53-6.
2. "O início da guerra propriamente dita", escreve Lawrence Stone, "é relativamente fácil de explicar; o difícil é descobrir por que a maior parte dos órgãos estabelecidos do Estado e da Igreja — Coroa, Tribunal, Governo Central, Exército e Bispado — desmoronaram de forma tão ignominiosa dois anos antes." Ao recapitular as quatro causas principais da revolução, ele acrescenta: "Finalmente, foi muito importante a

crescente crise de confiança na integridade e no valor moral dos ocupantes dos altos cargos administrativos, fossem cortesãos, nobres, bispos, juízes ou até reis" (*Causes of the English Revolution: 1529-1642*, Londres, 1972, p. 48, 116). Em seu sumário da controvérsia entre os historiadores ingleses da revolução, Mario Tronti escreve: "De tantas abordagens interpretativas, a hipótese de um vazio de poder é a que funciona melhor. Stone e Trevor-Roper estão basicamente de acordo neste ponto; um dá ênfase à crise subjetiva do corpo de políticos que administrava o poder e a sociedade, o outro ressalta a crise das estruturas objetivas do poder na sociedade. Nos dois casos, a origem da revolução, em vez de estar na ofensiva das novas forças sociais que queriam mudanças, jaz na crise das forças antigas, na vacância de seu poder, no espaço político que, depois de uma erosão lenta e longa das barreiras erguidas para defendê-lo, de repente se abriu" ("Hobbes e Cromwell", em *Stato e rivoluzione in Inghilterra*, Milão, 1977, p. 235-6). Pode-se encontrar o mesmo esquema nas tentativas de reconstituir os antecedentes culturais da revolução. Eis, por exemplo, Christopher Hill: "A característica mais notável [...] da vida intelectual da Inglaterra pré-revolucionária é seu fermento e confusão. [...] Em retrospecto, a Renascença e a Reforma, a descoberta da América e a nova astronomia foram muito mais bem-sucedidas ao minar antigos pressupostos e preconceitos do que ao substituí-los por novas verdades" (*Intellectual Origins of the English Revolution*, Oxford, 1965, p. 7-8).

3. Ver Carl Schmitt, *Die Diktatur*, Berlim, 1968, p. 25-8; Friedrich Meinecke, *Die Idee Der Staatsräson*, Munique e Berlim, 1925, p. 70-80; e Perry Anderson, *Lineages of the Absolutist State*, Londres, 1974, p. 49-51.
4. *The Modern World-System*, Nova York, 1974, p. 146-7.
5. *Hamlet oder Hekuba*, Dusseldorf e Colônia, p. 67.
6. *Either/Or*, Princeton, 1971, v. 1, p. 141, 147.
7. A dialética inexorável que reúne a soberania absoluta e o tirano é descrita por Marx em suas reflexões sobre a *Filosofia do direito* de Hegel. "Hegel diz apenas que a *vontade real*, isto é, *individual*, é o *poder da coroa*. [...] Na medida em que este momento de 'decisão final' ou 'autodeterminação absoluta' está separado da 'universalidade' do conteúdo e da especificidade do conselho, ele é a vontade *real* na forma de *capricho*. Em outras palavras, 'o *capricho* é o poder da coroa' ou 'o poder da coroa é capricho'" ("Critique of Hegel's Doctrine of the State", em *Early Writings*, Nova York, 1975, p. 76). Por uma rota diferente, Walter Benjamin chega a conclusões semelhantes: "No barroco, o tirano e o mártir não passam das duas faces do monarca. São as encarnações necessariamente extremas da essência do príncipe. No que diz respeito ao tirano, isso é bastante claro. A teoria da soberania que toma como seu exemplo o caso especial em que os poderes ditatoriais são mobilizados exige, decididamente, a finalização da imagem do soberano como tirano" (*The Origin of German Tragic Drama*, Londres, 1977, p. 69.)

8. "Only I mean to show by certain rules,/ Which kind hath graft within the mind of man", Thomas Sackville e Thomas Norton, *Gorboduc*, I, ii, 218-20. O texto vem do primeiro volume de *Drama of the English Renaissance*, Russell A. Fraser e Norman Rabkin, orgs., 2 v., Nova York, 1976.
9. *Politische Theologie: Vier Kapitel zur Lehre von der Souveränität*, Munique, 1934, p. 11.
10. "Quando se quer produzir um resultado concreto, o ditador tem de intervir na seqüência causal dos eventos com medidas concretas. Ele age [...] exerce um poder executivo, em contraste com a simples aprovação de uma resolução ou a emissão de uma decisão legal, o *deliberare et consultare* [...] Na ditadura, portanto, a meta ou finalidade, liberta de restrições legais e determinada apenas pela necessidade de produzir um estado de coisas concreto, triunfa sobre outras considerações" (Schmitt, *Die Diktatur*, p. 11-12).
11. "To Alysaunder he wrote in trouthe/ That he shold alwaye be governed by reason" ("*The Governaunce of Kynges and Prynces*/ The Pynson Edition, 1511). *Reason* (razão), para os elisabetanos, era uma palavra que unia os dois campos do conhecimento e da ética. Era a faculdade que permitia ao homem entender o universo como um todo orgânico, regido por leis que delimitavam também a esfera de ação do indivíduo. A vontade estava subordinada a ela, assim como o indivíduo — como uma vontade específica — estava também sujeito ao organismo do qual fazia parte. O conflito entre essas duas faculdades pode, portanto, tornar-se realmente explosivo com o surgimento de um indivíduo (como o soberano absoluto) que não está mais sujeito a lei nenhuma.
12. "Obstinacie is an affection immoueable, fixed to wille, abandonynge reason. [...] By it many a valyaunt capitayne and noble prince haue nat onely fallen them selfes, but also brought all their contrayes in daungeour and often tymes to subuercion and ruyne" (*The Boke Named The Governour* [1531], Londres, 1907, p. 242).
13. "Wo to him whose will hath wisedomes place" (William Baldwin, *The Mirror for Magistrates* [1559], Lily B. Campbell, org., 1938, p. 111). A citação vem do terceiro verso de "Howe kyng Richarde the seconde was for his euyll goueraunce deposed from his seat, and miserably murdered in prison" ["Como o rei Ricardo II foi, por seu mau governo, deposto do trono e miseravelmente assassinado na prisão"].
14. "Two principal fountains there are of human action, knowledge and will [...]; the will [...] differeth greatly from that inferior natural desire which we call appetite. The object of appetite is whatsoever sensible good may be wished for; the object of will is that good which reason doth lead us to seek" (Richard Hooker, *The Laws of Ecclesiastical Polity*, Londres, 1888, livro I, p. 76).
15. "[To live under a monarchy] is verie dangerous, and to be feared (considering the frailetie of man, and the great libertie that kings haue to doe what they list, whether it bee good or euil, and the great power that they haue to execute what so their will

leadeth them unto)." *The Mirrour of Policie* (tradução anônima de Guillaume de la Perrière, *Le Miroir politique*), Londres, 1598, B.

16. "Tyrannicall power is put into the hands of one alone who [...] tyrannizeth according to his disordinate will, [...] according to his sensuall appetite and will" (*Mirrour of Policie, op. cit.*).
17. Ver, por exemplo, o trecho de *Dialogue between Cardinal Pole and Thomas Lupset*, de Thomas Starkey, citado e discutido em E. M. W. Tillyard, *The Elizabethan World Picture*, Londres, 1943, p. 90-1.
18. *Shakespeare and the Nature of Man* (Lowell Lectures, 1942, 2ª ed., Nova York, 1961).
19. *Classical and Christian Ideas of World Harmony: Prolegomena to an Interpretation of the Word "Stimmung"*, Anna Granville Hatcher, org., Baltimore, 1963. A versão original saiu em *Traditio*, II (1944) e III (1945).
20. *The Elizabethan World Picture*, p. 2, 5. Dois trechos de Shakespeare são freqüentemente citados em apoio a esta conceituação: o discurso de Ulisses sobre o *grau* (ao mesmo tempo poder supremo e princípio de desigualdade de posição social) em *Troilus e Créssida* e o apólogo de Agripa em *Coriolano*. É claro que nesses casos é verdade que Shakespeare se torna porta-voz da imagem de mundo elisabetana; mas ambas as falas mostram-se totalmente ineficazes: Agripa não consegue aplacar os plebeus e Ulisses não restabelece o princípio da hierarquia no exército grego. Se esses trechos demonstram alguma coisa, então, não é a força da ideologia elisabetana em Shakespeare, mas sim sua fraqueza.
21. A relação entre Lear e as filhas antecipa o conselho de um manual dos anos mais abjetos do absolutismo inglês, *The Mirrour of Complements* [O espelho dos cumprimentos] (1635). Nos discursos recomendados para dirigir-se a um rei, destacam-se dois pontos já evidentes em Shakespeare. Na presença do rei, o suplicante perde todos os direitos e, para prová-lo, faz do monarca o árbitro de seu destino ("the greatest honour I can possibly attain is to dye worthily in some action at your service" ["a maior honra que posso algum dia obter é morrer valorosamente nalguma ação a vosso serviço"]; "a fit occasion to maintain [my most humble service] with the perill of my life and bloud" ["uma ocasião adequada para manter [[meu mais humilde serviço]] com risco de minha vida e meu sangue"] [p. 2, 3]). Também perde seus direitos no domínio da linguagem, que emprega não para convencer, mas apenas para atestar a distância social entre emissor e receptor ("Sir, if words were able to expresse the duty in which I holde myselfe obliged" ["Senhor, se as palavras conseguissem exprimir o dever ao qual me obrigo"]; "I should much forget myselfe, if I thought my vowes along sufficient to deserve the favour of your most princely grave" ["Poderia até esquecer-me de mim mesmo se considerasse meus votos suficientes para merecer o favor de vossa mui elevada atenção"] [p. 1, 2]).

22. "I love your Majesty/ According to my bond; no more nor less." Todas as citações das peças de Shakespeare foram retiradas de *The Riverside Shakespeare*, G. Blakemore Evans, org., 1974.
23. *Origin*, p. 70.
24. "[Os] heróis [dos trágicos gregos] nos parecem sempre mais superficiais em suas falas que em suas ações; o mito, podemos dizer, nunca encontra um correlato objetivo adequado na palavra dita. A estrutura das cenas e as imagens concretas transmitem uma sabedoria mais profunda do que o poeta foi capaz de pôr em palavras e conceitos (o mesmo pode ser dito de Shakespeare, cujo Hamlet fala com mais superficialidade do que age [...])" (Friedrich Nietzsche, *The Birth of Tragedy*, Garden City, NY, 1956, p. 103). A posição de Nietzsche, aceita também por Benjamin (*Origin*, p. 108-9), exige duas ressalvas, mesmo deixando de lado sua declaração sibilina sobre Hamlet. Em primeiro lugar, a precariedade da palavra diante da ação da qual ele trata não se aplica apenas ao herói, mas também à estrutura dramática como um todo, incluindo todos os outros personagens e também o coro. Em segundo lugar, o que Nietzsche chama de "superficialidade" e Benjamin de "silêncio" não pode ser visto como efeito da violência dos acontecimentos míticos (em que somente, portanto, residiria o verdadeiro núcleo da tragédia), mas como elemento constitutivo da estrutura trágica como tal. Logo voltarei a isto, mas para dar a perceber a distinção envolvida no exemplo mais famoso digamos que é possível tratar até o mito de Édipo de forma não trágica; o que o torna trágico é apenas a forma específica como está estruturado.
25. George Steiner, *The Death of Tragedy*, Londres, 1961, p. 11. Afirma-se o mesmo em Lily B. Campbell, *Tudor Conceptions of History and Tragedy in "A Mirror for Magistrates"*, Berkeley, 1936, p. 17.
26. "And train thy master to his tragedy". Anônimo, *Arden of Feversham*, Fraser e Rabkin, v. 1, iii, 168.
27. "This very sword [...]/ Shall be the worker of thy tragedy." Thomas Kyd, *The Spanish Tragedy*, Fraser e Rabkin, v. 1, II, i, 92-3.
28. "In redyng tragoedies, [a man shall] execrate and abhorre the intollerable life of tyrantes", Elyot, *The Gouenour*, p. 41; "The high and excellent Tragedy [...] maketh Kinges feare to be Tyrants, and Tyrants manifest their tirannicall humours", Philip Sidney, *An Apologie for Poetrie* (1585?), Londres, 1929, p. 45; "[Princes'] infamous life and tyrannies were layd open to all the world, their wickedness reproched, their follies and extreme insolences derided, and their miserable ends painted out in playes and pageants, to shew the mutabilitie of fortune, and the just punishment of God in reuenge of a vicious and euill life", George Puttenham, *The Arte of English Poesie* (1589), Kent, Ohio, 1970, p. 49.
29. *Aesthetics*, trad. T. M. Knox, Oxford, 1975, p. 1210.

30. "The world's a Theater, the earth a Stage,/ Which God, and nature doth with Actors fill,/ Kings have their entrance in due equipage,/ And some their parts play well and others ill/ [...] All men haue parts, and each man acts his owne." Thomas Heywood, "The Author to his Booke", poema prefacial de *An Apology for Actors,* Richard H. Perkinson, org., Nova York, 1941, p. 1-4, 12.
31. C. B. Macpherson, *The Political Theory of Possessive Individualism: Hobbes to Locke*, Oxford, 1962, p. 49.
32. Walter Ullmann, *The Individual and Society in the Middle Ages*, Baltimore, 1966, p. 40, 42, 44.
33. "Com a comutação generalizada do pagamento dos feudos em arrendamentos em dinheiro, a unidade celular da opressão política e econômica do campesinato ficou seriamente enfraquecida e ameaçada de dissociar-se (o fim desta estrada foi a 'mão-de-obra livre' e o 'contrato salarial'). O poder de classe dos senhores feudais, assim, ficou diretamente em perigo com o desaparecimento gradual da servidão. O resultado foi um *deslocamento* para cima da coação político-legal rumo a um ápice centralizado e militarizado: o Estado absolutista. Diluído no nível da aldeia, tornou-se concentrado no nível 'nacional'. O resultado foi um aparelho reforçado de poder real" (Anderson, *Lineages*, p. 19). A opinião de Immanuel Wallerstein é semelhante: "Nos dias áureos do feudalismo ocidental, quando o Estado era mais fraco do que nunca, o dono da terra, o senhor do castelo, prosperou. [...] Na época os senhores da terra jamais aceitariam o fortalecimento da máquina central se não estivessem numa situação de fraqueza em que consideraram mais difícil resistir às pretensões da autoridade central e mais fácil saudar os benefícios da ordem imposta. Foi esta a situação postada pelas dificuldades econômicas dos séculos XIV e XV e pelo declínio da receita dos senhores" (*The Modern World-System*, p. 28). A nova função do soberano como barreira à desintegração social reflete-se fielmente nas atividades de legislação e coação que Hooker atribui a Deus (*Laws*, p. 64-8, 81). Até as leis naturais são concebidas como "editos de Sua lei", como outros tantos meios de evitar a dissolução universal que ocorreria caso os elementos individuais do cosmos agissem cada um a seu modo (p. 66).
34. Elyot (*The Gouernour*, p. 5) estabelece uma correspondência estrita entre *entendimento* e *condição social*: "They whiche excelle other in this influence of understandynge [...] oughte to be set in a more highe place than the residue where they may se and also be sene; that by the beames of theyr excellent witte [...] other of inferiour understandynge may be directed to the way of vertue and commodious liuynge" ["aqueles que excelem nesta influência do entendimento [...] deveriam ocupar um lugar mais elevado que o resto, onde possam ver e também ser vistos; que pela luz de sua excelente inteligência [...] outros de entendimento inferior possam ser guiados ao caminho da virtude e da vida proveitosa"].

35. "A palavra '*country*' ["campo", "país"] indicava que os homens por ela designados deviam ser vistos como pessoas de espírito público, não movidas pelo interesse privado, intocadas pela influência e pela corrupção da corte, representando o bem maior de suas comunidades locais e da nação em cujo interesse eles, e somente eles, agiam" (P. Zagorin, "The Court and the Country", *English Historical Review* [1962], nº 309; citado em Lawrence Stone, *The Crises of the Aristocracy: 1558-1641*, Oxford, 1965, p. 502).
36. John Marston, *The Malcontent*, M. L. Wine, org., Lincoln, Nebraska, 1964, V, vi, p. 154-62.
37. James I, discurso de 1609, publicado em *The Political Works of James I*, Charles Howard McIlwain, org., Cambridge, Massachusetts, 1918, p. 308. Além do teatro, o jogo de xadrez é a outra grande metáfora social dos elisabetanos e é fácil ver por quê. No xadrez, cada peça é definida por um certo número de possibilidades de movimento inalteráveis e diferentes das outras; em resumo, cada peça está presa à sua condição. Além disso (como fica claro no grande sucesso de Middleton, *A Game at Chess*), cada lado no xadrez — cada "reino" — tem um líder supremo e indiscutível na figura do rei.
38. Para minha afirmativa básica de que a esfera política do Estado é essencial para a tragédia, as peças de Marlowe constituiriam uma visível ressalva. Aqui só posso dar uma olhadinha no problema e dizer que Barrabás e Fausto, para pegar os melhores exemplos, são únicos no palco elisabetano como expoentes (embora peculiares) da sociedade civil: de um lado, o grande acumulador de riquezas; do outro, o grande intelectual. O conflito trágico surge do fato de que ainda assim a prosperidade e a grandeza dependem, ambas, de um poder superior, despótico por natureza, que lhes nega a liberdade total e finalmente as destrói. Não seria demais chamar *O judeu de Malta* e *Doutor Fausto* de "tragédias do monopolista", dado que esclarecem com rigor notável o nexo de medo e antagonismo que liga este personagem histórico ao poder absoluto.
39. *Aesthetics*, p. 1229-30.
40. *Ibid.*, p. 1195-97.
41. Londres, 1964, p. 57.
42. *Aesthetics*, p. 1159-60, 1.168.
43. *Il dramma moderno*, Milão, 1976, p. 24-5, 26, 48.
44. Niccolò Machiavelli [Nicolau Maquiavel], *The Prince*, Harmondsworth, 1961, p. 65-6.
45. E assim como Hooker não consegue entender Maquiavel, Macbeth jamais entenderá o que foi que o obrigou a agir. Na única ocasião em que chega a fazer uma sugestão, perde-se numa metáfora que não explica nada: "I have no spur/ To prick the sides of my intent, but only/ Vaulting ambition, which o'erleaps itself,/ And falls on th'other" ["Não tenho espora/ a picar os flancos da minha vontade, mas apenas/ a ambição cres-

cente, que salta sobre si mesma/ e cai sobre a outra"] (I, vii, 25-8). Não só a metáfora, redutiva do ato que Macbeth está a ponto de cometer, reduz seu agente à condição muda e não humana de um cavalo a ser esporeado, como também sequer declara a "ambição" como "causa" da ação, apenas, no máximo, como sua "espora". Nunca se dá ao ato que inicia a tragédia uma causa cognoscível e a motivação aqui obscura reaparece no "propósito mais sinistro" de Lear, na fuga inexplicável de Cleópatra no Áccio, no prazer destrutivo de Iago e, em certo sentido, na inação de Hamlet.

A presença de um elemento incognoscível parece essencial para a estrutura trágica e, aproveitando as conclusões da seção anterior, eu diria que este elemento sempre se situa no plano das ações e é incognoscível porque este plano, cuja expressão mais completa é o soberano que age com sua independência ilimitada, de repente é dominado pela natureza descaída, que também tem sua expressão mais elevada na esfera da realeza, especificamente na figura do tirano. Por definição desprovida de leis, a natureza descaída é incognoscível. Pode ser representada, no sentido de re-apresentada, mas nunca compreendida na aceitação elisabetana do mundo; isto é, nunca reinserida no grande sistema de causas e efeitos que é o mundo construído pelo legislador divino. Se, então, no centro da estrutura trágica, encontramos um elemento "realista" como o maquiavelismo de Macbeth, este, em vez de reforçar o poder cognitivo do período, põe em destaque sua incognoscibilidade, sua completa petrificação. A tragédia adota como seu objeto não a cognição, mas a sua impossibilidade.

46. No quinto ato, até pouco antes de ser morto, Hamlet não pensa mais em se vingar nem em desmascarar o usurpador. Só relembra seu projeto original quando Laertes lhe diz que não tem "meia hora de vida" — não como parte de algum instinto vital incontrolável (seja de ambição, de vingança ou do que for), mas como homem morto a partir daí.

47. Talvez não seja por acaso que as duas expressões ocorrem praticamente na mesma conjuntura do drama, quando surge a questão de escolher de uma vez por todas a linha de ação a seguir; Macbeth prefere permanecer naquele "sangue" de que falou há alguns versos, Hamlet, prolongar os "dias doentios" de seu tio.

48. O que a corte vê em *The Murder of Gonzago* [A morte de Gonzago] é que um sobrinho do rei (como Hamlet em relação a Cláudio), vestido de preto (novamente como Hamlet), mata o soberano legítimo (como Cláudio é considerado). Cega à usurpação de Cláudio, a corte vê, pelo contrário, Hamlet ameaçar rudemente o tio.

49. Os escritores de tratados da época não perdem nenhuma oportunidade de louvar o preparo retórico estudado em vez da produção espontânea do discurso. Assim, diz Elyot em *The Gouernour* (p. 42-3): "The utilitie that a noble man shall haue by redyng these oratours, is, that, whan he shall happe to reason in counsaile, or shall speke in a great audience, or to strange ambassadours of great princes, he shall nat be

constrayned to spake wordes sodayne and disordered, but shal bestowe them aptly and in their places. Wherefore the moste noble emperour Octauius is highly commended, for that he neuer spake in the Senate, or to the people of Rome, but in a oration prepared and purposely made" ["A utilidade que um nobre encontrará ao ler esses oradores [Demóstenes e Cícero] é que, quando tiver de dar conselhos ou falar ao grande público ou com embaixadores estrangeiros de grandes príncipes, não ficará constrangido a dizer palavras repentinas e desordenadas, mas vai proferi-las com adequação e no devido lugar. Por isso o nobilíssimo imperador Octavius é mui digno de louvor, já que nunca falava no Senado nem ao povo de Roma senão com um discurso preparado e feito a propósito]".

50. Christopher Hill fez uma análise extraordinária desta transição histórica em *Society and Puritanism in Pre-Revolutionary England,* Nova York, 1964, p. 382-419.
51. Sobre Botero e Baccalini e sua concepção do papel do príncipe, ver Meinecke, *Staaträson*, p. 81-112 e principalmente p. 6-8.
52. O que se segue baseia-se em grande parte nos argumentos de Jean Starobinski, "Sur Corneille" (em *L'Oeil vivant*, Paris, 1961); e Serge Doubrovsky, *Corneille et la dialectique du héros* (Paris, 1963).
53. Leo Tolstoy [Lev Tolstói], *Tolstoy on Shakespeare*, Nova York, 1907, p. 53.
54. Sobre este problema, ver Michel Foucault, *The Order of Things*, Londres, 1970, capítulos 1-3; e Jurij M. Lotman, "Different Cultures, Different Codes", *Times Literary Supplement*, 12 de outubro de 1973, p. 1213-5.
55. Marx, *Critique of Hegel's Doctrine of the State*, p. 81.
56. A "defesa" que Sidney faz da poesia consiste exatamente na alegação de seu caráter moral e cognitivo. Apresentada com insistência em quase todas as páginas, essa alegação fica ainda mais clara na discussão em que o poeta ("the peerelesse Poet" ["o Poeta sem igual"]) é declarado superior, do ponto de vista cognitivo, tanto ao filósofo quanto ao historiador, porque "hee coupleth the generall notion with the particular example" ["une a noção geral ao exemplo específico"]. E como o "propósito final" de aprender é "to knowe, and by knowing to lift vp the mind from the dungeon of the body, to the enjoying of his owne diuine essence" ["saber e, sabendo, elevar a mente da masmorra do corpo para o gozo de sua própria essência divina"], então "the ending end of all earthly learning, being vertuous action, those skilles that most serue to bring forth that, haue a most just title to bee Princes ouer all the rest" ["por ser o fim último de todo aprendizado terreno a ação virtuosa, aqueles talentos que mais servem para produzi-la têm pretensão mais justa a ser Príncipes de todo o resto"] (*Apologie*, p. 33, 29-30). Assim o círculo se fecha e a poesia é vitoriosamente defendida em nome de sua "força de ensinar".
57. "It is said by such as professe the Mathematicall sciences, that all things stand by proportion, and that without it nothing could stand to he good or beautiful. The

Doctors of our Theologie to the same effect, but in other termes, say: that God made the world by number, measure and weight [...] Poeticall proportion [...] holdeth of the Musical, because as we sayd before Poesie is a skill to speake and write harmonically" ["É dito pelos que professam as ciências matemáticas que todas as coisas existem em proporção e que, sem isso, nada seria bom nem belo. Os Doutores de nossa Teologia, com o mesmo propósito mas em outros termos, dizem: que Deus fez o mundo em número, medida e peso [...] A proporção Poética [...] dominou a Musical, porque, como dissemos antes, a Poesia é o talento de falar e escrever harmonicamente"] (Puttenham, *English Poesie*, p. 78-9). Em boa parte a obra de Puttenham é uma coletânea sistemática de receitas para obter esta proporção poética, com atenção específica à simetria da versificação e à "decência" ou moderação da linguagem figurativa.

58. "Court is a maze of turnings strange, a laborinth, of working wits,/ A princely seate, subject to change", *A Pleasant Discourse of Court and Wars*, Londres 1596, A, iv.
59. "Alas poor lady,/ I half repent me since she is so constant./ But a friend's life weighs down all other love;/ Beside, I thus secure my fate. Lorenzo/ Threatens my spring. He is my enemy", *The Traitor*, John Stewart Carter, org., Lincoln, Nebraska, 1965, II, ii, p. 112-6.
60. "So who knows policy and her true aspect/ Shall find her ways winding and indirect", John Webster, *The White Devil*, Fraser and Rabkin, v. 2, I, ii, p. 358-9.
61. "O amor é um tirano que não poupa ninguém", Pierre Corneille, *El Cid*, em *Théâtre Complet*, Pierre Lièvre e Roger Caillois, orgs., Paris, 1966, I, ii, p. 23.
62. "A strange affection, brother, when I think on't!/ I wonder how thou cam'st by it. — Ev'n as easily/ As man comes by destruction" ["Uma estranha doença, irmão, quando penso nisso!/ Como a adquiriste? — Com tanta facilidade/ quanto o homem chega à destruição"], Thomas Middleton, *Women Beware Women*, Roma Gill, org., Londres e Tonbridge 1968, II, i, p. 1-3.
63. "I would not have her marry wealth, but love" John Ford, "Tis a Pity She's a Whore", Fraser e Rabkin, v. 2, I, iii, p. 11.
64. "I would unbrace and entertain/ The air to cool it" e "Lust is a spirit which whosoe'er doth raise,/ The next man that encounters boldly lays", Cyril Tourneur, *The Atheist's Tragedy*, Irving Ribner, org., Cambridge, Massachusetts, 1964, II, iii, p. 43-4, 65-6.
65. "What is a gentleman but his pleasure?", citado em Lawrence Stone, *Crisis of the Aristocracy*, p. 27.
66. Cyril Tourneur, *The Revenger's Tragedy*, Fraser e Rabkin, v. 2, III, p. 44.
67. "Though we are eaten up of lice, and worms,/ And though continually we bear about us/ A rotten and dead body, we delight/ To hide it in rich tissue", John Webster, *The Duchess of Malfi*, Fraser e Rabkin, v. 2, II, i, p. 62-5.
68. Benjamin, *Origin*, p. 166.

69. "Quem não sabe dissimular, não sabe reinar", Puttenham, *English Poesie*, p. 197.
70. *Phenomenology of Spirit*, Oxford, 1977, p. 116.

## A dialética do medo

1. Mary Wollstonecraft Shelley, *Frankenstein* (1817), Londres, 1977; John Polidori, *The Vampyre* (1819), em *Gothic Tales of Terror*, Baltimore, 1973; Robert Louis Stevenson, *The Strange Case of Dr. Jekyll and Mr. Hyde* (1885), Londres, 1924; Bram Stoker, *Dracula* (1897), Londres, 1974.
2. Marx, "Economic and Philosophical Manuscripts" (1844), em *Early Writings*, Harmondsworth, 1975, p. 322.
3. O romance policial "clássico" tem função semelhante. O crime lança suspeitas sobre todos os personagens; suas ações tornam-se ambíguas, seus ideais questionáveis, suas metas misteriosas. Mas assim que se encontra o culpado, a suspeita imediatamente se evapora e todos se reabilitam. "O assassino tem de ser condenado porque é a única maneira de dar ao resto do elenco uma absolvição que satisfaça inteiramente à razão. Mas o propósito psicológico da história se resume nessa absolvição. O mito do detetive não existe para provocar nem endossar a culpa, mas para dissipá-la. A solução declara a absolvição geral", Brigid Brophy, "Detective Fiction: A Modern Myth", *Hudson Review*, 1965, nº 1, p. 29. A absolvição geral nada mais é que a aprovação instintiva das leis gerais da sociedade, que proclama sua bondade e justiça diante da transgressão individual, do "caso" criminoso excepcional.
4. Marx, "Economic and Philosophical Manuscripts".
5. Nos filmes de Fisher, a vitalidade do monstro e do vampiro perde-se totalmente. Nunca começam com uma ofensiva do monstro (que ficaria em casa com todo o prazer), mas com um erro ou um ato de estupidez do "homem". É transparente o convite para não perambular, para deixar as coisas onde estão. O monstro não é mais assustador por si só, mas porque sua zona de influência foi violada, porque os homens não respeitaram o acordo. É um tipo de terror do *estado de bem-estar social*, adequado para uma época de coexistência pacífica.
6. O monstro de Mary Shelley é uma *montagem de cadáveres diferentes*. Ao apresentá-lo como um único cadáver (embora gigantesco e anormal) devolvido à vida, a tradição cinematográfica trivializa muito seu significado social.
7. "Assim o capital pressupõe o trabalho assalariado; o trabalho assalariado pressupõe o capital. Condicionam reciprocamente a existência um do outro [...] o capital e o trabalho assalariado são os dois lados da mesmíssima relação", Marx, "Wage Labour and Capital" (1849), no volume único de *Selected Works*, Londres, 1970, p. 82-3.
8. Walter Benjamin, "Zentralpark".

9. Marx, "Economic and Philosophical Manuscripts", p. 325-6.
10. *Frankenstein* pode ser lido como inversão de *Robinson Crusoé*. No século XVIII, a desobediência ao pai é recompensada; um século depois, é punida com a morte. A diferença dos finais depende inteiramente das relações estabelecidas entre o filho e o poder do trabalho. Sexta-Feira é um negro ("raça de diabos"), mas Robinson o civiliza, obriga-o a se tornar um "homem", a falar inglês, a acreditar em Deus, a usar roupas, a servir ao seu senhor. O monstro, por outro lado, é o homem que se torna inumano, que rejeita Deus, trai o seu senhor, abandona a civilização e ameaça criar uma nova raça. A diferença se reflete nas técnicas narrativas diferentes: Robinson *controla* a situação e isso lhe permite ser um ego narrador universal; Frankenstein, que perdeu o controle sobre ela, não pode sequer comandar o edifício do romance.
11. Também se deve notar que Mary Shelley é incapaz de construir uma imagem inteiramente bem-sucedida da família. A família de Walton, por exemplo, limita-se a uma irmã casada, que é a destinatária de todas as suas cartas. É como se a "afeição doméstica" louvada pela autora começasse a ser obscurecida pela sombra do incesto.
12. Isso esclarece outro aspecto do medo provocado pelo monstro. Como já escrevera Kant em *Analítica do Sublime*: "Um objeto é *monstruoso* quando, por seu tamanho, frustra o fim que forma o seu conceito" (*Critique of Judgement*, Oxford, 1952, p. 100). O tamanho do monstro impede-o de caber nos compartimentos exatos e limitados da divisão de trabalho pré-capitalista. O fato "frustra o seu conceito", em outras palavras a sua "humanidade", fazendo dele, exatamente, um monstro. Só pode usar sua imensa capacidade produtiva à noite, escondido, para a mera sobrevivência. Deixaria um capitalista feliz (e quase chega a ponto de dizer isso ele mesmo); mas não há capitalistas no romance.
13. O próprio Harker é forçado a reconhecer esta racionalidade burguesa tão clara em Drácula, depois que este último salvou-o do desejo puramente destrutivo de suas amantes: "Com certeza é de enlouquecer pensar que, de todas as coisas que se ocultam neste lugar odioso, o Conde é a menos assustadora para mim; que só nele posso procurar segurança, ainda que somente enquanto eu *servir aos seus propósitos*" (grifo meu). Drácula é tão pouco cruel que, depois que fez uso de Harker, deixa-o partir em liberdade sem fazer mal a um fio de cabelo seu.
14. Antes de Drácula houve outro personagem literário que perdeu a sombra: Peter Schlemihl. Trocou-a por uma bolsa cheia de dinheiro. Mas logo percebe que o dinheiro só pode lhe dar uma coisa: mais dinheiro, mais dinheiro ainda, todo o dinheiro que quiser (a bolsa não tem fundo). Mas só dinheiro. Assim, o único desejo que Peter consegue satisfazer é o desejo abstrato e imaterial de dinheiro. Seu corpo mutilado e antinatural nega-lhe acesso aos desejos tangíveis, materiais, corpóreos. O escândalo é tão grande que, quando a moça que ama (e que o ama) descobre, recusa-se a desposá-lo. Peter foge desesperado; não pode mais amar. (Assim como

Drácula: "— O senhor nunca amou, o senhor não ama nunca! [...] Então o Conde se virou [...] e disse num leve sussurro: — Sim, eu também posso amar, vocês mesmos podem dizer pelo passado. Não é mesmo? [...]") A história de Chamisso é uma fábula (*A história maravilhosa de Peter Schlemihl*) publicada em 1813, a mesma época de Frankenstein; também gira em torno do conflito entre a disseminação do capitalismo (Peter) e as estruturas sociais feudais (Mina e sua aldeia). Como em *Frankenstein*, o capitalismo surge como episódio fortuito, que envolve apenas um indivíduo e dura pouco tempo. Mas a intuição subjacente tem poder extraordinário; fica no mesmo nível da punição de Midas, para quem o ouro impedia o consumo.

15. Marx, *Capital*, v. I, Harmondsworth, 1976, p. 342.
16. "Os Mortos-Vivos são fortes. [Drácula] tem sempre na mão a força de vinte homens; mesmo se nós quatro damos nossa força a Miss Lucy tudo também fica a favor dele" (p. 183). Não há como não lembrar as palavras de Mefistófeles analisadas por Marx: "Seis garanhões, creio, posso agüentar,/ Não é a força deles propriedade minha?/ Corro junto, como senhor a caçar,/ Como se as suas patas fossem minhas" (citado em "Economic and Philosophical Manuscripts", p. 376).
17. Marx, *Capital*, v. 1, p. 741.
18. Marx, "The Property of Philosophy" (1847), em Marx e Engels, *Collected Works*, v. 6, Londres, 1976, p. 195.
19. É o caso dos personagens secundários do romance. Estes (estivadores e advogados, marinheiros e corretores imobiliários, carregadores e contadores) estão sempre mais que satisfeitos com seus negócios com Drácula, pela simples razão de que Drácula paga bem e à vista e até facilita o trabalho. É um deles: um patrão excelente para os assalariados, um sócio excelente para os grandes empresários. Entendem-se tão bem, são tão úteis uns aos outros, que Drácula nunca se comporta como um vampiro com eles; não precisa sugar-lhes o sangue, pode comprá-lo.
20. O toque final é a "Nota" curta de Jonathan Harker, escrita sete anos depois dos acontecimentos. Harker informa ao leitor que ele e Mina batizaram seu filho de "Quincey" e que "sua mãe alimenta, eu sei, a crença secreta de que parte do espírito do nosso bravo amigo passou para ele" (p. 336). Morris, o estrangeiro americano, é "reciclado" na família vitoriana triunfante, não sem passar por uma humilhação tácita final (que deliciaria um lingüista): seu nome — Quincy, como aparece na assinatura do único bilhete com a sua própria letra — é transformado, com o acréscimo de um "e", na forma muito mais britânica "Quincey".
21. No romance de Stoker, a função de Van Helsing segue uma parábola: ausente no início, dominante no centro, removido para a margem da ação no final. Sua ajuda é, de fato, insubstituível, mas assim que a obtém a Grã-Bretanha pode resolver o caso sozinha; é significativo que ele seja apenas um espectador da morte de Drácula. Nisso, mais uma vez, o *Drácula* de Fisher trai a intenção ideológica do original: o grande

duelo final entre Drácula e Van Helsing pertence a um sistema de oposições muito diferente do de Stoker, no qual prevalece o conflito entre Bem e Mal, Luz e Escuridão, Frugalidade e Luxo, Razão e Superstição (ver David Pirie, *A Heritage of Horror. The English Gothic Cinema 1947-1972*, Londres, 1973, p. 51 e seg.).

22. A história de Lucy esclarece a inter-relação dos personagens. Nos capítulos iniciais, nada menos que três personagens principais (Seward, Holmwood e Morris) competem por sua mão. Em outras palavras, Lucy, objetivamente, transforma esses homens em *rivais*, divide-os, e isso torna as coisas mais fáceis para Drácula que, pelo contrário, ao fazer com que voltem a ser amigos, prepara a queda da moça. A moral é que quem defronta o vampiro precisa restringir todos os apetites e interesses individuais. Pobre Lucy, que age somente com base em seus desejos e impulsos (é uma mulher que *escolhe* seu próprio marido, sem mencionar nada à mãe!); é a primeira a ser morta por Drácula e então, em nome da segurança, tem o coração trespassado pelo noivo no dia em que, segundo o calendário, seria sua noite de núpcias (e todo o episódio, como veremos, transborda de significados sexuais).
23. Pirie, p. 84.
24. Também para Hegel o amor origina-se da "rendição da pessoa a um indivíduo do sexo oposto, ao sacrifício de sua consciência independente". Mas aí Hegel resolve e pacifica dialeticamente esta autonegação da qual se origina o amor: "Este perder no outro a própria consciência do eu [...] este esquecimento de si em que o amante [...] encontra as raízes de seu ser em outro, mas neste outro frui, inteira e exatamente, de si mesmo" (*Aesthetics*, 1820-29, Oxford, 1975, p. 562-3).
25. Stendhal, *De L'Amour* (1822), Paris, 1957, p. 118.
26. Marie Bonaparte, *The Life and Works of Edgar Allen Poe. A Psychoanalytic Interpretation*, Londres, 1949, p. 209-10.
27. *Ibid.*, p. 218-9.
28. "Totem and Taboo" (1913), em Freud, v. XIII, p. 61. Ver também o ensaio "The 'Uncanny'" (1919): "Mais provavelmente nosso temor ainda subentende a antiga crença de que o morto se torna inimigo de quem a ele sobrevive e busca levá-lo para dividir consigo a sua nova vida" (*ibid.*, XVII, p. 242).
29. "The 'Uncanny'", p. 241.
30. *Ibid.*, p. 249.
31. Mary Shelley afirmou ter "sonhado" a história de Frankenstein. E um dos trechos que se destacam no texto é o sonho de Frankenstein, que acontece imediatamente depois da criação do monstro. No momento em que, no sonho, está a ponto de beijar Elizabeth, ela se transforma no cadáver de sua mãe. Frankenstein acorda e encontra o monstro ao pé do leito, numa postura inconfundivelmente maternal: "Segurava o cortinado da cama; e seus olhos [...] estavam fixos em mim [...] um sorriso lhe enrugava as faces [...] uma das mãos estava estendida." Outras coisas sobre o monstro

indicam uma reelaboração da figura materna: o fato de ser um morto que volta à vida; sua "grandeza" física; sua linguagem, improvavelmente mais "arcaica" que a de Frankenstein. A analogia, no entanto, baseia-se principalmente na *função* do monstro na trama: ele mata Elizabeth, punindo Frankenstein por tê-la desposado e, assim, vingando-lhe a mãe, morta pela escarlatina que pegara da moça com quem o filho agora está a ponto de "traí-la". A situação recorda muitos contos de Poe.

32. Lembremos Renfield o paciente de Seward que recebe espaço considerável em *Drácula*. Seward examina o seu caso com o máximo cuidado, emprega todas as técnicas psiquiátricas conhecidas, chega a formar novas hipóteses e pede a Van Helsing uma segunda opinião; e nada — nada funciona. Então, de repente, a ficha cai: Renfield é o servo de Drácula.

33. Orlando, p. 138 e 140; o grifo é meu.

34. O fato de um desejo ou um temor estar por trás do estranho é inteiramente secundário para Freud. O terror é causado pelo ressurgimento súbito de algo recalcado; depois de determinar isso, "é indiferente se o que é estranho era originalmente assustador ou se causava algum *outro* efeito" ("The 'Uncanny'", p. 241). Essa origem inconsciente e ambivalente confere uma função peculiar à literatura de terror. A distinção sugerida por Freud em seu estudo das piadas — "Os sonhos servem principalmente para evitar o desprazer; as piadas, para atingir o prazer" — e levada por Orlando para a literatura (que também funciona para atingir o prazer, para a manifestação de um desejo recalcado) torna-se extremamente incerta. Na literatura de terror, as duas funções, evitar o desprazer e atingir o prazer, parecem equilibrar-se com perfeição. Na verdade, uma existe para a outra: um romance de terror que não atemorize também não dá prazer. Nesse aspecto, e não apenas devido ao seu conteúdo, a literatura de terror parece ser aquela cujo funcionamento mais se aproxima do sonho; e, como o sonho, "impõe" um contexto obrigatório de prazer: sozinho, à noite, na cama.

35. D. H. Lawrence, *Studies in Classic American Literature*, Londres, 1924, capítulo 6.

36. Tzvetan Todorov, *The Fantastic. A structural Approach to a Literary Genre*, Ithaca, 1975, p. 76-7.

37. A meta ideológica de *Frankenstein* recorda aquela atribuída por Kant ao sublime. "Se vamos estimar a natureza como dinamicamente sublime, ela deve ser apresentada como fonte de medo." Mas Kant acrescenta: "*Quem está num estado de medo* [não pode] desempenhar o papel de juiz do sublime da natureza [...] [A visão de catástrofes naturais], *contanto que nossa posição seja segura*, é ainda mais atraente por ser amedrontadora e prontamente chamamos esses objetos de sublimes, porque despertam as forças da *alma além da altura do lugar-comum vulgar* [...] A sublimidade, portanto, não reside em nenhuma das coisas da natureza, mas apenas em nossa própria mente" (Kant, p. 109, 110, 114; grifo meu). Kant já indica os

dois caminhos abertos à literatura de terror: o caminho do "sublime", que não desperta medo mas reflexões morais, e está confinado aos leitores instruídos; e o caminho do "terrível", que nega a reflexão e está reservado para a massa. "De fato, sem o desenvolvimento das idéias morais, aquilo que, graças à cultura preparatória, chamamos de sublime atinge o homem não instruído como meramente aterrorizante" (*ibid.*, p. 115).

38. Roland Barthes, "Structural Analysis of Narratives", em *Image-Music-Text*, Londres, 1977, p. 119.
39. Barthes assim descreve o suspense: "Por um lado, ao manter uma seqüência aberta (pelos procedimentos enfáticos de retardamento e renovação), reforça o contato com o leitor (ouvinte), tem uma função claramente fática; mas por outro, constitui a ameaça de uma seqüência incompleta, de um paradigma aberto [...] quer dizer, de uma perturbação lógica que é consumida com angústia e prazer (ainda mais porque sempre dá certo no final). O 'suspense', portanto, é um jogo com estrutura, projetado para pô-lo em risco e glorificá-lo, e constitui o verdadeiro 'emocionante' da inteligibilidade" (*ibid.*, p. 119). Assim que *percebemos* quem é Drácula, assim que a desordem lógica é resolvida, o romance de Stoker muda de romance de terror para romance de aventuras: a ação é inteiramente tomada por viagens, duelos, caçadas, planos de batalha.
40. Adorno observou que "as normas coletivas do comportamento individual", ou seja, o superego, devem *necessariamente* ser irracionais: "O superego 'consciente' perderia exatamente a autoridade em nome da qual seus apologistas se agarram a ele", T. W. Adorno, "Sociology and Psychology II" (1955), *New Left Review*, 47 (1968), p. 82, 83.

## *Homo palpitans*

1. Este artigo foi apresentado no seminário *Città e metropoli*, em Ferrara, de 2 a 4 de outubro de 1981.
2. Com base na tradução italiana de Massimo Cacciari, *Metropolis*, Roma, 1973, p. 136.
3. Robert E. Park, Ernest W. Burgess, Roderick D. Mckenzie, *The City*, Chicago, 1925, capítulo 1, p. 3.
4. Erich Auerbach, *Mimesis: The Presentation of Reality in Western Literature*, Princeton, 1953 (4ª impressão, 1974), p. 470, 472, 473.
5. *Ibid.*, p. 473.
6. Balzac demonstra isso com perfeição. Vautrin, o grande criminoso, o homem da cidade submersa, dos mistérios de Paris, contribui com a trama de forma insignifican-

te, tanto em *O Pai Goriot* quanto em *Ilusões perdidas* (e quando seu papel se amplia, como em *Esplendor e miséria das cortesãs*, o efeito é muito chato). Embora costume afirmar que quer tomar o lugar do destino, Vautrin se sai melhor não na produção da história (como é de regra no caso dos outros monstros), mas nos *comentários* a respeito dela (papel que, de costume, não é conferido aos seus confrades); suas observações estão entre as páginas mais memoráveis da obra de Balzac.

7. "Normal" engloba dois significados diferentes que são perfeitamente simétricos aos de "inaudito": enquanto este último refere-se ao "raro" e ao "deplorável", normal indica tanto o que é "generalizado" quanto "recomendável".
8. Benjamin aproveita a afirmação freudiana de que "entre os organismos vivos, a proteção contra estímulos é uma função quase mais importante que a recepção de estímulos" (*Além do princípio do prazer*, parte 4) e sustenta que o fato de que "o choque é assim amortecido, esquivado pela consciência, daria ao incidente que o ocasiona a característica de ser vivido em sentido estrito. Se fosse incorporado diretamente ao registro da memória consciente, esterilizaria o incidente para a experiência poética" (em *Charles Baudelaire:* A *Lyric Poet in the Era of High Capitalism*, Londres 1973, p. 115-6). A poesia de Baudelaire ("atribuída a uma missão"), pelo contrário, tenta efetuar "a emancipação das experiências" (*Ibid.*, p. 116). Até agora, tudo está claro, mas apenas vinte linhas depois encontra-se a conhecida afirmativa de que "Baudelaire transformou em especialidade sua esquivar-se dos choques" (p. 117), o que nos leva diretamente de volta àquela "experiência" da qual é preciso "emancipar-se". O resto do ensaio é incapaz de quebrar esse círculo vicioso (no máximo duplica-o nas reflexões sobre "recordação" e "experiência" no décimo parágrafo). Mas esbarrar com contradições lógicas na obra de um crítico tão extraordinário quanto Benjamin é bastante natural. A perfeição pertence apenas aos santos padroeiros, e nem mesmo a eles, somente às necessidades alienadas de seus aduladores.
9. Simmel e, mais tarde, Park insistiram no caráter essencialmente "intelectual" ou "racional" da personalidade urbana. Isso não é inteiramente correto. Com certeza os sentimentos duradouros se enfraquecem na cidade e até os costumes mais sagrados, sob o efeito corrosivo de uma transformação cada vez mais rápida, são descartados e expostos à crítica racional e desencantada. Mas, deixando de lado a atividade estritamente profissional, parece que a vida urbana é marcada por uma sucessão ininterrupta de opções emocionais súbitas e de vida breve. A sensação típica do morador da cidade grande de nunca ter tempo suficiente é, por si só, um estímulo para escolher de forma impulsiva e irracional. O fato de a pressa ser má conselheira é ainda mais verdadeiro na cidade, como prova aquele consumado jogo urbano, a roleta. Como todos sabem, é facílimo ganhar na roleta: basta esperar que o preto saia quatro ou cinco vezes seguidas e depois jogar no vermelho, dobrando em cada perda. A não ser por coincidências suspeitas, com poucas apostas se ganha e, caso se

repita o sistema umas dez vezes, ganha-se cerca de 25% sobre o capital geral necessário, o que não é tão mau assim. Então por que sempre se perde na roleta? Porque se quer ganhar rápido demais, com pressa demais...

10. Quando os grandes narradores do século XIX (Púchkin, Stendhal, Balzac, Manzoni, Flaubert, Turguêniev, Maupassant e até Melville, todos, obviamente, de maneira diferente) fazem uso do duelo, é sempre para zombar dele ou desvalorizá-lo. Em geral, as pessoas erradas lutam na hora errada e pelas razões erradas (Eugene Oneguin e Lucien de Rubempré são os casos extremos, já que acabam combatendo seus únicos amigos). O duelo é um tipo de acontecimento (ou "função") definitivamente inadequado para resolver o que está em jogo na trama. Sua centralidade só é preservada num único gênero narrativo, o romance de espionagem em seu sentido mais amplo. Não é por acaso que, nesse gênero, ainda reina um conceito arcaico, quase hereditário, do Estado e dos conflitos entre Estados: D'Artagnan e James Bond limitam-se a "representar" (são atores; é por isso que se preocupam tanto com suas roupas) o duelo de verdade que acontece entre Richelieu e o Duque de Buckingham ou entre M e o Dr. No.
11. Em *Ilusões perdidas*, Lucien quer tornar-se jornalista e, portanto, vai direto a um jornal para conversar com o editor, mas não consegue sequer vê-lo. Só consegue o seu intento unindo forças com o duvidoso Lousteau, seduzindo Coralie e escrevendo um artigo de tipo muito peculiar. Quer dizer, só tem sucesso usando caminhos escusos e provocando uma miríade de interesses particulares, cujo entrecruzar fica ainda mais complexo e precipitado, causando primeiro o sucesso de Lucien e depois a sua ruína. Além disso, a oposiçao "linha reta"/"linha tortuosa" é um dos paradigmas principais da obra de Balzac.
12. Em seu ensaio "The Metropolis and Mental Life" ["A metrópole e a vida mental"] (em *On Individuality and Social Forms: Selected Writings*, Chicago, 1971, p. 325), Georg Simmel se pergunta como o morador da cidade consegue resistir à "mudança rápida e contínua dos estímulos externos [...] à compressão rápida de imagens sempre diferentes [...] ao inesperado dos estímulos violentos". Sua resposta é que o morador da cidade subvaloriza todos os estímulos externos e, assim, torna-se indiferente à sua fantasmagoria. Mas a verdade real está em suas próprias palavras: à "passagem *rápida* e contínua dos estímulos externos" reage-se com *rapidez* — do olhar, mas principalmente da vida. Exatamente porque sabe que "uma vida só não é suficiente" para ver e fazer tudo o que quer, o morador da cidade limita as suas expectativas e faz uma *seleção* contínua e inconsciente delas. Mais uma vez, o espaço urbano é dividido e classificado com base numa seqüência pessoal-temporal.
13. Walter Benjamin, "Paris — The Capital of the Nineteenth Century", em *Charles Baudelaire*, p. 174.
14. Simmel, p. 330.

15. Trato deste problema em "O longo adeus: Ulisses e o fim do capitalismo liberal" e "De *A terra desolada* ao paraíso artificial", também incluídos neste volume.

## Pistas

1. T. Todorov, "The Place of Style in the Structure of the Text", em Seymour Chatman, org., *Literary Style: a Symposium*, Londres, 1971, p. 31.
2. Crítica da economia política, da filosofia, da história social ou do que seja; dá na mesma e isso também é verdade no caso da outra grande fonte de hipóteses funcionais: a psicanálise. Além disso, o que foi *Opera aperta* se não uma *difusão*, através da literatura, de alguns elementos da cultura científica moderna?
3. W. Hendricks, "Methodology of Narrative Structural Analysis", *Semiotica*, VII, 2, 1973, p. 166-7.
4. Ver Umberto Eco a respeito do processo de construção de códigos em *A Theory of Semiotics*, Londres, 1977, p. 91: "À primeira vista parece que uma teoria dos códigos tem de levar em conta apenas a função-signo em si, já que sua combinação com um contexto é uma questão de produção de signos. Mas a produção de signos é permitida por regras determinadas anteriormente por um código, já que o código costuma ser concebido não só como regra correlacional mas também como conjunto de regras combinacionais. [...] Neste ponto, pode ser necessário conceber o código como entidade dupla, que por um lado estabelece correspondência entre uma expressão e um conteúdo e, por outro, um conjunto de regras combinacionais."
5. R. Jakobson, "Due aspetti del linguaggio e due tipi di afasia" (1956), em *Fundamentals of Language*, 1956, p. 55-82.
6. "— Parece, pelo que entendo, ser um daqueles casos simples que são dificílimos.
   — Isto parece meio paradoxal.
   — Mas é uma verdade profunda. Quase sempre a singularidade é uma pista. Quanto mais comum e sem graça for um crime, mais difícil é resolvê-lo [...]" ("O Mistério do Vale Boscombe").
7. O sucesso maciço da ficção policial tornou-se irreversível em 1891 com os primeiros contos de Conan Doyle na *Strand Magazine*. "Um estudo em vermelho", que saiu quatro anos antes e era absolutamente idêntico às histórias posteriores, quase foi um fracasso. Entre essas duas datas veio o ano de Jack, o Estripador, 1889, e uma série de crimes não resolvidos, isto é, crimes *sem um sujeito*. A ficção policial precisa eliminar o medo de que o criminoso permaneça desconhecido e, portanto, continue a circular na sociedade.
8. "Você já me ouviu observar que as coisas mais estranhas e únicas estão, com muita freqüência, ligadas não aos maiores, mas aos menores crimes e às vezes até quando

dá para duvidar que algum crime concreto tenha sido cometido" ("A Liga dos 'Cabeças Vermelhas'").

9. Werner Fuchs, *Todesbilder in der modernen Gesellschaft*, Frankfurt-Main, 1969.
10. Sigmund Freud, "Beyond the Pleasure Principle", em James Strachey, org., *The Standard Edition of the Complete Psychological Works of Sigmund Freud*, v. 18, Londres, 1955, p. 36.
11. *Ibid.*, p. 36.
12. Max Horkeimer e Theodor W. Adorno, *Dialectic of Enlightenment*, Londres, 1973, p. 226-8.
13. Max Weber, "Critical Studies in the Logic of the Cultural Sciences", parte II: "Objective Possibility and Adequate Causation in Historical Explanation", em *The Methodology of the Social Sciences*, Nova York, 1949, p. 169.
14. Do mesmo modo, todo objeto *supérfluo* — um cordão de campainha ornamental, uma pipa — mostra-se um instrumento de morte. Por esta razão, não há espaço para o amor na ficção policial. O amor — a superestimação do objeto ("ela/ele não é como os outros") e a recusa a trocá-lo ("ou ele/ela ou ninguém") — pode, na verdade, ser acusado de violento desprezo pelo princípio da equivalência. Não admira que a verdadeira paixão sempre acabe manipulada pelo criminoso.
15. Claude Lévi-Strauss, "Reflections on a Work by Vladimir Propp", em *Structural Anthropology 2*, Harmondsworth, 1978, p. 135.
16. Sobre isso, ver Umberto Eco, "Il mito di Superman", em *Apocalittici e integrati* (1965), Milão, 1974, p. 232 e *passim*.
17. A coincidência entre o novo e o imutável aqui referida foi estabelecida por Benjamin em seus textos sobre Baudelaire e considerada homóloga à estrutura das mercadorias, na qual um conteúdo sempre novo (isto é, o valor de uso) é mero suporte para a fixidez e a abstração da *forma* das mercadorias, ou seja, o seu valor de troca. (Ver a introdução de *Calibano* 2: *Il nuovo e il sempreuguale*, Roma, 1978, sobre isso e sobre sua conexão com a teoria da alegoria de Benjamin.) No entanto, a solução de Benjamin parece-me cada vez mais insatisfatória, ainda que, com certeza, explique *um* aspecto do problema. Com efeito, a formulação "imutável", diversamente do valor de troca, não é uma entidade verdadeiramente abstrata, ou seja, sem nenhuma determinação; pelo contrário, é uma combinação dotada de significado, que fica diferente caso se esteja lidando com a ficção policial, a ficção científica ou a moderna poesia alegórica. Benjamin, na verdade, nos diz o que *liga* a mercadoria ao texto, não o que os *diferencia*.
18. Max Weber, "Science as a Vocation", H. H. Gerth e C. Wright Mills, orgs., *From Max Weber. Essays in Sociology*, Londres, 1970, p. 137.
19. T. S. Eliot, "Tradition and the Individual Talent", em *The Sacred Wood*, Londres, 1960, p. 53-4, 58.

20. Sobre isso, ver Karl Polanyi, *Origins of Our Time: The Great Transformation* (1944), Londres, 1945; e Michel Foucault, *Discipline and Punish: the Birth of the Prison* (1975), Londres, 1977.
21. Max Weber, "Objective Possibility...", p. 169.
22. Max Weber, "'Objectivity' in Social Science and Social Policy", em *The Methodology of the Social Sciences*, p. 57.
23. O único problema pode consistir numa *combinação* pouco comum deles, que Poe viu, bem cedo, como única forma possível de novidade. A mesma idéia vai se esgueirar em numerosos manuais do século XX dirigidos a candidatos a escritores de mistério, nos quais a ficção policial costuma ser comparada ao xadrez ("A carta roubada" começa com uma discussão sobre jogos), que permite um número infinito de situações com um conjunto finito de regras e peças.
24. Eco, *Theory*, p. 224. Para citar um paralelo atualmente em voga: o verdadeiro investigador, que tem de *construir* um código antes *inexistente* para explicar as pistas, não é Holmes, mas sim Freud.
25. Holmes sempre acusa Watson de ser "literário" demais em seus contos: "O crime é comum. A lógica é rara. Portanto, é da lógica, e não do crime, que você deveria tratar. Você degradou o que seria um programa de aulas numa série de historinhas" ("As faias cor de cobre"). Mas quando (em "O rosto lívido") Holmes tenta ele mesmo contar a história, só consegue reproduzir exatamente as mesmas técnicas empregadas por Watson: "Sou forçado a admitir que, depois de tomar a pena nas mãos, começo a perceber que a questão precisa ser apresentada de uma forma que consiga interessar ao leitor."
26. Daí as grandes possibilidades que a ficção policial oferece ao *kitsch*, ou seja, à mobilização ostentatória de "efeitos literários" pré-fabricados e supérfluos, da qual Raymond Chandler era mestre. Seu Marlowe incorpora o tempo todo, no processo de investigação, digressões que, estritamente falando, nada têm a ver com isso (os pensamentos sobre o destino do besouro em *Farewell My Lovely*) e nunca deixa passar a oportunidade de usar uma metáfora exuberante ("olhou em volta tão imperceptível quanto uma tarântula numa fatia de pão-de-ló..."). O que não tem valor para a ficção policial se faz passar por *valor estético*, objeto nostálgico que o imperativo do trabalho e a vulgaridade dos leitores (e da vida) relegam ao esquecimento.
27. "Isso [a consciência do homem quanto à própria existência] aparece, de um lado, como algo *subjetivamente* justificado na situação social e histórica, como algo que pode e deve ser entendido, ou seja, como 'certo'. Ao mesmo tempo, *objetivamente*, desvia-se da essência da evolução da sociedade e deixa de destacá-la e exprimi-la de forma adequada. Ou seja, objetivamente aparece como 'falsa consciência'" (Georg Lukács, *History and Class Consciousness*, Londres, 1971, p. 50).
28. "Se considerarmos a relação entre texto e leitor um tipo de sistema que se regula a si mesmo [...] há uma 'realimentação' constante de 'informações' já recebidas, de

modo que ele mesmo está fadado a inserir suas próprias idéias no processo de comunicação. [...] A interação dinâmica entre texto e leitor tem o caráter de um evento, o que ajuda a criar a impressão de que estamos envolvidos em alguma coisa real" (W. Iser, "The Reality of Fiction: a Functionalist Approach to Literature", *New Literary History*, VII, nº 1, outono de 1975, p. 19-20).

29. Karl Marx, *Capital*, v. 3, Harmondsworth, 1981, p. 956, 968 (grifo meu).
30. Nikolas Rose, "Fetishism and Ideology: a Review of Theoretical Problems", em *Ideology and Consciousness*, nº 2, outono de 1977, p. 37.
31. Lucio Colletti, *From Rousseau to Lenin*, Londres, 1972, p. 234-5.
32. Georg Simmel, "On the Concept and the Tragedy of Culture", em *The Conflict in Modern Culture and Other Essays*, Nova York, 1968, p. 35-6, 41-2.

## Jardim-de-infância

1. Edmondo De Amicis, *Cuore,* Milão 1886; as citações são da tradução autorizada para o inglês de G. S. Godkin, *Heart*, Londres, 1895. Ferenc Molnár, A *Pál-utcai fiúk*, Budapeste, 1907: aqui as citações foram tiradas da tradução *I ragazzi di via Pál*, Milão, 1978, e os números de página são desta edição. O título em inglês é de uma tradução já esgotada de Louis Rittenberg, Nova York, 1927; Florence Montgomery, *Misunderstood*, Londres 1869.
2. A volta a uma verdade preliminar é destacada nas frases que se seguem à frase "comovente".

   "— No seu, pai? O senhor sempre pegou Miles no colo. Nunca a *mim*.

   — Nunca pensei que você quisesse o meu colo, Humphrey.

   — Ah, tantas vezes eu quis... Mas sabia que o senhor o preferia.

   — Oh, não chore!" (*Incompreendido*, p. 285).

   "[János Bóka] não se importou de, pela primeira vez na vida, não se mostrar calmo numa situação inesperada; não se importou de sentir-se como criança. Continuou a chorar" (*Os meninos da Rua Paulo*, p. 183).
3. Neste momento Humphrey está condenado à morte e Ferruccio já morreu. No caso de Bóka, contudo, é outra pessoa que morre ("Ele também percebeu que todos tinham entendido, mas ninguém tivera coragem de falar. Ele também viu que seu soldadinho se desvanecia. Sabia o fim que o esperava e que este fim não estava longe", *Os meninos da Rua Paulo*, p. 183). Diversamente de *Coração* e *Incompreendido*, o romance de Molnár tem dois protagonistas, Nemecsek e Bóka. Essa característica estrutural (imitada por Segal em *Love Story*) faz dele, como veremos, o exemplo mais interessante da "literatura comovente".

4. J. M. Lotman, *The Structure of the Artistic Text*, Ann Arbor, 1977, p. 267.
5. Como escreveu Erwin Panofsky num ensaio famoso também dedicado ao problema do ponto de vista: "O ponto de vista [...] pode, para aplicar à história da arte o termo feliz cunhado por Ernst Cassirer, ser considerado uma daquelas 'formas simbólicas' pelas quais 'um significado espiritual é unido a um signo sensual concreto e torna-se intimamente identificado com este signo'." E mais adiante: "A história do ponto de vista pode ser entendida com igual correção como triunfo do sentimento de distanciamento e objetivação da realidade ou como triunfo da força de vontade humana, que nega as distâncias; e também como consolidação e sistematização do mundo externo ou como extensão da esfera do ego." "Die Perspektive als 'symbolische Form'", em Fritz Saxl, org., *Vorträge der Bibliothek Warburg 1924-25*, Leipzig-Berlim, 1927, p. 268 e 287.
6. Eis o que distingue a literatura comovente da tragédia. A tragédia também gira em torno de um antagonismo implacável entre o comportamento concreto e os valores culturalmente reconhecidos. Mas no decorrer da ação trágica a esfera de valores, em vez de se reafirmar de maneira definida como nos finais que examinamos aqui, torna-se cada vez mais ambígua e irreconhecível. Isso impede a concórdia emocional espontânea e imediata, essencial para fazer alguém chorar. O melhor exemplo talvez seja o Hamlet tantas vezes cruel e hipócrita nos dois últimos atos; como chorar pelo seu destino? As coisas são diferentes em *Otelo* e *Rei Lear*, mas só no que tange a Desdêmona e Cordélia. Otelo e Lear, que atraem inevitavelmente a maior parte da atenção da platéia, sofrem metamorfoses semelhantes à de Hamlet. A única peça de Shakespeare que talvez possa ser classificada de "chorosa" é *Romeu e Julieta*, e talvez não por acaso os críticos sempre se sentiram pouco à vontade quando quiseram classificá-la num "gênero" específico.
7. Os problemas que tocamos nos quatro últimos parágrafos estão muito longe de encontrar solução satisfatória na teoria literária, embora sejam, evidentemente, fundamentais. No dia em que alguém decidir reexaminar o conceito e o período do "realismo" na ficção, tarefa que os críticos dos últimos anos evitaram estudadamente, talvez possa haver algum avanço.
8. " — Pense nisso, Ferruccio! Pense naquele pobre jovem desta aldeia, Vito Mozzoni, que hoje vive na cidade grande se passando por vagabundo; que, aos 24 anos, já esteve duas vezes na cadeia; que fez sua pobre mãe morrer de coração partido e o pai fugir, de desespero e vergonha, para a Suíça. Pense naquela criatura má cuja saudação o seu pai teria vergonha de retribuir, sempre perambulando com vadios piores do que ele" (*Coração*, p. 166).
9. Este modelo da transmissão de valores foi um tiro pela culatra contra o próprio *Coração* (afinal de contas, há justiça neste mundo); quem tentaria lê-lo de novo depois

de escapar dos cinco anos de ensino fundamental? *Coração* "faz parte" da escola na Itália de um jeito essencial, como o recreio, as férias de Natal e o medo inigualável de não saber a lição. Assim que se termina a escola essas coisas perdem todo o significado e espanta saber que já o tiveram.

10. A partir daqui, vou me referir exclusivamente ao diário de Enrico Bottini; o sistema retórico e os valores culturais em funcionamento nas "histórias mensais" estão muito mais próximos dos de *Incompreendido* e *Os meninos da Rua Paulo* do que do resto de *Coração*. Não consigo explicar porque há essa descontinuidade estrutural no livro de De Amici. Mas não há dúvida alguma de que existe. É confirmada pelo fato de que o diário de Enrico nunca contém um só comentário sobre as "histórias mensais"; é quase como se ele não as lesse ou não tivesse conseguido entendê-las. [A narrativa de *Coração* tem a forma de um diário dividido em meses escrito pelo menino Enrico Bottini. A cada mês, ele transcreve uma história que o professor conta à classe. É sempre um conto exemplar sobre um bom menino ou menina de alguma das várias regiões da Itália unificada. A história de Ferruccio, "Sangue romanhês", é a história do mês de março — Nota do tradutor para o inglês.]
11. Considerem-se as duas únicas mortes na parte do diário de *Coração*: a da mãe de Garrone (quando este já é um "homem") e a da ex-professora de Enrico (quando Enrico já terminou o primeiro ano). Será por acaso que nas duas ocasiões a mulher que morre é aquela cujo filho, ou aluno, "cresceu"? Não será que o dedo acusador aponta implicitamente o crescer como causa daquela morte, já que, depois que o filho cresce, o que resta à mãe num romance de De Amicis? E quem gostaria de crescer diante de um entrelaçamento tão fatal entre causa e efeito?
12. Este comportamento "adulto" é copiado pelos membros do Clube do Betume, um grupo de garotos com fins puramente econômicos, atacado por rivalidades contínuas e mesquinhas. Molnár dedica muito espaço às ações do Clube, provavelmente para aumentar o contraste entre esse tipo de comportamento e os ideais muito diferentes que guiam o grupo liderado por Bóka. Mas vale lembrar que, no fim da batalha, quando os dois grupos rivais se desfazem, o Clube do Betume se corrige e todo o penúltimo capítulo (quando Nemecsek já está morrendo) se ocupa de sua enésima reunião. É como dizer: a verdadeira prova, a verdadeira batalha não é contra a Gangue do Jardim Botânico e seu general Ferenc Ács, mas contra esses adultos-meninos, já tão prosaicos e, quando surge a necessidade, cruéis. Não se deve esquecer que a morte de Nemecsek é causada, em última instância, exatamente pelo seu desejo de ser absolvido das acusações do Clube do Betume, que zombou dele e o humilhou ao considerar traição o que fora, na verdade, um ato de heroísmo.

13. Walter Benjamin, "Fate and Character", em *One-Way Street and Other Writings*, Londres, 1979, p. 127. Encontram-se considerações quase idênticas em *The Origin of German Tragic Drama*, Londres, 1977.
14. Se a civilização e a cultura da Europa burguesa foram mesmo fiéis a esse ideal é algo completamente diferente. Fica bem claro que a *Bildung* sempre foi reservada para poucos — pouquíssimos. Quando se analisa o enredo do romance, que em geral é considerado o *locus classicus* do desenvolvimento desse ideal, há razões excelentes para acreditar que foi uma longa tentativa de frustrar, em vez de promover, o conceito de *Bildung*. Voltarei a isso na próxima parte deste ensaio, mas é claro que o problema precisa de um tratamento muito mais extenso.
15. T. W. Adorno, "Sociology and Psychology II", p. 92.
16. Hegel, *Phenomenology of Spirit*, Oxford, 1979, p. 214-5 e 221.
17. *Ibid.*, p. 226.
18. Hegel, *Aesthetics*, Oxford, 1975, p. 567: "Mas no amor romântico tudo gira em torno do fato de que *este* homem ama exatamente a *esta* mulher e ela a ele. A única razão pela qual é exatamente este homem ou esta mulher específica baseia-se no caráter próprio e particular da pessoa, na contingência do capricho." O que poderia ser mais "meramente pretendido" que a superioridade *dessa* pessoa sobre *todas as outras*?
19. *Ibid.*, p. 559: "O homem de honra [...] fabrica metas caprichosas para si, apresenta-se como um certo personagem [assumido] e, portanto, prende-se, aos seus próprios olhos e aos olhos dos outros, a algo que, em si mesmo, não tem obrigatoriedade nem necessidade. Nesse caso, não é a própria coisa mas sim a sua idéia subjetiva que lança em seu caminho dificuldades e complicaçãoes, porque torna-se questão de honra sustentar o personagem que assumiu." Aqui não dá para não ver a obstinação sempre *excessiva* e desproporcional dos nossos pequenos heróis.
20. *Phenomenology of Spirit*, p. 234-5.
21. *Aesthetics*, p. 593.
22. O professor Giuseppe Petronio, em certas reflexões sobre o meu ensaio sobre a literatura policial, observou que girar em torno de Marx, Jakobson ou Lévi-Strauss para falar de Conan Doyle é bem idiota (ver a introdução em G. Petronio, *Letteratura di massa. Letteratura di consumo*, Bari, 1979, p. XVI-XVIII). Quem sabe com que tipo de cara vai ficar agora ao ver Hegel de braço dado com Nemecsek! É óbvio que é fácil achar muito Hegel em Goethe e muito Goethe em Hegel; como poderia ser diferente? Mas a grande construção intelectual não é aquela que sempre surge *apenas* nas obras-primas de outros grandes intelectuais. É aquilo que agarra, canaliza e modifica o "espírito da época" em *toda a* escala de suas manifestações, da mais elevada à mais insignificante. Também percebo que encontrar Hegel em Goethe é fácil e "seguro", enquanto achá-lo em Molnár é árduo

e talvez errado. Mas, infelizmente, os professores universitários são pagos também para elaborar argumentos.

23. No pólo oposto do personagem que se mantém firme até o fim está, evidentemente, o tipo do *traidor*, que é também, segundo Julia Kristeva, o herói romântico por excelência ("no romance [diversamente do épico] o herói não se transforma em traidor, ele é um traidor", "Narration et transformation", *Semiotica I* (1969) 4, p. 436). *Os meninos da Rua Paulo* também contém a história de um traidor, Geréb, que depois se arrepende, conseguindo redimir-se por completo e reconquistar, finalmente, a nossa simpatia. Sua história seria o exemplo ideal para mostrar a elasticidade moral do mundo do romance e as vantagens da acomodação. Mas é sintomático que Molnár não faz de Geréb o protagonista do romance e que esta história fique relegada às margens da trama, como um modelo narrativo possível e admitido, mas rejeitado.
24. Sigmund Freud, "Civilization and its Discontents" (1930), em Freud, v. XXI, p. 81.
25. Michel Foucault, *Histoire de la folie à l'âge classique*, Paris, 1961, p. 549-50.

## O longo adeus

1. "O conflito de 1914-18 apenas precipitou e agravou imensamente uma crise que não tinha criado. Mas as raízes do dilema não podiam ser discernidas na época; e o horror e a devastação da Grande Guerra pareceram, aos sobreviventes, a fonte óbvia dos obstáculos à organização internacional que surgiram de forma tão inesperada. Afinal, de repente nem o sistema econômico nem o sistema político do mundo funcionava e as feridas terríveis infligidas à essência da vida pela Primeira Guerra Mundial pareciam ser uma explicação. Na verdade, os obstáculos à paz e à estabilidade no pós-guerra derivavam das mesmas fontes das quais brotara a própria Grande Guerra" (Karl Polanyi, *Origins of Our Time: The Great Transformation*, Londres, 1945, p. 30-1).
2. Alberto Asor Rosa, "Cultura e società di massa", em *Quaderni Storici*, 20, 1972.
3. Stephen Heath, "Ambiviolences", *Tel Quel*, nº 50, 1972.
4. Umberto Eco, *Le poetiche di Joyce*, 2ª ed., Turim, 1966, p. 91-2.
5. Lucio Colletti e Claudio Napoleoni, *Il futuro del capitalismo: crollo o sviluppo?*, Bari-Roma, 1970, p. 153-4. (Uma tradução parcial para o inglês do ensaio de Colletti foi publicada com o título "The Theory of the Collapse of Capitalism", em Ted Honderich, org., *Social Ends and Political Means*, Londres, 1976.)
6. Karl Marx, *Theories of Surplus Value*, Nova York, 1952, p. 388.
7. Karl Marx, *Capital*, v. 1, Londres, 1957, p. 45. Neste ponto é necessário referir-me a *Ulisses* — especificamente, ao capítulo "Circe". Aqui Joyce traduz "o mundo nebulo-

so da religião" (o capítulo também é conhecido como "Walpurgisnacht") na realidade cotidiana da metrópole. De repente, as mercadorias surgem como divindades modernas: os objetos fogem ao controle das pessoas e começam a mover-se, cantar e falar. Do mesmo modo, as pessoas caem presas de metamorfoses contínuas que as dominam e sufocam a ponto de perderem toda identidade nessa ciranda alienante, o que prova a precariedade dos papéis sociais e psíquicos.

8. E. J. Hobsbawm, *Industry and Empire*, Harmondsworth, 1971, p. 130-1. Cf. também Maurice Dobb, *Studies in the Development of Capitalism*, Londres, 1946, p. 313-4.
9. Cf. Rudolph Hilferding, *Finance Capital: A Study of the Latest Phase of Capitalist Development* (Londres, 1981, p. 408, nota 8): "Não há dúvida de que a trajetória diferente da evolução seguida pelo sistema bancário na Inglaterra, que dá aos bancos muito menos influência sobre a indústria, é uma das causas da maior dificuldade de cartelização na Inglaterra [...] Os aperfeiçoamentos da organização da indústria inglesa, especialmente o crescimento das combinações nos últimos anos, devem-se à concorrência norte-americana e alemã. *A indústria inglesa foi retardada pelo seu monopólio no mercado mundial*" (grifo meu).
10. Stuart J. Woolf, "Le trasformazioni del mondo europeo 1880-1910", *Quaderni Storici*, 20, 1972.
11. Alick West, *Crisis and Criticism and selected Literary Essays*, Londres, 1975, p. 120-1.
12. "Intellectual stimulation as such was, he felt, from time to time, a first rate tonic for the mind. Added to which was the coincidence of meeting, discussion, dance, row, old salt, of the here today and gone tomorrow type, night loafers, the whole galaxy of events, all went to make up a miniature cameo of the world we live in, especially, as the lives of the submerged tenth, viz., coalminers, divers, scavengers, etc., were very much under the microscope lately", *Ulysses*, Harmondsworth 1968, p. 567. Todas as citações são dessa edição.
13. Os textos de Mirsky e Radek estão incluídos na antologia *James Joyce: The Critical Heritage*, v. 2 (1928-41), Robert H. Deming, org., Londres 1970, p. 592, 625.
14. A melhor análise do significado geral deste fenômeno é de Perry Anderson, "Components of National Culture", *New Left Review*, nº 50, 1968. Quanto ao lado literário da questão, que é também o mais visível, ver Christopher Caudwell, *Romance and Realism. A Study in English Bourgeois Literature*, Princeton, 1970, e Terry Eagleton, *Exiles and Emigrés*, Londres, 1970. Também vale notar, contudo, que a função condutora dos imigrantes surge até na esfera econômica (o domínio político, que é tradicionalmente "fechado", permanece estranho ao fenômeno e, por obter essa imunidade, paga o preço do provincianismo). Cf. Hobsbawm, *Industry and Empire*, p. 169: "A sonolência da economia já era óbvia na sociedade britâni-

ca nas últimas décadas anteriores a 1914. Os raros empresários dinâmicos da Grã-Bretanha eduardiana já eram, com maior freqüência, estrangeiros ou oriundos de grupos minoritários (os financistas judaico-alemães, cada vez mais importantes, que deram a desculpa para o anti-semitismo generalizado do período; os norte-americanos, tão importantes no setor elétrico; os alemães, no setor químico; os quacres e os tardios dissidentes das províncias, como Lever, que explorou os novos recursos do império tropical)."

15. A opção feita em *Ulisses* de espremer o tempo do romance num só dia é verdadeiramente radical. Ao fazê-lo, Joyce nos diz que todos os dias são iguais; isso devasta, para tristeza de Lukács, o "ponto de vista" histórico e literário (que é uma das características estruturais básicas do romance como gênero) e a idéia de "progresso" histórico. Uma opção dessas, contudo, só foi possível para alguém tão envolvido na especificidade da crise inglesa que não percebeu os fenômenos claríssimos de reorganização que aconteciam no resto do mundo. A comparação entre Joyce e Kafka é aqui reveladora e, se feita de modo sistemático, ajudaria a entender muitos aspectos do elo entre literatura, ideologia e sociedade em nosso século.

    Quanto ao problema em questão — o "tempo" no romance — Kafka poderia, com razão, ser colocado no pólo oposto a Joyce: seus romances desenvolvem-se quase exclusivamente no eixo diacrônico e têm em seu âmago um conflito irremediável (impensável em Joyce) entre um indivíduo isolado e aparelhos de poder impessoais (o triunvirato Banco-Tribunal-Igreja, finalmente unificado no Castelo), que já pertencem ao mundo do capitalismo do século XX. Nem é preciso dizer que o resultado das tramas diacrônicas de Kafka também devasta todos os "pontos de vista" consoladores.

16. Considero secundário que, em *A terra desolada*, o mito seja incapaz de cumprir inteiramente a sua função e, no final, tenha a mesma futilidade anárquica da história; a questão é que o poema produz uma tensão contínua, uma oposição reiterada entre esses dois pólos, de modo que a religião, que encerra *A terra desolada* e traz à luz o Eliot dos anos seguintes, é chamada a resolver os mesmos problemas enfrentados pelo mito; na verdade, ela é um tipo de supermito.

17. O fato de ser um mito sobre um *Rei* é tão importante quanto o de ser um mito; indica que aquela sociedade só pode regenerar-se a partir *do ápice*; evidencia o problema da *consciência* deste ápice e, portanto, destaca a função essencial de uma *cultura dominante* e da literatura como exemplo de capacidade formal e ordeira; com isso, volta-se exatamente à função específica do mito.

18. Max Horkheimer e Theodor W. Adorno, *Dialectic of Enlightenment*, Londres, 1973, p. 43-4, 46, 61 (grifo meu). Com certeza a interpretação de Homero feita por Horkheimer e Adorno é questionável, mas o que me preocupa aqui não é o verdadeiro significado histórico da *Odisséia*, mas sim o papel que o poema teve ao dar forma

à imaginação ocidental. (Nesse aspecto, acredito que *Dialectic of Englightenment* nos oferece um quadro fiel.)

19. *Science & Sociology*, v. 28, nº 1, inverno [dez.-fev.] de 1964.
20. Ernst Cassirer, *Language and Myth*, Nova York, 1946, p. 33, 32 (grifo meu).
21. Umberto Eco, *Le poetiche di Joyce*, p. 78 (grifo meu).
22. Aqui também a técnica narrativa de Kafka está no pólo oposto da de Joyce. Nos romances de Kafka, a destruição igualmente radical da liberdade e da unidade individuais brota de causas totalmente diferentes. A razão não está mais "dentro" do indivíduo e de sua incapacidade de controlar racionalmente seus desejos e associações ideais, mas "fora" dele, em sua rendição inevitável a uma autoridade prática e ideológica que lhe nega todo recurso a provas "concretas". A técnica narrativa de Kafka, portanto, não exprime "confusão" mas, em vez disso, uma racionalidade rigorosa e abstrata.
23. Baran e Sweezy, p. 24.
24. Cassirer, p. 13.
25. Galvano Della Volpe, *Critique of Taste*, Londres, 1978, p. 240.
26. Ernst R. Curtius, "Technique and Thematic Development of James Joyce", em Deming, org., p. 469.
27. A citação, tirada do diário de Musil, está incluída na introdução de Cesare Cases a *L'uomo senza qualità*, Turim, 1972, p. xviii-xix.
28. A diferença entre a poética "decadente" e *Ulisses* pode ser resumida na seguinte fórmula: na primeira, um único significante produz muitos significados, enquanto em Joyce um único significado produz muitos significantes. Essa inversão dissolve o papel demiúrgico do autor, que se coloca no mesmo nível de todos os outros autores possíveis.
29. Portanto, *Ulisses* não é uma obra "eriçada de possibilidades" e, conseqüentemente, "aberta", como Eco gostaria; a idéia de "possibilidade" que transmite perdeu toda concretude e objetividade (como Lukács viu com total clareza em *O significado do realismo contemporâneo*) e tornou-se uma ilusão subjetiva e meramente formal. Em outras palavras, em *Ulisses* tudo é possível porque tudo é indiferente.

## De *A terra desolada* ao paraíso artificial

1. Eis talvez o exemplo mais famoso: "Quando a mente de um poeta está perfeitamente equipada para o trabalho, fica amalgamando constantemente experiências disparatadas; a experiência do homem comum é caótica, irregular, fragmentada. Este último se apaixona ou lê Spinoza e essas duas experiências não têm nada a ver uma com a outra, nem com o barulho da máquina de escrever nem com o cheiro da co-

mida; na mente do poeta, essas experiências sempre formam novos todos" ("The Metaphysical Poets" (1921), Frank Kermode, org., *Selected Prose of T. S. Eliot*, Londres, 1975, p. 64).

2. Mais exatamente, forma o esqueleto das três primeiras partes do poema, com razão as mais famosas e interessantes. Alessandro Serpieri ("Il doppio registro del *Waste Land*", em *Hopkins-Eliot-Auden. Saggi sul parallelismo poetico*, Bolonha, 1969) escreveu um ensaio bem convincente sobre a descontinuidade estrutural de *A terra desolada* e a conseqüente passagem do método mítico para o alegórico-didático.
3. "Ulysses, Order, and Myth", *The Dial*, novembro de 1923.
4. Georg Lukács, *The Theory of the Novel*, Londres, 1978, p. 46, 56.
5. "On Sense and Reference", em Peter Geach e Max Black, orgs., *Translations from the Philosophical Writings of Gottlob Frege*, Oxford, 1952, p. 57.
6. *Ibid.*, p. 59-60.
7. Max Weber, "Objectivity' in Social Science and Social Policy", em *The Methodology of the Social Sciences*, Nova York, 1949, p. 57.
8. *Ibid.*, p. 58.
9. Esta é, por exemplo, a função do princípio de "causação adequada": "A análise *unilateral* da realidade cultural a partir de 'pontos de vista' específicos [...] está livre da acusação de arbitrariedade a ponto de ser bem-sucedida na produção da percepção de interconexões que se mostraram valiosas na explicação causal dos acontecimentos históricos concretos" (*Ibid.*, p. 71).
10. "The Letter of Lord Chandos", em *Selected Prose*, Londres, 1952, p. 133-5.
11. R. M. Rilke, *The Duino Elegies*, Nova York, 1972, I, versos 69-78.
12. "L'impassibilité!" Assim Lukács inicia seu ensaio sobre Stefan George ("The New Solitude and Its Poetry", em *Soul and Form*, Londres, 1974, p. 79). E mais adiante: "O homem das canções de George [...] é um solitário separado de todos os laços sociais. O conteúdo de cada uma das suas canções e o de sua totalidade é algo que devíamos entender, mas ninguém consegue: que dois seres humanos nunca podem se tornar um só. [...] Nos poemas de George, praticamente não há queixas; eles olham a vida bem nos olhos, calmamente, talvez com resignação, mas sempre com coragem, sempre com a cabeça erguida. [...] Um adeus belo, forte, corajoso, à moda das almas nobres, sem queixas nem lamentações, com o coração partido mas o passo firme, 'bem composto', como explica a maravilhosa, abrangente e verdadeira expressão goethiana" (*Ibid.*, p. 87-90).
13. Sigmund Freud, *Civilization and its Discontents*, em James Strachey com Anna Freud, orgs., *The Standard Edition of the Complete Psychological Works of Sigmund Freud*, v. 21 (1927-31), Londres, 1961, p. 76.
14. "Hamlet And His Problems", *The Sacred Wood* (1920), Londres, 1967, p. 100, grifo meu.

15. Respectivamente, "It is impossible to say just what I mean"; "And I must borrow every changing shape/ To find expression"; "After such knowledge, what forgiveness?". Sobre isso, ver Terry Eagleton, *Exiles and Émigrés: Studies in Modern Literature*, Londres 1970, p. 140: "Nos primeiros poemas, o correlativo objetivo, em certo sentido mais amplo que a percepção das imagens locais, não é atingido; ou, mais exatamente, o assunto de alguns destes primeiros poemas é, em si mesmo, a busca do correlativo objetivo."
16. G. Ferraro, *Il linguaggio del mito*, Milão, 1979, p. 164-5.
17. *Ibid.*, p. 22.
18. Claude Lévi-Strauss, *The Savage Mind*, Londres, 1962, p. 223.
19. "O universo nunca se carrega de significado suficiente e [...] a mente sempre tem mais significados disponíveis do que objetos com os quais relacioná-los." É exatamente essa discrepância entre um mundo "pobre" demais em significado e uma cultura "rica" demais em valores impossíveis de aplicar que o mito tenta curar (Claude Lévi-Strauss, *Structural Anthropology*, Harmondsworth, 1972, p. 184).
20. *The Savage Mind*, p. 22.
21. *Ibid.*, p. 21
22. O passado tem um monte enorme de matérias-primas para usar à vontade; segundo esse ponto de vista, *A terra desolada* é a tradução literária de uma das grandes instituições culturais do século XIX: o museu. A obra de arte preservada no museu, como as "citações" de Eliot, é sempre produto de uma descontextualização; para ser levada ao museu, precisa ser arrancada de seu ambiente original. (Para explicar de forma mais prosaica, tem de ser roubada; e a observação de Eliot — "poetas imaturos imitam; poetas maduros roubam" — poderia ser o lema de Lord Elgin.) Em compensação, contudo, a peça de museu é poupada dos efeitos devastadores do tempo e todos os expedientes são usados para torná-la praticamente imortal; do mesmo modo, o seu arranjo dentro da estrutura mítica confere aos roubos de *A terra desolada* uma validade metatemporal.
23. *The Savage Mind*, p. 232, 234. Claude Lefort exprime conceitos semelhantes num ensaio de 1952 ("Sociétés sans histoire et historicité", em *Les formes de l'histoire*, Paris, 1978, p. 39): as sociedades primitivas também se encontram na situação de ter de enfrentar "eventos", mas não possuem uma cultura capaz de lhes atribuir valor. "Evento" e "significado" surgem, assim, como entidades inconciliáveis: "Seja qual for o impacto do evento sobre a sociedade e a cultura ou da difusão dos seus efeitos, isso não põe em funcionamento uma dialética da mudança. Ele não é um portador de significado; todos parecem determinados a assimilá-lo, a favorecer a acomodação entre os imperativos da adaptação e o desejo de preservação e, de modo algum, ceder ao encanto do novo."
24. Oswald Spengler, *The Decline of the West*, Londres, 1926, p. 96.

25. *Ibid.*, p. 112. A "Cultura" (*Kultur*) de Spengler, embora tendo por trás de si uma tradição antiga e especificamente alemã, coincide, nos pontos essenciais, com o "Mito" de Eliot.
26. Lucien Febvre, "De Spengler à Toynbee. Quelques philosophies opportunistes de l'histoire", *Revue de Metaphysique et de Morale*, Paris 1936, p. 579, 578.
27. *Structural Anthropology*, p. 211.
28. Theodor W. Adorno, "The Stars Down to Earth: The Los Angeles Times Astrology Column: A Study in Secondary Superstition", *Jahrbuch für Amerikastudien*, Heidelberg, 1957, Band 2, p. 27.
29. Cléanth Brooks, *Modern Poetry and the Tradition*, Nova York, 1965, p. 167.
30. "A ordem pré-burguesa não conhece ainda a psicologia, a sociedade supersocializada não a conhece mais. [...] A estrutura social de poder dificilmente ainda precisa da ação mediadora do ego e da individualidade [...] Os tipos realmente contemporâneos são aqueles cujas ações não são motivadas por um ego nem, estritamente falando, de forma inconsciente, mas sim refletem como um autômato as tendências objetivas. Juntos, encenam um ritual sem sentido seguindo a batida de um ritmo compulsivamente repetitivo e tornam-se emocionalmente empobrecidos " (T. W. Adorno, "Sociology and Psychology II", *New Left Review*, nº 47, janeiro-fevereiro de 1968, p. 95).
31. Isso, aliás, aproxima-se das primeiras grandes manifestações da literatura de massa. O mundo da ficção policial também é habitado apenas por estereótipos, portadores puros e simples de um papel social; e quem não se conforma com o que é termina, inevitavelmente, como criminoso. Neste ponto, e ainda em outros, seria esclarecedor, embora infelizmente impossível aqui, comparar sistematicamente as obras de Eliot e Wagner; a *Tetralogia* foi a primeira tentativa de basear a cultura européia mais avançada numa estrutura mítica.
32. Só há duas exceções: os versos 359-65 e 422-33. O primeiro trecho tem utilidade dúbia (motivada, segundo Eliot, pelo que aconteceu numa das expedições à Antártida); o segundo é um eco do método de composição usado nas três primeiras partes, agora totalmente atenuado pelo registro alegórico-didático predominante.
33. "Tiresias, although a mere spectator and not indeed a 'character', is yet the most important personage in the poem, uniting all the rest." A palavra *personage* já estava bastante fora de moda na época de Eliot; provavelmente ele a usou, como no caso de "*significance*", porque a palavra lhe permitia rejuntar significados que, com a passagem do tempo e a especialização da linguagem, tinham se separado entre si: "pessoa real", "personagem literário", "ator", "papel social".
34. Max Horkheimer e Theodor W. Adorno, *Dialectic of Enlightenment*, Londres 1973, p. 31.
35. É claro que não quero dizer que as proibições e os tabus não existam mais na cultura de massa. A questão, em vez disso, é que o proibido não é mais a fonte oculta da

produção cultural, como acontecia no sistema freudiano que, não por acaso, baseava-se no conceito de "negação", pelo qual um fenômeno cultural só pode existir se "nega", ou seja, torna aceitável um desejo proibido. Como Marcuse observa corretamente nas primeiras linhas de *Eros e civilização*, para Freud "o sacrifício metódico da libido [...] é cultura" (Londres, 1972, p. 23).

Mas parece-me que a dinâmica envolvida mudou nas últimas décadas e que as áreas proibidas estão ainda mais reduzidas a meros resíduos, destinados à corrosão pelo tempo que passa; podem ser percebidas como obstáculos, como limitações dolorosas e até intoleráveis; mas não possuem mais um papel *fundamentador* com relação ao nosso sistema cultural. Não é, portanto, que os tabus tenham desaparecido, mas que sua *função* mudou.

36. "O conhecimento contido num conceito mitológico é confuso, feito de associações flexíveis e sem forma. É preciso insistir com firmeza neste caráter aberto do conceito; ele não é, de modo algum, uma essência abstrata e purificada; é uma condensação sem forma, instável, nebulosa [...] *quantitativamente*, o conceito é muito mais pobre que o significante, muitas vezes nada mais faz além de re-apresentar-se" (Roland Barthes, "Myth Today", em *Mythologies*, Londres, 1972, p. 119-20). É preciso lembrar que, como diz o título do ensaio, Barthes trata do mito *hoje*; a crítica antropológica tende a não ver esta especificação.

37. Horkheimer e Adorno, p. 131.

38. Roland Barthes, "Structure du fait divers", em *Essais critiques*, Paris, 1964, p. 196-7.

39. Jean Baudrillard, *La Societé de consommation: ses myths, ses structures*, Paris, 1970, p. 39, 113.

40. *Ibid.*, p. 80-1: "O consumidor vive [o processo de diferenciação através do consumo] como liberdade, como meta, como opção de seu comportamento distinto, não o vive como compulsão de diferenciação e obediência a um código. Diferenciar-se é sempre, ao mesmo tempo, determinar a ordem das diferenças que é, desde o princípio, a realidade da sociedade total e que, inevitavelmente, ultrapassa o indivíduo [...] No entanto, é esta *compulsão de relatividade* que determina, na medida em que a ela se refere, que a inscrição diferencial *nunca terminará*. Ela só pode dar razão ao caráter fundamental do consumo, ao seu caráter ilimitado, que é uma dimensão inexplicável para qualquer teoria das necessidades e satisfações [...] O signo que distingue é sempre *tanto* positivo *quanto* negativo — exatamente isto o faz referir-se a outros signos o tempo todo e provoca a insatisfação final do consumidor."

41. Frege, p. 62-3.

42. Pode-se encontrar uma reconstrução deste processo na cultura inglesa nos ensaios de Luciano Anceschi reunidos em *Da Bacone a Kant*, Bolonha, 1972.

43. Herbert Marcuse, *One Dimensional Man*, Londres, 1972, p. 82.

44. Baudrillard, p. 191, 197.
45. Pode-se encontrar uma prova indireta desse estado de coisas nos textos teóricos de Eliot. A leitura cuidadosa demonstra que é quase impossível falar da "estética" de Eliot se por estética se entende a delimitação de uma esfera estritamente autônoma. Desde os seus primeiros ensaios, Eliot já se interessava pela arte não por suas características distintivas e, portanto, pelos seus limites, mas por sua capacidade de *fusão*, porque este lhe parece ser o meio ideal para derrubar as fronteiras entre as várias áreas culturais, e reuni-las. Todas as suas observações mais famosas vão claramente nesta direção: a arte deve incluir tudo, deve levar à formação de "todos integrais", deve voltar a unir sensação e intelecto...
46. A citação é da segunda carta de *On The Aesthetic Education of Man*, Londres, 1954, p. 26.
47. Já se fizeram muitas objeções às duas últimas frases. Como o que foi feito não pode simplesmente ser desfeito, deixei-as como estavam, embora hoje sinta que sua redação seja levemente enganadora e a idéia toda esteja expressa de uma forma elíptica demais. O que quis dizer e ainda afirmo é que a "cultura dominante", o sistema de valores mais generalizado das sociedades ocidentais, é fundamentalmente estranho e hostil à guerra. A guerra perdeu o significado e a importância que tinha na Europa do século XIX (e mais ainda nas formações sociais anteriores). Isso torna as guerras tradicionais baseadas em alistamento a longo prazo, que é a forma "democrática" de formar um exército, cada vez mais difíceis, para não dizer simplesmente inconcebíveis. É provável, portanto, que as sociedades ocidentais tenham se tornado incapazes de travar e vencer guerras enquanto *sociedades*, enquanto órgãos coletivos engajados numa mobilização geral e unidos por um conjunto de princípios comuns, como na França pós-revolucionária no final do século XVIII. Mas hoje percebo que deixei grosseiramente de lado a evolução da tecnologia militar que tornou obsoleto o modelo de "guerra democrática". As guerras contemporâneas são e devem ser travadas por um corpo de soldados profissionais selecionados ou por uma equipe de especialistas nucleares. Assim, não precisam mais de um sistema de valores "beligerante" e uma sociedade compacta para lhes dar sustentação. Avançando mais a discussão, encontramos o paradoxo de que as guerras hoje podem ocorrer *exatamente porque* a cultura dominante sente-se estranha ou hostil a tudo o que diz respeito ao Estado. O "paraíso da liberdade" na verdade funciona dos dois modos: liberta a "vida cotidiana" e, ao mesmo tempo, deixa o Estado muito mais livre para agir através de organismos separados sobre os quais se pode exercer pouco ou nenhum controle público. Esta situação foi resumida com elegância há cento e cinqüenta anos por Alexis de Tocqueville: "As nações democráticas desejam naturalmente a paz; os exércitos democráticos, a guerra."
48. Max Weber, *The Protestant Ethic and the Spirit of Capitalism*, Londres 1965, p. 53.

49. *Ibid.*, p. 80: "A valorização do cumprimento do dever nas questões mundanas como a forma mais elevada que a atividade moral do indivíduo pode assumir [...] deu inevitavelmente à atividade mundana cotidiana um significado religioso e [...] criou primeiro o conceito de um chamado nesse sentido."

## O feitiço da indecisão

1. Richard Sennett, *The Fall of Public Man*, Cambridge, 1976, p. 144.
2. Georg Simmel, "The Metropolis and Mental Life", em *On Individuality and Social Forms: Selected Writings*, Chicago, 1971, p. 325.
3. J. W. Goethe, *Faust*, traduzido para o inglês por Bayard Taylor, Sphere Books, Londres, 1969, versos 1.649-50.

## O momento da verdade

1. Uma primeira versão deste artigo foi apresentada como palestra no Programa de Literatura da Duke University, no segundo trimestre de 1986. Agradeço a Jane Tompkins, Fredric Jameson, James Rolleston e a todos os outros professores e alunos que me ajudaram a melhorá-lo com a sua discussão.

## Da evolução literária

1. Jacques Monod, *Chance and Necessity* (1970), Nova York, 1971, p. 165.
2. Stephen Jay Gould, "Shades of Lamarck", em *The Panda's Thumb* (1980), Harmondsworth, 1983, p. 71. Assim, por sua vez, disse François Jacob em sua aula inaugural no Collège de France em 1965: "Em certos aspectos, os mecanismos nervosos e cerebrais humanos formam um tipo de sistema hereditário secundário — lamarckiano, desta vez, porque a experiência acumulada por uma geração é passada à seguinte pela fala e pela escrita."
3. Uma história que se divida entre acaso e necessidade reduz ao mínimo o papel dos projetos conscientes no desenvolvimento literário e, portanto, nega à poética dos escritores a função explanadora que teve com tamanha freqüência para a cultura da esquerda (os primeiros textos de Raymond Williams, Asor Rosa na Itália). Num arcabouço darwinista, a poética segue a retórica; é o efeito e não a causa das variações literárias. É como a "motivação" do formalismo russo, que não gera o novo mecanismo, mas só contribui para torná-lo "aceitável"; é como a "racionalização" freudiana, com as conotações patéticas e impotentes do termo. Além disso, a maior

parte dos principais pontos de virada da literatura ocidental (poesia épica e lírica; tragédia clássica, renascentista e moderna; o romance, a literatura de massa, grande parte do modernismo) desenvolveu-se, em regra, sem ou contra poéticas explicitamente afirmadas. Neste processo global, o romantismo e a vanguarda — os dois bastiões dos historiadores da poética — são exceções; relevantes, sem dúvida, mas que não devem ser considerados a norma.

4. O último capítulo de *A ascensão do romance* tenta, de fato, determinar exatamente essa continuidade. No entanto, se fosse assim os romances do século XVIII teriam de ser "dirigidos" à moda lamarckista, visando organicamente uma única direção, que é exatamente o que o estudo de Watt mostrou que não acontecia. As páginas finais do livro oscilam de forma previsível entre afirmativas teóricas sobre a continuidade e o reconhecimento empírico de "direções divergentes" e "diversidades essenciais" dentro do *corpus* do século XVIII.
5. *The Way of the World*, Londres, 1987.
6. Aqui não faço distinção entre seleção "natural" (que age sobre os produtos das mutações, ou seja, os indivíduos) e a seleção de "espécies" (que age sobre o produto da especiação, ou seja, as espécies). No entanto, Stephen Jay Gould e Niles Eldredge demonstraram ("Punctuated Equilibria: the Tempo and Mode of Evolution Reconsidered", *Paleobiology*, nº 3, 1977, especialmente as p. 139-140) que a aleatoriedade da mudança e o caráter necessário da seleção permanecem imutáveis em ambos os casos; o que varia é apenas o nível taxonômico da descrição. Para o *Bildungsroman*, escolhi o nível "mais alto" (relações entre diferentes espécies) em prol da clareza; mas o nível "mais baixo" (relações entre textos individuais) também revela muitos indícios. Só é preciso lembrar o destino dos três esboços de *Wilhelm Meister*, dos quais o segundo (o *Lehrjahre*) determinou de uma vez por todas a forma do *Bildungsroman* clássico, enquanto os outros dois (o *Sendung* e o *Wanderjahre*) são até hoje grandes romances não lidos.
7. Hans Robert Jauss, "Literary History as a Challenge to Literary Theory" (1967), agora em *Toward an Aesthetic of Reception*, Minneapolis, 1983.
8. Stephen Jay Gould, "A Quahog is a Quahog", em *The Panda's Thumb*, p. 177. Ver também "Is the Cambrian Explosion a Sigmoid Fraud?", em *Ever Since Darwin*, Londres/Nova York, 1977.
9. Ver principalmente Jurij Tynjanov e Roman Jakobson, "Problems in the Study of Literature and Language" (1928) e Jurij Tynjanov, "On Literary Evolution" (1929), ambos em Ladislav Matejka e Krystyna Pomorska, orgs., *Readings in Russian Poetics*, Michigan 1978.
10. "Punctuated equilibria", *cit.*, p. 116: "Queríamos expandir o alcance dos dados concernentes argumentando que as falhas morfológicas do registro estratigráfico podem ser reais e que *a estase é um dado* — que todo caso de estase tem tanto sig-

nificado para a teoria evolucionária quanto qualquer exemplo de mudança." A frase de Derek Ager sobre o tédio e o terror também é citada neste artigo.

11. Ver "Bushes and Ladders", em *Ever Since Darwin*, e "The Episodic Nature of Evolutionary Change", em *The Panda's Thumb*.
12. Ilya Prigogine e Isabelle Stengers, *Order out of Chaos*, Toronto/Nova York/Londres/Sydney, 1984, p. 177.
13. *Ibid.*, p. 14.
14. "[Na ciência clássica] a temporalidade era olhada de cima, como uma ilusão. Isso não acontece mais hoje em dia. Descobrimos que, longe de ser uma ilusão, a irreversibilidade tem papel essencial na natureza e está na origem da maioria dos processos de auto-organização. [...] A negação do tempo e da complexidade foi fundamental para as questões culturais levantadas pelo empreendimento científico em sua definição clássica. O desafio destes conceitos também foi decisivo para a metamorfose da ciência que queremos descrever" (*ibid.*, p. 7-8). E mais adiante: "[No] equilíbrio os processos irreversíveis da termodinâmica foram desdenhados como incômodos, como distúrbios, como objetos indignos de estudo. Hoje esta situação mudou inteiramente. Sabemos hoje que, longe do equilíbrio, novos tipos de estrutura podem se originar espontaneamente. Em condições distantes do equilíbrio podemos ter transformações a partir da desordem, do caos térmico, rumo à ordem. Podem originar-se novos estados dinâmicos da matéria, estados que refletem a interação de um dado sistema com aquilo que o cerca" (*ibid.*, p. 12).
15. Francesco Orlando, *Toward a Freudian Theory of Literature* (1973), Baltimore e Londres, 1978, principalmente p. 164 e seg.
16. *Ibid.*, p. 141.
17. "Um padrão verbal labiríntico [...] as voltas, os giros, os meandros que desenham o caminho da fala [...] As palavras de Fedra tornam-se ambíguas, assim como tímidas e tortuosas. [...] A ambigüidade das palavras abertas a dois significados diferentes [...] A ambigüidade das palavras de Fedra [...] A ambigüidade se aproveita da semelhança física [...] uma verdade literal dúplice [...] palavras carregadas com tal grau de ambigüidade [...] os meandros traçados por suas palavras." E, finalmente: "Nunca, talvez, como nesses versos de Racine, o mundo poético complicou-se com significados mais ricos e contraditórios para abraçar e virar do avesso os termos de um conflito mais profundo" (*ibid.*, p. 68-71).
18. *Ibid.*, p. 67.
19. William Empson, *Seven Types of Ambiguity* (1930), Londres, 1956, p. 3.
20. No caso de *Macbeth* todas as ocorrências de ambigüidade, exceto uma, foram tiradas de monólogos; no caso de *Hamlet*, praticamente metade delas. Como os monólogos constituem cerca de 15% do texto de *Macbeth* e 8% de *Hamlet* (ver Raymond Williams, "On Dramatic Dialogue and Monologue", em *Writing in Society* [Londres,

1984]), as escolhas de Empson indicam que a distribuição de ambigüidade/figuralidade é muito irregular e que a tentativa de Orlando de mapear esta irregularidade com a sua "taxa" é realmente muito valiosa.

21. Estes episódios foram chamados "catálises" por Roland Barthes e "satélites" por Seymour Chatman; ambos os críticos contrastaram-nos aos "núcleos" ("*kernerls*"), termo padrão da narratologia para o que aqui chamo de "bifurcações".
22. Um amigo meu, formado em Cambridge, disse que, quando aluno, lia romances "virando as páginas e esperando as malditas metáforas". O seu esforço costumava ter pouco sucesso, assim como as escolas críticas baseadas na "ambigüidade" produziram pouquíssimas e estéreis discussões do romance. Outra maneira de dizer a mesma coisa: no romance, a predominância da vida cotidiana e da administração comum torna impossível para a linguagem afastar-se para "suficientemente longe do equilíbrio".
23. *Seven Types*, de Empson, é o melhor produto crítico de uma década dominada pela poesia de Eliot; quanto a Orlando, ele também nota que a figuralidade literária mais alta será encontrada na poesia modernista.
24. "Supor que o olho, com seus mecanismos inimitáveis para ajustar o foco a distâncias diferentes, para admitir quantidades diferentes de luz e para a correção da aberração esférica e cromática poderia ser formado por seleção natural parece, confesso espontaneamente, um absurdo do mais alto grau possível." Charles Darwin, *The Origin of Species* (1859), Harmondsworth, 1982, p. 217. A citação é do capítulo VI, "Dificuldades da Teoria".
25. *Ibid.*, p. 210.
26. Stephen Jay Gould e Elizabeth S. Vrba, "Exaptation: A Missing Term in the Science of Form", *Paleobiology* 1, 1982.
27. *Ibid.*, p. 12.
28. Do mesmo modo, não tem função "psicológica" (o Hamlet dos monólogos não é, de forma alguma, o "verdadeiro") nem "paradigmática" (a "cruel mancha da natureza" que atribui à Corte da Dinamarca não é confirmada pelo desenvolvimento da peça), nem sequer "persuasiva" (os heróis de Shakespeare, diversamente dos de Corneille, nunca se convencem de agir de nenhum modo dado). Tentei uma explicação histórica deste "absurdo" dramático em "O grande eclipse", incluído nesta coletânea.
29. Boris Tomashevsky, "Thematics" (1928), em Lee T. Lemon e Marion J. Reis, orgs., *Russian Formalist Criticism: Four Essays*, Lincoln, Nebraska, 1965, p. 68.
30. Viktor Shklovskij, "How *Don Quixote* Is Made", em *A Theory of Prose* (1929). (Citei da tradução italiana, De Donato [Bari, 1966], p. 111-2.)
31. "A apresentação de cada motivo separado ou cada conjunto de motivos tem de ser *motivada*. A rede de mecanismos que justifica a apresentação dos motivos individuais ou grupos de motivos chama-se *motivação*" (Boris Tomashevsky, "Thematics", p. 78).
32. Boris Ejxenbaum, "The Theory of the Formal Method" (1927), em *Readings in Russian Poetics*, p. 19.
33. Stephen Jay Gould, "The Panda's Thumb", em *The Panda's Thumb*, p. 20.

# Índice

Este livro foi composto na tipologia
ClassGaramond, em corpo 11/15, e impresso
em papel off-white 80g/m² no Sistema Cameron
da Divisão Gráfica da Distribuidora Record.